PROCHAIN ÉPISODE

ÉDAQ

Cette édition a été préparée grâce à l'aide financière de l'Université de Montréal, de l'Université du Québec à Montréal, du fonds de la Formation de chercheurs et de l'Aide à la recherche (Québec) et à une importante subvention du Conseil de recherche en sciences humaines (Ottawa). Sa publication a été rendue possible grâce à l'aide de la Fédération canadienne des études humaines, dont les fonds proviennent du Conseil de recherche en sciences humaines du Canada.

HUBERT AQUIN

Prochain épisode

*Édition critique établie par Jacques Allard
avec la collaboration de Claude Sabourin † et Guy Allain*

*Édition critique de l'œuvre d'Hubert Aquin
Tome III, vol. 3*

BIBLIOTHÈQUE QUÉBÉCOISE

BIBLIOTHÈQUE QUÉBÉCOISE est une société d'édition administrée con-
jointement par les Éditions Fides, les Éditions Hurtubise HMH
et Leméac Éditeur. Bibliothèque québécoise remercie le ministère
du Patrimoine canadien du soutien qui lui est accordé dans le cadre du Programme d'aide au développement de l'industrie de l'édition. BQ remercie également le Conseil des Arts du Canada et la Société de développement des entreprises
culturelles du Québec (SODEC).

Conception graphique : Gianni Caccia
Typographie et montage : Dürer *et al.* (Montréal)

Données de catalogage avant publication (CANADA)
Aquin, Hubert, 1929-1977
Prochain épisode
Éd. critique établie par Jacques Allard
Éd. originale : Paris : Cercle du livre de France, 1965
Comprend des réf. bibliogr.

ISBN 2-89406-117-X
I. Allard, Jacques, 1939. II. Titre
PS8501.Q85P7   C843'.54   C95-941445-2
PS9501.Q857 1995   PQ3919.2A68P7 1995

Imprimé au Canada

Avant-propos

C'est en 1981, à l'initiative de Suzanne Lamy et d'Andrée Yanacopoulo, qu'est né le projet d'une édition critique de l'ensemble de l'œuvre d'Hubert Aquin. L'objectif était double : mettre à la disposition de tous ceux qui s'intéressent au Québec contemporain un ensemble textuel en partie inédit ; éviter que ne se dispersent ou disparaissent des témoignages et des documents de première main.

Accueillie au départ avec quelque scepticisme, tant étaient encore vives les blessures laissées par le geste de 1977, l'entreprise s'est néanmoins peu à peu imposée. Au terme d'un travail collectif de dix années qui ont vu la disparition de Suzanne Lamy qui nous avait apporté son dynamisme et ses leçons d'exigence, et l'éloignement de collaborateurs des premières heures, pris par d'autres tâches, l'équipe de l'ÉDAQ gardera le souvenir de débats stimulants sur l'édition critique d'une œuvre contemporaine et les questions de génétique littéraire qu'elle soulève. Les plus jeunes de nos collaborateurs ont acquis là une expertise dont leurs travaux témoignent et, au cours de ces dix années, une volonté commune de servir à la fois la mémoire d'Hubert Aquin et la recherche universitaire québécoise a inspiré et animé cette entreprise.

Prochain épisode

Mûrement réfléchie, la décision de publier les résultats de ces travaux dans une collection de poche, la « Bibliothèque québécoise », qui a encore peu de précédents en édition critique, répond à une double intention : imposer aux collaborateurs des contraintes salutaires pour éviter le débordement du commentaire et la tentation de l'essai critique ; plus encore, donner accès aux étudiants des collèges et des universités, tant au Canada que dans les pays qui ouvrent des centres d'études québécoises, à une édition « autorisée » sans en réserver l'accès à quelques professeurs et aux bibliothèques.

En effet, le regard porté désormais sur l'œuvre d'Hubert Aquin ne pourra plus être le même. Les travaux menés séparément sur chaque volume ont, au terme de l'entreprise, abouti par leur convergence à des modifications de plusieurs ordres.

Rapports de la biographie et de l'œuvre

Qu'ils soient romanesques, dramatiques, critiques, les textes écrits par Hubert Aquin sont profondément ancrés dans l'existentiel et le biographique (lieux, événements, expériences affectives et morales). C'est pourquoi le tome I de cette édition, *Itinéraires d'Hubert Aquin*, se révèle, en l'état actuel de l'information disponible, déjà si précieux. Non qu'il s'agisse de replier les textes sur le biographique dans un rapport simple de reflet ou de mimétisme ; mais l'invention travaille sur un donné qu'il y a tout intérêt à connaître et à mettre en évidence. Si le suicide d'Aquin a prêté à des travaux ou des analyses discutables, il reste qu'il est un horizon de l'œuvre dont les traces obsédantes apparaissent très tôt. D'une certaine manière, Hubert Aquin invente aussi sa vie en écrivant, la module et la modèle, quête finalement sans issue d'une origine, d'une naissance ou d'une renaissance appelées à demeurer de l'ordre de la nostalgie.

Ouverture de l'atelier

Cette caractéristique primordiale de toute édition critique — on sait la place qu'y tient la perspective génétique — s'est révélée, dans ce cas particulier, d'une fécondité exceptionnelle, grâce à tous les documents désormais archivés : aux brouillons et aux projets demeurés inédits, aux textes divers dont plusieurs se retrouvent dans les volumes de *Mélanges littéraires* du tome IV. Non seulement le *ductus* de l'écriture dans les manuscrits conservés manifeste un tempérament spontané, hâtif, de plus en plus même avec le temps, mais l'étude attentive des sources et des volumes avec lesquels Aquin a travaillé montre le rôle du montage, de la paraphrase et de la reprise. L'invention est liée au centon, à la mise en œuvre et à l'organisation, selon des rythmes, des séquences et des effets variables, de multiples intertextes et d'un autotexte dont la récurrence n'avait pas jusqu'ici retenu suffisamment l'attention de la critique.

Décentrement du regard critique

La juxtaposition et la confrontation des inédits et des textes publiés, des récits et nouvelles, des œuvres écrites pour la radio et la télévision, encore en attente d'édition, des essais et des notes diverses conduisent à un décentrement du regard qui s'était, jusqu'à aujourd'hui, trop exclusivement focalisé sur les romans. La diversité des activités textuelles ainsi mise en lumière n'a pas pour seul effet un enrichissement du corpus, conséquence purement quantitative. Par un retentissement qualitatif, elle provoque un déplacement de l'équilibre de l'œuvre qui invite à une réévaluation globale et ne sera pas sans incidence sur la manière même d'aborder les textes plus connus.

Facteurs d'évolution

Récurrences, répétitions et reprises de thèmes privilégiés, de modèles ou de procédés s'accompagnent de transformations, de déplacements d'accents qui font que l'œuvre, par-delà sa très forte unité d'inspiration dans la multiplicité de ses formes, obéit à quelques lois d'évolution qui restent à étudier. Parmi les hypothèses possibles, retenons : l'amuïssement ou le reflux de l'intertexte religieux qui était dominant dans *Les Rédempteurs* ou *L'Invention de la mort* ; la montée du parodique, l'exaspération de procédés de construction textuelle qui semblent avoir été de plus en plus lucidement et consciemment appliqués, un souci du détail qui s'exprime dans le soin apporté aux pages de couverture (*L'Antiphonaire* ou *Point de fuite*) assorti d'une hâte, d'une fièvre dont les signes sont multiples et qui semble placer la pratique textuelle d'Aquin sur fond constant d'inachèvement.

Ce n'est qu'une fois tous ces parcours approfondis, suivis dans le détail de l'œuvre complet, que le statut et la stature d'Hubert Aquin pourront être plus exactement précisés et évalués, son rôle et son influence peut-être dissociés de la question de son originalité. Œuvre profondément personnelle, ou œuvre miroir et écho, œuvre carrefour ? Œuvre ouverte dont l'élan a été brutalement interrompu, ou œuvre qui avait trouvé avec *Obombre* le terme de son itinéraire ? Nul doute qu'Hubert Aquin, qui, par la curiosité infinie et l'étendue de culture dont les textes portent témoignage, a été une grande figure de médiateur, ne se voie confirmer par la présente édition une place éminente dans l'histoire littéraire du Québec.

Bernard Beugnot

À Valérie

Présentation

> Un roman est pour moi une aventure intel-
> lectuelle absolument passionnante — une
> sorte de défi que je me sens forcé de relever
> avec élégance et force.
>
> Hubert AQUIN
> *Journal*, 11 décembre 1952

L'appel de l'histoire

Montréal, 18 juin 1964. La révolution culturelle du
Québec bat son plein. Et Hubert Aquin se trouve, à trente-
quatre ans, au carrefour le plus important de sa vie. Il écrit
depuis son adolescence, sans avoir encore réalisé un rêve
entretenu depuis 1948 : être romancier. Ce jour-là, il fait
parvenir une lettre aux journaux montréalais. Une quaran-
taine de lignes, seulement. Mais elles le conduiront en
prison et à son premier roman publié. Ce sera *Prochain
épisode*, l'un des plus fameux livres des années soixante
et de la littérature québécoise.

Dans des conditions encore mal connues, il a rédigé
un communiqué de presse, annonçant son choix du combat clandestin, à la tête d'une cellule terroriste (vraisemblablement fondée à l'automne 1963). Pour la révolution

armée qui conduirait à l'indépendance du Québec. Le lendemain, deux journaux montréalais en feront état[1].

Depuis le 22 juin 1960 (avec l'élection du parti libéral), un Québec pressé se mettait à jour, établissant un ministère de l'Éducation, construisant des autoroutes, nationalisant l'hydro-électricité, se donnant aussi une assurance-hospitalisation et un premier Code du travail. La femme acquérait par ailleurs son autonomie juridique. Et puis, une Délégation générale s'installait à Paris. La «belle province» se donnait un discours d'État. Un Québec nouveau se dessinait, remodelant progressivement tous les secteurs de la vie sociale. Cette modernisation, qui faisait appel à une conscience collective nouvelle, ouverte sur le monde, a bientôt renforcé la critique de la fédération canadienne. Des néo-nationalistes, inspirés par les rébellions canadiennes de 1837-1838 et les théories de la décolonisation, étaient même passés, depuis mars 1963, à l'action violente. Hubert Aquin s'inscrit alors dans la mouvance du principal groupe : le Front de libération du Québec (FLQ). Parallèlement au courant de sympathie publique suscité par le mouvement, diverses publications

---

1. *Montréal-Matin* (p. 3) titre : «Il était vice-président régional du RIN : Hubert Aquin prend le maquis» et dit avoir reçu, par livraison spéciale des Postes canadiennes, la copie d'une «lettre», non signée (dactylographiée comme le reste du message). *Le Devoir* (p. 3) fait aussi état des mêmes conditions de réception, ajoutant avoir fait authentifier le document et confirmer la disparition de l'auteur. Le journal cite quelques extraits du communiqué. Le mensuel *Québec libre* devait ensuite, dans sa livraison de juillet 1964 (p. 3), «offrir en exclusivité le texte intégral de la déclaration». On la retrouve maintenant dans *Mélanges littéraires I*, dorénavant MEL I (p. 515-516).

avaient surgi, dont *Parti pris*, revue indépendantiste, socialiste et laïciste dont il fut rapidement l'un des collaborateurs. Autant d'engagements, autant de signes de la tension considérable qui s'est bientôt développée au Québec mais aussi au Canada. Même le premier ministre canadien, Lester B. Pearson (prix Nobel de la paix 1957), s'en était inquiété, en novembre 1963, disant : « Je ne veux pas être témoin de la liquidation du Canada[2]. »

C'est dans ce fiévreux contexte qu'intervient l'écrivain. Ambitionne-t-il de faire l'Histoire ? En ce jour anniversaire de l'appel du général de Gaulle aux Français de 1940, son communiqué est une déclaration de « guerre totale à tous les ennemis de l'INDÉPENDANCE [*sic*] du Québec ». Et celui qui signe « Commandant de l'Organisation spéciale » demande à ses « frères et sœurs dans la révolution » de se préparer : le temps viendra bientôt pour eux aussi de s'engager.

Des observateurs ont alors pu voir que le vice-président (région montréalaise) du Rassemblement pour l'indépendance nationale (RIN) répondait ainsi à l'invitation du FLQ. Depuis plusieurs mois, les propos d'Aquin se faisaient militants, annonçant ce choix de l'action violente[3]. Les proches savaient par ailleurs que cette rupture

---

2. Cité par Aquin dans « Le corps mystique » où il note aussi : « Titre sur huit colonnes, *in Le Devoir*, le 13 novembre 63 » (*Parti pris*, février 1964, vol. 1, n° 5, p. 30-36 ; MEL II, p. 213).

3. Son article « Profession écrivain » (*Parti pris*, décembre 1963 ; repris dans *Point de fuite*, Bibliothèque québécoise, 1995), souvent cité à ce propos, illustre toutefois moins le reniement de sa vocation d'écrivain que la difficulté vécue de ne plus l'être. Il choisirait plutôt l'écriture engagée, politiquement et linguistiquement

succédait à celle de 1959, alors que le prestigieux artisan de Radio-Canada avait quitté son poste pour aller à l'Office national du film, participant, à divers titres, à une douzaine de films[4]. Les intimes constataient sans surprise que le lien familial déjà bien lâche se cassait lui aussi : poursuivant des amours cachées, le maquisard laissait à nouveau, au 582 de la rue Davaar, à Outremont, une femme et deux fils. Ils savaient en outre que ce Montréalais d'origine modeste, diplômé en philosophie de l'Université de Montréal, dramaturge de la radio et de la télévision, cinéaste, animateur politique et essayiste récent de « la fatigue culturelle[5] » avait aussi, fichée au cœur de sa vie si intense, une fêlure profonde.

---

affranchie : « Écrire des romans non souillés par l'intolérable quotidienneté de notre vie collective et dans un français antiseptique et à l'épreuve du choc précis qui ébranle le sol sous nos pieds, c'est perdre son temps. » Il avait aussi évoqué, au début, un éventuel « retour non moins inattendu que fracassant... » à sa vie de « manieur de mots ». Pour d'autres détails de la vie d'Aquin à cette époque, se reporter à *Itinéraires d'Hubert Aquin*, p. 148-158.

4. Dans sa notice du *Dictionnaire du cinéma québécois* (Montréal, Boréal, 1991, nouvelle édition revue et augmentée, 603 p.), Jean-Marie POUPART dit que « de son aveu même, Aquin est [en 1961, après avoir été intervieweur, traducteur et réalisateur de plusieurs documentaires] plus intéressé par la production que par la réalisation ». Il ajoute ensuite que *Prochain épisode* « marque la fin de sa carrière cinématographique » (p. 8). Voir aussi Yves LEVER, *Histoire générale du cinéma au Québec*, Montréal, Boréal (nouvelle édition refondue et mise à jour), 1995, 634 p.

5. Voir son plus célèbre article, écrit en opposition au point de vue fédéraliste canadien de Pierre Elliott Trudeau : « La fatigue culturelle du Canada français », paru en mai 1962, dans *Liberté* (MEL II, p. 43-110).

Souffrait-il de «dépression suicidaire», comme il le prétendra, par la bouche de son avocat, après son arrestation du 5 juillet? C'est en le croyant que le juge Claude Wagner a alors été amené à choisir l'hospitalisation plutôt que l'emprisonnement rapide qu'il réservait habituellement aux terroristes arrêtés. Était-ce, pour le prévenu, ruse révolutionnaire ou vérité vive?

Certains faits parlent, tout en gardant leur part d'ombre. Ainsi, pendant cette période de «clandestinité», Hubert Aquin voyait Pierre Lefebvre, son psychiatre et ami (collaborateur, lui aussi, à *Parti pris*). Il était même attendu, comme patient, selon le témoignage du médecin, à l'Institut Albert-Prévost, le 29 juin. Pourtant, une fois sur place, à compter du 15 juillet, Aquin ne sera pas un bon patient et prétendra ne pas être malade (voir plus loin les notes 4, 60 et 65 du roman). Et il le maintiendra après sa sortie.

Trente ans plus tard, on peut s'interroger, comme l'écrivain André Major et quelques contemporains l'ont fait[6]. La maladie? la dépression? la névrose? Certes, mais aussi leur déguisement, les paravents de l'antique mélancolie ou du spleen romantique. La mise en jeu d'une réalité douloureuse[7]. Non pas que le scénario de l'échec

---

6. Selon André Major, Aquin aurait pu prendre le maquis pour écrire *Prochain épisode* (cité par FOURNIER, *F.L.Q...* p. 83). De son côté, André d'Allemagne (co-fondateur du Rassemblement pour l'Indépendance Nationale) évoque la possibilité que l'écrivain se soit fait arrêter pour ne plus avoir à militer (DESA, p. 246).

7. Dans son projet romanesque de 1967-1968, «La réussite», on trouve une préface où l'auteur dit de lui-même: «Je refuse cette théorie qui fait de lui un cas ou un rescapé ou un malade. Je sais

militant et de l'internement paraisse avoir été choisi comme
menant à l'écriture. La rédaction du communiqué n'impli-
quait pas en soi celle du roman, même si quelques formules leur sont communes (notes 141 et 175 du roman). La
profonde volonté de rupture et d'isolement, jointe à son
envie d'une conspiration assez balzacienne, pouvait toutefois y conduire Aquin, plus ou moins consciemment.
Tout le comportement de l'homme depuis une dizaine
d'années semble dire, comme dans le roman : « Ah ! que
l'événement survienne enfin et engendre ce chaos qui m'est
vie ! » (p. 133)

Si l'appel de l'Histoire avait été celui du désir
romanesque, de la vie imaginaire, de l'histoire à raconter ?
Quand, sous la pression des faits rassemblés, une occasion
se fait nécessité profonde, il serait en outre naïf d'oublier
la très grande ambition littéraire de l'auteur[8]. Quoi qu'il
en soit, on peut s'étonner de la tournure curieuse que
prend, à la fin, le communiqué du Commandant Aquin,
quand le ton révolutionnaire se fait tout à coup prophétique, et que son retour s'annonce un peu comme celui du
Christ auprès de ses disciples :

---

qu'il a — jusqu'à la fin — pris deux œufs et du bacon le matin »
(MEL I, p. 308). Sur la maladie comme masque ou métaphore, voir
plus loin la note 252 de *Prochain épisode*.

8. Voir encore cette phrase de Vautrin (Balzac, *Le Père
Goriot*) que transcrit Aquin dans son journal de l'été 1964 (p. 264) :
« Il n'y a pas de principes, il n'y a que des événements. » Comme
le rappelle Bernard BEUGNOT (dans sa note 300), la suite des propos
de Vautrin se lit ainsi : « Il n'y a pas de lois, il n'y a que des
circonstances : l'homme supérieur épouse les événements et les circonstances pour les conduire. »

À ceux qui restent dans le Parti, je DIS [*sic*] : « Ne désespérez pas, car c'est vous que j'appellerai bientôt. [...] Pendant quelque temps je serai éloigné ; puis après cette période, je reviendrai parmi vous [...]. » (MEL I, p. 516)

Le style évangélique paraîtra un peu saugrenu (même dans un Québec encore très marqué par la parole du Christ), à moins d'y voir une trace du monde imaginaire dans lequel serait plongé l'auteur militant. Et le signal d'une action longtemps contenue. Aquin serait-il allé vers la révolution comme si elle devenait sa propre révélation ?

Plus on examine le dossier actuellement accessible de la genèse du roman, plus on doit nuancer l'idée, claironnée à l'époque, d'une pure improvisation. De ce contexte immédiat d'où jaillit indéniablement le livre, il faudra ici remonter jusqu'aux origines lointaines. Et *Prochain épisode* apparaîtra bel et bien comme la réalisation d'un désir de jeunesse. Une divulgation longtemps préparée.

L'histoire du texte sera donc ici privilégiée, cependant le lecteur comprendra que, dans une édition de poche, nous n'en puissions donner que les repères, en privilégiant la genèse et la rédaction[9]. La publication et la réception sont plus connues, même si la recherche a encore beaucoup à glaner. Sur la genèse et la rédaction elles-mêmes, de nombreuses questions restent aussi à éclaircir. Mais aurons-nous un jour accès au manuscrit

---

9. Cette présentation intègre certains éléments de deux études qu'il nous a fallu faire : « Genèses de *Prochain épisode* » et « Du journal intime au roman : l'entretexte. L'exemple de *Prochain épisode* », à paraître.

produit à l'Institut, du 27 juillet au 22 septembre? Au dactylogramme ensuite venu et remis à feu Pierre Tisseyre le 19 janvier 1965? Aux placards d'imprimerie [10]?

Il a fallu travailler avec un avant-texte presque réduit au *Journal* fragmentaire, devenu récemment accessible. Heureusement s'y trouvaient des marques aussi copieuses qu'éloquentes du projet, et même de son exécution, à mettre en rapport avec celles du roman lui-même. Leurs lectures superposées livrent un certain nombre de données. Mais il est à souhaiter que d'autres travaux apportent bientôt leur concours à ce qui reste en chantier. Sur l'établissement du texte et sur la bibliographie, des notes s'ajouteront à la fin de cette présentation. Une liste des variantes et quelques documents inédits (en appendice) complètent la documentation (partielle) mise à la disposition des lecteurs, tandis qu'un index permet de retrouver les noms de personnes (réelles) cités dans l'ouvrage.

---

10. L'inventaire d'un fonds privé, fait par les services des Archives du Québec, confirme l'existence d'un manuscrit. S'agit-il du texte de l'été 1964, de la transcription dactylographique ou de sa version corrigée en mars?

I. Genèse

Esquisse du récit de la rencontre (1948-1959)

> Mon heure n'a pas encore sonné. [...] Tout ce que je fais
> est en perspective d'une époque où je serai engagé de
> toutes mes forces. J'absorbe et j'attends. Il n'est qu'une
> chose dans ma vie présente qui préfigure ce temps de
> l'action totale [...] — c'est le roman. *Les Rédempteurs.*
> (*Journal*, 8 février 1952, p. 103)

Comme le démontre le *Journal*, le projet romanesque
émerge dès 1948 et connaît un premier cheminement jusque vers 1960 autour de deux tentatives insatisfaisantes :
Les Rédempteurs (1952)[11] et *L'Invention de la mort*
(1959).

    Dès ses dix-huit ans, Aquin a d'abord fait le choix
d'une vocation artistique, notant, en cette année du *Refus
global* (manifeste de peintres et de poètes automatistes
du Québec) : «L'art est mon affirmation authentique»
(13 décembre 1948). Toutefois, il lui faudra atteindre ses
vingt-trois ans pour dépasser le récit bref. En cette année
décisive de 1952, alors qu'il poursuit à Paris des études
supérieures, il écrit enfin son «roman», en fait : le long
récit des *Rédempteurs* projeté quatre ans plus tôt.

    Que devait retenir l'auteur de l'expérience ? D'abord,
de ne pas traîner : il faut écrire au plus près de soi et du
vécu, «dans la brûlante intimité qui crée» (28 mars 1952).
Le sujet religieux souvent exploité dans les premières

---

11. Quinzième récit d'une série initiale, née en 1944 avec un
conte de Noël, *Les Rédempteurs* n'a été publié qu'en 1959 (*Écrits
du Canada français*, V, p. 45-114). Voir l'édition à paraître dans
Bibliothèque québécoise.

narrations trouve-t-il enfin son aboutissement[12] ? Celui si chéri de l'amour en triomphe nettement ici : dans le monde originel de l'Ancien testament, un couple sauve l'humanité en fuyant le pèlerinage suicidaire commandé par de mauvais prophètes. Se relisant, Aquin n'en regrette pas moins le manque d'intensité du récit, l'absence d'excès, disant : « l'art doit toujours aller trop loin, se tenir à la limite de l'inavouable [...], l'art doit excéder le réel [...] faire battre notre cœur à un rythme extrême » (13 mars 1952). Comme le proposent deux de ses auteurs favoris : le maître Ramuz, dans son journal (lu dès 1948), et le séduisant Breton de *L'Amour fou* (lu en 1949)[13]. L'étudiant de Paris n'est plus celui de Montréal. Les personnages et leur histoire le signalent, même si l'écriture se fait moins convaincante.

Le choix d'amoureux en fuite se confirmera dans un projet de la même année : *La Rencontre*. Le rêveur de roman se trouve alors plus près du trio à venir dans

---

12. Voir ces textes dont les titres disent un peu la visée contestatrice de l'écrivain débutant : « Messe en gris » (1948), « Pèlerinage à l'envers » (1949), « Dieu et moi » (1949) et « Tout est miroir » (1950), à paraître dans l'édition critique des *Récits et nouvelles*, préparée par François Poisson pour Bibliothèque québécoise.

13. Sur ces sources importantes, les index d'*Itinéraires* et du *Journal* d'Aquin donnent au lecteur beaucoup d'indications utiles. Comme on le verra, Ramuz (surtout par son *Journal*) a sans doute fourni à Hubert Aquin les bases mêmes de sa réflexion esthétique, entre autres : la primauté du point de vue ou de la vision ; aussi bien que celle de l'image sur la psychologie, sans parler des thèmes essentiels de l'intensité, du lac et de la montagne. Voir là-dessus le très suggestif essai de Philippe RENAUD, *Ramuz ou l'intensité d'en bas*, Suisse, Éd. de l'Aire, « L'aire critique », 1986, 198 p.

Prochain épisode, puisque sont imaginés un narrateur-
auteur cherchant « le frère mortel [...] sur toutes les routes » ou cette Iseut que, Tristan, il irait « quérir au bout du
monde, au-delà des mers » (JO, p. 118). Plus encore, quand
s'ajoutent au couple des éléments très porteurs : « deux
êtres, une chanson, et une maison très loin où ils voudraient fuir », car la chanson et la quête du refuge devien-
dront en 1964 de riches leitmotive.

De la réflexion de cette époque sont à retenir les
rudiments d'une poétique en formation. Le « brûlant »,
l'« intense », l'« excessif » ; le « spontané », l'« imprévisible », l'« inavouable » : autant de termes insistant (jusqu'à
la redondance) sur le faire romanesque plutôt que sur sa
théorie. Aquin ne dit bientôt plus, comme en 1949, un peu
à la Valéry : « Je fais de l'art au terme de la raison exas-
pérée. Alors commence la fête. » (JO, p. 64), mais songe
tout de même à une « philosophie du roman ». Et le choix
de l'immédiat ou de l'extrême se dessine clairement à
l'encontre du réalisme, car pour lui « il n'y a pas de grand
art descriptif » (p. 117). S'agirait-il simplement de romantisme et de surréalisme ? L'écrivain n'épouse aucune
école. Tout en trahissant ses deux grandes références, il
les soumet à un traitement phénoménologique, dans le
sillage d'un ambitieux projet de thèse : « Phénoménologie
de la création du personnage dans le roman chez J. Green,
J. Joyce, W. Faulkner et F. Dostoïevski [14] ».

Derrière ces ruminations de l'écrivain en formation,
il y a de très nombreuses lectures dont il note des aspects

---

14. Titre d'un sujet de doctorat projeté sous la direction
d'Étienne Souriau.

pour lui essentiels. Du *Beau ténébreux* (Julien Gracq, 1945), il retiendra la «capacité de noirceur» et la figuration magique de la mort, le parti à tirer d'une automobile, ou encore : des lieux et de la musique qui, par définition, façonneraient la vie affective. Chez Julien Green, il relèvera l'intensité nécessaire de l'entrée en matière, comme dans *Moïra* (1950). À l'autre extrême de l'espace narratif, à la fin, il s'agira d'éviter le bâclage du *Visionnaire* (1934). Quand il est question de la voix narrative, il recherche l'authenticité, détestant «l'artificiel» débusqué chez Gracq et le «truqué» entrevu chez Valéry. Ce pourrait être, précisément comme dans ce projet de *La Rencontre*, un «dialogue de monologues (*st[ream] of consciousness*)» (p. 132) repéré chez Joyce et Faulkner. Des changements de voix remplaceraient le passage d'un chapitre à l'autre. L'important serait d'arriver à «la bouleversante vérité de la fable», de créer ou de reprendre des mythes et, toujours, de se méfier de l'œuvre «écrite», de l'«artifice verbal» (p. 112). La spontanéité plutôt que la correction. En arriver à l'«expression totale de [soi]» qui soulagerait du «monde objectivé» (p. 117). À cette sincérité qu'il n'a pu trouver chez Gide lu et relu depuis 1948[15].

Dans ces conditions, comment tout de même représenter le monde objectif? S'inspirer de Kafka ou de Joyce et «compenser la simplicité de l'histoire en la faisant bien précise», située à Montréal ou en des «lieux nets». Y mettre du mouvement, toujours. Par exemple,

---

15. Voir son article de 1951 : «Le style, recherche d'authenticité», et les notes de Claude Lamy (MEL I, p. 64-68).

comme dans *La Rencontre*: «la poursuite affolante, fantastique des amants», la quête (assez surréaliste) de l'«extase» (p. 136).

Le lecteur verra à quel point *Prochain épisode* réalise cette esquisse du récit de la rencontre (l'ensemble de thèmes et de techniques établi au temps de sa jeunesse studieuse). Mais pour lors, le temps n'est pas encore venu. Aquin attend, comme il advint pour Lord Byron à vingt-cinq ans, «l'acte qui par sa bouleversante révélation lui permettrait enfin d'être totalement lui-même» (p. 125). Il préfère d'ailleurs le modèle «autrement haut situé» de Benjamin Constant, chez qui se trouve aussi une importante réflexion politique. Surtout: il n'accepte que difficilement l'inquiétant personnage, ce lamentable qui ensuite fera souvent son apparition dans son théâtre radiophonique et télévisuel: le «maniaque», le «souffreteux», l'«impuissant», ce héros aussi regrettable qu'insistant, déjà symboliquement nommé *Le Prophète* en 1953[16]. L'expérimentation médiatique permettra ainsi de faire diversion, repoussant le temps de la confession romanesque[17] qui sera l'aboutissement du récit de la rencontre.

---

16. Voir les variantes du personnage: le raté, le déserteur, l'usurpateur; le gâcheur (souvent meurtrier) du mariage, de la fugue amoureuse. Par exemple, dans ces œuvres dramatiques: *La Toile d'araignée* (1954) et *Le Choix des armes* (1959). Et plus tard, après *L'Invention de la mort*: dans *L'Emprise de la nuit* (1960), *Dernier acte* (1960), *Oraison funèbre* 1962). Ou même, après *Prochain épisode*: dans *Table tournante* (1968).

17. Pour Aquin, roman et confession vont de pair, comme on le voit encore, en 1956, dans sa critique de *L'Échéance* de Maurice GAGNON et de *Mon fils pourtant heureux* de Jean SIMARD (MEL I, p. 87-89 et 92-94).

Origines proches (1959-1964):
l'aveu et le récit de la descente

Il faudra le départ de Radio-Canada et l'écriture de *L'Invention de la mort* pour que la divulgation ait lieu, sans danger, puisque ce premier roman devait rester inédit du vivant d'Aquin. Deux ans plus tard, une note laisse prévoir *Prochain épisode* (et *Trou de mémoire*):

> Si je me dévoilais! Si, au fond, je racontais tout simplement l'histoire lamentable d'un homme impuissant, dégoûté, privé d'âme, épris de grandeur mais condamné à la réalité. L'histoire d'un homme qui vivrait toujours en dessous: qui rêve de transe, de possession, de voyage, et stagne sur place. L'histoire de l'écrivain qui peine pour trouver son histoire et qui vit en deçà de ce qu'il imagine. Il imagine une histoire de vol et d'amour — puis tente de la vivre mais combien maladroitement et avec quels dégâts! (22 août 1961; *Journal*, p. 220-221)

Pourquoi pas, en juin 1964, une histoire de vol, de terrorisme et d'amour, vécue puis réimaginée avec les mêmes «dessous», «transe», «possession» et «voyage», avec les mêmes «dégâts»? Serait-ce une épopée d'aujourd'hui comme il l'entrevoit, de décembre 1960 à août 1962? Après Homère et Joyce (tous deux lus et appréciés depuis au moins 1952[18]), la leçon serait entendue. L'épopée se

---

18. En 1959, Aquin (sur les traces de Joyce) a tenté de faire une adaptation de *L'Odyssée*. Pour bien d'autres rapports avec Homère et avec l'auteur d'*Ulysse*, voir *Itinéraires* et le *Journal*. Sur

ferait maintenant « au second degré, intérieure, originelle »,
conscience et quête des origines, fondée sur une « lutte entre
un homme et l'histoire ». En résumé : « écrire une épopée
et m'engendrer ! » (*Journal*, p. 184, 190, 198). Le discours
national traditionnel ne dit-il pas d'ailleurs, comme dans
l'hymne canadien, « ton histoire est une épopée » ?

C'est dans la trace de ce projet « épique » non réalisé, finalement appelé *Papineau inédit* ou *Journal inédit
de L[ouis]-J[oseph] Papineau* [19], que *Prochain épisode* se
développera. Plutôt que d'être le sujet du roman, le chef
vaincu des Patriotes de 1837-1838 donnera son fondement
québécois au thème révolutionnaire. Pourtant, cette épopée intime ne va pas de soi : elle sera dite « inextricable »

---

l'épopée, comme sur plusieurs autres aspects de la théorie du roman,
les propos d'Aquin rejoignent ceux de Roger CAILLOIS dans *Puis-
sances du roman* (*cf. Approches de l'imaginaire*, Paris, Gallimard,
« NRF », 1974, p. 147-243). Aquin avait lu, en 1960, *Le Roman
policier* et *Méduse et Cie* (JO, p. 225-227).

19. Ce sont les titres donnés au projet aussi appelé « historique » qui est envisagé dans le *Journal* depuis le 5 décembre 1960.
Il connaîtra un développement particulier sur des feuillets détachés
(dossier « Projets de romans ») du 1er au 7 mai 1961. C'est aux
différents états de ce projet que le lecteur sera renvoyé par la mention *Papineau inédit*. L'autre projet de cette époque (ébauche de
Trou de mémoire) est ainsi présenté le 19 septembre 1962 : « roman
policier à forme ou ton scientifique (linguistique, anthropologie,
philosophie) ». Moins important pour la naissance de *Prochain épisode*, il sera développé parallèlement aux entrées du *Journal* dans
deux documents titrés : « Le roman » et « Trou de mémoire (premier
plan) Montréal 29 octobre 1962 ». Le fait que tous deux aient
été recopiés en 1972 rend incertain l'état premier du texte (*cf.* TM,
p. 273).

pour son double, H. de Heutz (PE, p. 118), et surtout
«déréalisante» pour le narrateur-auteur. Mais il rêvera
tout de même qu'elle «s'inscrive au calendrier national
d'un peuple sans histoire!» (p. 90). Car l'histoire est bien
l'Histoire, et inversement. Point et contrepoint, l'écrivain
y tient. Genèse voulue du moi et du monde, l'écriture
reste cependant une aventure: une course qui invente sa
route. En ce sens, *Prochain épisode* ne sera pas ourdi
comme le roman policier (*Trou de mémoire*) que l'auteur
imaginait dès 1962: «quelque chose comme le premier
roman français vraiment illisible[20]».

Un certain H. de Heutz

Outre cette idée de vivre et raconter une histoire d'écrivain en quête de son sujet (qui nous rapproche de manière
saisissante des événements de l'été 1964), il y a celles qui
découlent de *L'Invention de la mort* et de certaines lectures
qui remontent aussi à cette époque des origines proches.

Exception faite de la dimension politique, presque
absente de *L'Invention de la mort* — en dépit de l'inscription de l'auteur à une maîtrise en histoire (Université de
Montréal) dès 1957 —, nombreuses seront les reprises
thématiques ou même expressives: du discours amoureux
au rêve du crime, en passant par l'envie du suicide ou du
crépuscule, la descente au fond d'un lac ou l'écoulement
du fleuve et du temps.

---

20. *Journal*, p. 247 (après une allusion à ce que Joyce avait
fait avec *L'Odyssée*).

Prochain épisode semble aussi commencer dans le prolongement de *L'Invention* : au fond de l'eau où plongeait la voiture du narrateur suicidaire, le journaliste René Lallemant, qui abandonnait Madeleine, son amante. Cette articulation transromanesque (de lieux québécois et suisse) permet d'évoquer celle des patronymes, autres signes par excellence des origines dont parlent les deux récits. Prenons René. Il pouvait d'autant mieux renaître qu'il était venu au monde, comme Hubert Aquin (et le narrateur de *Prochain épisode*), le 24 octobre 1929, jour du fameux krach de New York. Le narrateur si proche de l'auteur réel reparaîtra donc, combinant son nom au prénom de l'auteur pour s'appeler d'abord H. de Heute. «H» pour Hubert? La supposition est naturelle, mais qu'en est-il de Heute? En allemand, «Heute» signifie «aujourd'hui». H. d'Aujourd'hui? Pourquoi pas? Bien sûr, le codage est un peu trop évident. Cela expliquerait qu'une fois envisagée (PE, p. 35-36), cette variante du nom ne revienne plus.

La narration préférera le patronyme «de Heutz» qui, tout en contenant plus ou moins le premier, peut faire entendre (toujours à une oreille francophone) «Deutsch» («allemand»). Les amateurs de romans d'espionnage et de codage secret (à double clef, au minimum) comprendront un peu mieux en découvrant ensuite certain rapport qu'entretient Aquin avec la langue allemande : «Deutsch» est aussi le nom d'un peintre de saint Thomas d'Aquin, prénommé Nicholas-Manuel. C'est encore celui d'un révolutionnaire autrichien, Simon Deutsch (1824-1877). Les deux personnages sont associés à l'histoire suisse mais aussi, dans un cas, à celle de l'auteur que son patronyme apparente au grand penseur de l'Église catholique, le philosophe le plus étudié dans le Québec d'avant 1960[21].

Souvenirs de lecture

D'autres apports de l'époque se démarqueront dans les lectures faites par l'auteur. Six d'entre elles vont fournir au canevas des données souvent décisives : celles de Vladimir Nabokov, Gilbert Durand, Albert Camus et Clément Rosset ; ou parfois secondaires, comme celles épinglées chez Marcel Mauss et Michel Leiris.

Au romancier russo-américain[22], Aquin doit peut-être son intérêt pour des jeux sur la lettre, le signe graphique («mon alphabet qui m'enchaîne», p. 9) aussi bien

---

21. Dans la bibliothèque de l'auteur, nous avons trouvé un ouvrage : *Suisse, terre de travail et de liberté* (Paul CHAPONNIÈRE, Lausanne, Office suisse d'expansion commerciale, 3 Place de la Riponne, 1947, 111 p.) qui comprend une reproduction de la peinture «Saint Thomas d'Aquin reçu par saint Louis», signée Nicholas-Manuel Deutsch (1484-1530), artiste dont il est dit que l'aïeul s'appelait «Alleman» [*sic*], nom ensuite devenu «Deutsch». À la page de la reproduction était insérée (en guise de signet ?) la photographie d'un ami d'Aquin (le chanteur Jean-Paul Jeannotte dont on retrouve le prénom dans *L'Invention de la mort*). Quant au révolutionnaire autrichien, on notera qu'il est opportunément oublié dans la nomenclature révolutionnaire de *Prochain épisode* : «Deutsch» était vraiment trop proche de «de Heutz».

22. Selon Andrée Yanacopoulo (témoignage personnel) et Naïm Kattan (*Portraits d'un pays*, Montréal, L'Hexagone/Le Devoir, 1994, p. 39), l'auteur avait une grande admiration pour NABOKOV. Ajoutons : peut-être un «culte secret», comme il est dit de Magnant,

que l'écrit épistolaire (la correspondance Musset-Sand, dès l'ouverture du livre). *Prochain épisode* multipliera d'ailleurs les majuscules de son paysage alpin, ou celles du message secret qui agglutine les mots d'une langue presque oubliée, pour finalement conduire au monogramme de H. de Heutz, soi-disant indéchiffrable (p. 130-131) [23].

---

dans *Trou de mémoire* (p. 68). *Prochain épisode* comporte d'ailleurs des traits de ressemblance avec *Lolita*, entre autres un narrateur emprisonné dans la section des psychopathes, nommé Humbert Humbert (ou H. H.) et la poursuite (elle aussi remémorée) de son double. On notera enfin qu'en 1959, au moment de la parution en français de *Lolita*, l'écrivain (naturalisé américain depuis 1945) s'installe en Suisse où il mourra, à l'été 1977.

23. Dans les études déjà citées (note 9), nous proposons de lire ce monogramme comme celui (à peine déguisé) d'Aquin. Les initiales superposées des nom et prénom dessineraient la courbe sinusoïdale du vécu ou la ligne de vie dont parle le roman (p. 9 et 24). L'intérêt d'Aquin pour la signature textuelle se confirme dans toute sa complexité en 1976 : voir son projet romanesque *Obombre* (MEL I, p. 357). Sur cette lecture (et cette écriture) de la lettre, pour l'époque proche de *Prochain épisode*, voir *La vraie vie de Sebastian Knight* (Nabokov) : «Le voyageur épelle le paysage et le sens de celui-ci se dévoile ; il en va de même pour le motif compliqué de la vie humaine : l'on découvre qu'il est monogrammatique, tout à fait clair maintenant pour l'œil intérieur qui désenchevêtre les lettres entrelacées. Et le mot, la signification qui apparaît frappe de stupeur par sa simplicité [...]» (Albin Michel, 1951 ; Gallimard, «Folio», 1989, p. 268-269). Sur l'inscription de l'écrit épistolaire, on trouve dans le même ouvrage : «Peut-être la lettre de son héros [Sebastian Knight à Clare, sa maîtresse] a-t-elle été une sorte de code lui permettant d'exprimer, chiffrées, quelques vérités au sujet de ses rapports avec Clare.» (p. 172)

À cette époque, où l'auteur trouve enfin en lui-même la «capacité de noirceur» qui le fascinait auparavant, il faudrait faire la part généreuse aux lectures «anthropologiques». Car c'est ce domaine scientifique qu'il entend élire, pour fonder une œuvre, «comme André Breton a choisi la psychanalyse» (*Journal*, 2 juillet 1961, p. 203). D'où sa lecture du «livre admirable», la synthèse de Gilbert Durand: *Les Structures anthropologiques de l'imaginaire* (PUF, 1960), terminée en août 1962 (p. 245).

Les dernières pages de Durand l'amènent alors à rêver de suivre «la pente la plus irrationnelle et la plus riche de [son] être. Vivre selon ce fluide nocturne et désorganisé» (p. 245). De ce registre pourra ainsi naître ou prendre forme le personnage de la mystérieuse espionne, l'alliée ambiguë, K, venue d'«une nuit plus noire que la nuit saturnale» (*Prochain épisode*, p. 20). Dans son *Journal*, Aquin avait bien retenu de sa lecture quelques formules déterminantes: «la nuit féminoïde», «la femme obscure», «la chevauchée funèbre du temps et de l'amour», ponctuant ainsi sa réflexion: «La femme est noire.» (*Journal*, p. 245)

Le sous-sol magique du récit à venir se préparait aussi avec ce que l'auteur grappillait dans *Sociologie et anthropologie* de Marcel Mauss[24], relevant (le 26 juillet 1961) l'«envoûtement magique» dont il imprégnera les rapports amoureux du narrateur-espion et de K. Chez Michel Leiris, il prendra bonne note de la possession

_____

24. Marcel MAUSS, *Sociologie et anthropologie* (introduction de Claude Lévi-Strauss), Paris, PUF, 1960, 482 p.

comme dédoublement (23 août 1961)[25]. *Prochain épisode* gardera des traces précises de cette fatalité qui serait source d'émerveillement par la connaissance qu'elle procure. Cela s'inscrit dans le mystérieux message mais aussi bien dans toute l'intrigue du roman, un peu à la façon dont le voulait l'auteur, le 2 août 1961, pour un télé-théâtre : «L'énigme doit échapper à la volonté des personnages : elle exprime le destin [...], la conspiration du Sphinx.» Il ajoutait, le lendemain, inspiré par *Absalon, Absalon* de William Faulkner : «Le récit est la façon de dévoiler le mythe. [...] Je dois construire mon histoire aussi comme une série d'énigmes ou de dédoublements, en progression de dévoilement, d'un fait unique : la rencontre [...]». Car (il le précise plus tard) : «Toute intrigue, toute œuvre de fiction doit être considérée comme un mode de connaissance. [...] Le symbole est une révélation [...]» (*Journal*, p. 215).

Ce qui est dû plus ou moins à Camus transparaît aisément en consultant *La Chute* (lu en janvier 1960). Plusieurs motifs y auront trouvé au moins leur raffermissement : le désir de marginalité criminelle, l'amour du jeu et du double, au fond celui de la chute elle-même[26].

---

25. Sa liste de lectures d'août 1961 (*Journal*, p. 229) comprend «La possession [et ses aspects théâtraux] chez les Éthiopiens de Gondar[s], [«Cahiers d'ethnologie, de géographie et de linguistique», Paris, Plon, 1958].

26. Le mot «chute» est repris une dizaine de fois dans *Prochain épisode*, pour désigner la démarche narrative ou le rapport amoureux, étant dite «ralentie», «libre», «intérieure», «perpétrée», «spiralée», «élémentaire». Elle devient «extasiée» quand, au milieu du roman, la fiction gagne sur le désarroi du narrateur-

Celle déjà familière à un auteur de formation catholique qui la trouve reprise (et sans doute justifiée) dans *La Philosophie tragique* de Clément Rosset :

> La chute tragique nous surprend [...] en nous révélant des événements humains fondamentaux (mort, grandeur, amour, haine) qui sont absolument étrangers à l'idée d'une liberté humaine partant à la conquête de sa valeur [...][27].

Aquin a souligné ce passage, comme tant d'autres de l'ouvrage, peut-être lu dès sa parution. Certains annoncent la « révélation » tant attendue. Par exemple : « la découverte première de l'échec constitue le premier degré du tragique » (p. 25). Dans la perspective des événements à venir, *Prochain épisode* apparaît comme un désir de transformation de la « chute tragique » qui, plus que jamais, habitait la pensée de l'auteur entre 1959 et 1965.

Aussi riches que paraîtront ces apparentements, ils sont loin d'être exhaustifs, tant Aquin paraît être l'une des plus remarquables illustrations de l'idée que l'on n'écrit jamais seul, mais avec tous les morts et les contemporains (comme le dit la théorie de l'intertexte). L'observateur le plus distrait deviendra circonspect devant les centaines d'ouvrages lus tout au long des méditations esthétiques, de 1948 à 1964. Formé dans un milieu traditionnel pro-

---

auteur. Pour le romancier André Langevin, Aquin a « commencé son œuvre là où Camus [a] abandonné la sienne » (*La Presse*, 16 avril 1977, cahier D, p. 1).

27. Clément ROSSET, *La Philosophie tragique*, Paris, PUF, 1960, p. 38.

gressivement ébranlé par la Crise et le deuxième conflit mondial, l'auteur s'est rapidement mis à l'écoute de toute son époque, dans sa diversité et sa modernité d'abord françaises. Jouxtée à une vieille passion pour l'histoire (à l'origine romaine antique), sa conscience inquiète, puis tragique, de l'action nécessaire devait bientôt trouver son tremplin stratégique.

L'ensemble des événements évoqués ici (et plus loin) permet de dire, hors de toute intention finaliste, que jusqu'à l'éclatement de *Prochain épisode*, la vie de cet écrivain s'ordonne selon la dure loi d'un désir romanesque. Mais il l'aura encore assez longtemps retenu, car, arrivé en 1961, il a la pleine conscience de ses moyens :

> J'ai la certitude maintenant que je n'ai qu'à commencer un roman, fût-il sans prétention, pour que tout ce qui était contenu afflue enfin à ma conscience et soit exprimé. (*Journal*, p. 221)

C'est pourquoi le 18 juin 1964 se présente comme le jour venu de la synthèse : certaine « épopée » politique pouvait « engendrer » celui qui rêvait de vivre pour raconter. L'histoire pouvait bien être celle d'un écrivain courant après l'Histoire, une histoire de clandestinité ou d'enfermement se dédoublant en un récit d'espionnage qui serait une quête du moi et du pays. Il y aurait une femme, une chanson, des poursuites en voiture. Un jeu de monologues permettant d'aller du narrateur-auteur au narrateur-espion, tous deux profilés à partir de l'auteur réel. Et beaucoup d'autres jeux. Du mystère, toujours : en particulier, celui du destin lui-même auquel on peut donner rendez-vous, quand on saisit l'occasion qui passe. Un récit d'apparence très échevelée, mais au dessin prévisible, allait donc pouvoir s'étaler. Le prophétique pouvait même en être le discours porteur et se pointer dès le titre. Il fallait d'abord faire son entrée sur la scène publique pour mieux dire la scène intime, ce qui fut fait. Cet ensemble de données aussi vécues que rêvées compose ce que nous appelons le récit de la descente : en soi comme dans le monde contemporain.

II. La rédaction

C'est le 15 juillet que l'auteur fut transféré de la prison commune de Montréal à l'Institut psychiatrique Albert-Prévost. Selon plusieurs indications[28], c'est seulement à partir du 27 que l'écriture a pu démarrer, pour se poursuivre de façon irrégulière jusqu'à la sortie de l'auteur, le 22 septembre 1964. Aquin continuera ensuite de travailler

---

28. Par exemple, celles des premières pages du roman. À la suite de la mention de «l'anniversaire de la révolution cubaine», soit le 26 juillet, on trouve les «vingt-deux jours loin de ton corps flamboyant», ce qui donne, après l'arrestation du narrateur-auteur encore très proche de l'auteur réel arrêté le 5 juillet, la date du 27. Cette date a été préférée à celle du 30 à laquelle conduit l'interprétation littérale des quinze jours d'attente du papier dont parle ensuite Aquin après la publication : «Avant d'avoir le droit d'écrire [à l'Institut Albert-Prévost], ça m'a pris quinze jours. Pour dédouaner le papier, tu vois ce que je veux dire [...].» («James Bond + Balzac + Stirling Moss... = Hubert Aquin» (Normand CLOUTIER, *Magazine Maclean*, septembre 1966, vol. 6, n° 9, p. 41). Quinze jours après le 15 juillet (jour de son arrivée à l'Institut) donnent évidemment la date du 30, mais elle n'est confirmée ni par le roman ni par le journal qui, commençant apparemment le vendredi 31 juillet, parle d'un roman déjà en cours.

sur ce manuscrit originel jusqu'à l'envoi d'une version dactylographiée à l'éditeur Pierre Tisseyre, le 19 janvier 1965 (voir l'appendice V).

Le manuscrit de l'Institut
ou l'écriture sous surveillance

Que peut-on savoir de ce manuscrit ? Des conditions matérielles et intellectuelles de son élaboration ? Des confidences postérieures d'Aquin permettent d'entrevoir les difficultés prévisibles du départ dont témoignent encore le journal intime et le roman publié.

Sentant le besoin de consigner ses réflexions, l'auteur aurait non seulement attendu quinze jours la permission d'écrire, mais écrit sur des feuillets qui lui auraient été comptés (cinquante par mois). Il aurait en conséquence appris à écrire petit ! Ce qu'il ne dit pas, mais qu'on peut raisonnablement déduire, c'est qu'il a commencé à écrire dans le carnet où il prétendait d'abord tenir son journal intime. Les dix pages manquantes (cinq feuillets) du début du carnet ont pu ainsi constituer les premières du roman, alors que le narrateur indique ses dates repères (entre le 26 juillet et le 22 septembre) et d'autres conditions de son internement. Les autres pages arrachées du carnet, plus tard, ont pu pareillement servir[29], illustrant

---

29. Il manque en tout 306 pages (153 feuillets) à l'agenda (anglophone, utilisé à l'Office national du film) qui lui a servi de journal. Si l'on se fie à la calligraphie de cette époque, cela donnerait jusqu'à 61 pages imprimées, soit 35 p. cent de la première édition de *Prochain épisode* (174 pages). À cette première portion, on pourrait en ajouter une autre, peut-être équivalente, pour les 100 (ou

parfaitement la démarche narrative qui ira du biographique au fictif. D'autres passages (p. 260-261) seront
d'ailleurs versés presque intégralement du premier au
second texte (voir *infra*, p. 18-19 et appendice I).

Une contrainte supplémentaire : il se trouvait, comme
dans le roman, dans une salle commune bien gardée,
apparemment terrorisé à l'idée que le censeur de l'Institut
ne détruise finalement son travail. Mais son travail « poétique » et « d'avant-garde » aurait heureusement été jugé
incompréhensible[30]. Et on lui aurait même fourni des
cartes géographiques (note 4 du roman). Le manque
de papier à écrire et la surveillance sont indirectement
confirmés par la fiction : l'attestent la répétition du mot
« papier » (une vingtaine d'occurrences) et le « grand dadais

---

150 ?) feuillets aussi autorisés par l'Institut. Dans ces conditions,
c'est une portion finale similaire (125 ou 175 feuillets) qui se serait
ajoutée entre le 22 septembre 1964 et le moment de la publication.
Le manuscrit de l'Institut n'aurait donc constitué, approximativement, que les deux tiers (au plus) du roman publié : entre 250 et 300
feuillets (ceux provenant de l'agenda et les autres permis par l'Institut) ou quelque 120 pages imprimées.

30. Pour le détail de la synthèse faite ici, voir l'entrevue déjà
citée (note 28) et surtout celle donnée à Ted Ferguson dont nous
avons traduit l'essentiel : « The mental inmate who had to write »
(*Maclean's*, 2 avril 1966, vol. 79, n⁰ 7, p. 47) où l'on trouve ces
lignes : « Aquin started to write in the hospital because "I felt a thing
inside me, a need to put some thought on paper." He asked for
paper, got a ration of 50 sheets a month ("I learned to write small")
and was granted permission to write in the common room, where
guards could watch him. He was terrified the institution's censor
would destroy his work, but the man returned it, saying Aquin's
poetic, avant-garde style was beyond his understanding. »

armé » (PO, p. 6) ou d'autres figures du gardien. Sur l'ensemble des conditions de l'élaboration, beaucoup d'autres indications sont encore corroborées ou fournies par les textes, sans compter les témoignages de proches. Toutefois, sans les documents d'origine (dont les états manuscrits ou dactylographiés), il ne reste qu'à scénariser, selon la meilleure vraisemblance, le cheminement de l'écriture. Pas plus que ne le fait le diariste (seulement douze entrées pour cinquante-huit jours), son lecteur ne peut proposer un découpage temporel sûr du premier jet. Comment préciser davantage le plan auquel fait allusion l'auteur dans son journal, le 7 août (« Épurer le plan du roman... »)? S'agit-il d'autre chose que de l'ensemble des réflexions notées jusque-là[31]?

Les entrées de cette étape inaugurale dégagent tout de même les deux temps du mouvement, tout en laissant deviner un considérable travail d'assemblage, fait à partir de quelques ouvrages clés. Se dessine d'abord le premier mois (du 27 juillet au 30 août) d'une écriture immédiate, autobiographique, linéaire, cherchant fiévreusement son principe organisateur, et ensuite le septembre de la « course folle », alors que survient « l'événement littéraire le plus foudroyant de [sa] vie », l'auteur voyant son roman « émerger en force dans le livre, [...] se substituer au livre lui-même » (JO, p. 269).

---

31. Six pages (de « January 21th » à « January 26th ») manquent à l'agenda, entre la fin de l'entrée du 7 août 1964 et la liste de vocabulaire qui la suit. Celles de l'« épuration » de la trajectoire suivie depuis le 27 juillet ? On pourrait les retrouver en partie dans le roman, dans des pages (*infra*, p. 18-20) visiblement imprégnées par l'ouvrage de Gilbert DURAND (note 49 du roman).

Prochain épisode

Quelle ordonnance fallait-il suivre d'abord ? Les dix pages (sur douze) consacrées aux pénibles incertitudes du premier temps insistent sur la quête de l'« ordre secret » à installer par le retour réflexif sur le texte spontanément produit. Et il va de soi qu'il lui faudra répéter cette « rétroaction formelle » qui doit conférer « au désordre préalable sa beauté profonde et sa cohérence jusque-là inconnaissable » (JO, p. 265). Dans cette perspective, la « rétroaction » a pu être très soutenue, après la sortie de l'Institut, dans la production du dactylogramme plus tard remis à l'éditeur. De nombreux compléments ont dû s'ajouter une fois l'auteur libéré[32].

Neuf sources immédiates

Outre la richesse de sa culture littéraire et des récits de la rencontre et de la descente patiemment mis au point, de quels documents l'interné a-t-il disposé pour la planification et le développement des idées retrouvées ou surgies ? Le *Journal* permet de conclure qu'il avait en sa possession plusieurs livres, la plupart déjà connus, et demandés à ses proches[33], auxquels ont pu se substituer ou s'ajouter un cahier de citations et d'autres écrits personnels.

---

32. Cela se voit peut-être davantage dans les chapitres qui dépassent la longueur moyenne (9,6 pages) : I (10,16), V (10,5), IX (13,75), XI (11,25), XII (10,16) et surtout le chapitre XIII (17,16), qui doit visiblement beaucoup à la réécriture. (C'est par commodité que nous désignons par chapitres numérotés les dix-huit parties du roman).

33. « Quelques proches, Marcel Blouin en particulier, lui portent des livres », signale Guylaine Massoutre (*Itinéraires*,

Résumons les répercussions probables de neuf ouvrages (cités dans le *Journal* ou repérables), dans leur ordre apparent d'utilisation : *Le Journal, 1896-1942* de Ramuz[34] ; *Les Structures anthropologiques* de Durand ; *Vita romana, la vie quotidienne dans la Rome antique* d'Enrico Paoli[35] ; *Jean Barois* et *Les Thibault* de Martin du Gard[36] ; *Le Fond des océans* de Jacques Bourcart[37] ; *Le Père Goriot* de Balzac ; *Critique de la vie quotidienne* d'Henri Lefebvre[38] ; et *L'Envers de l'histoire contemporaine* de Balzac. Si l'ensemble paraît d'abord assez impressionnant, l'usage qui en fut fait se révèle plus ou moins limité, toujours orienté par une démarche assez claire.

---

p. 155). Lesquels ? Dans l'état actuel des recherches, on ne peut savoir en toute certitude.

34. Paris, Grasset, 1943, BIB.

35. Paris, Desclée de Brouwer, 1960, 494 p. Selon Andrée Yanacopoulo, Aquin avait l'ouvrage dans ses bagages lors de leur voyage de 1966 en Suisse.

36. Roger MARTIN DU GARD, *Œuvres complètes*, Paris, Gallimard, 1955, « Bibliothèque de la Pléiade », préface d'Albert Camus, t. I (1403 p.), t. II (1433 p.).

37. Paris, « Que sais-je ? », 1954, BIB.

38. Aquin avait dans sa bibliothèque neuf ouvrages d'Henri LEFEBVRE, dont trois sont d'avant 1964 : *Pascal* (1949), *L'Introduction à la modernité* (1962) et *Critique de la vie quotidienne*, tome I, *Introduction*, Paris, (1947), édition de 1958 (267 p.) que nous utiliserons aussi.

Prochain épisode

Ramuz, Durand et Paoli :
pour les fondations thématiques et narratives

Dans le «désordre» intérieur dont Aquin veut tirer parti le
31 juillet, il pouvait parfaitement aller d'abord vers ses
chers Ramuz et Durand. Le *Journal* de Ramuz permet de
comprendre le lien, tout naturel pour Aquin, à faire entre
le Québec de la prison et la Suisse du rêve, connue depuis
l'été 1952 (ITIN, p. 68). Il retourne sans nul doute à son
vieux maître dans ce moment difficile. N'est-ce pas chez
lui que se donne une réflexion sur le poids du désordre
(Ramuz, *Journal*, p. 74[39]) ? que s'affichent les motifs du
lac Léman et de la montagne (p. 63-64 ; 82-83) ? Et ceux
de l'écriture secrète (p. 70), de l'observation du coucher du
soleil (p. 72) ? Le rapport de la musique avec la nostalgie ?
La préoccupation du style et l'aveu du caractère compo-
site de la création littéraire ? La recherche d'un accord des
contrastes (p. 73) ? Et la descente en soi (p. 76) ? Tous ces
thèmes et toutes ces propositions esthétiques fournissent
une configuration familière, le canevas fondamental, mais
Aquin insistera sur l'impossible originalité plutôt que
d'indiquer la source fondamentale qui a imprégné sa jeunesse et son imaginaire. Dans le roman, l'unique mention
de Ramuz se fait lointaine et décorative, sans proportion
avec son apport déterminant. Le narrateur d'Aquin se
contentera de mettre en vitrine la photo et quelques romans de Ramuz (p. 108).

---

39. Comme Bernard Beugnot (*Journal* d'Aquin, note 282),
nous croyons que la mention «R 73» qui ouvre le carnet de 1964
(p. 258) renvoie au *Journal* ramuzien de 1902 : à une page-repère,
peut-être relevée approximativement (73 plutôt que 74).

Pour sa part, Durand sera davantage occulté, tout en fournissant aux thèmes familiers les bases d'une structure scientifique. Aquin a relu attentivement l'anthropologue de l'imaginaire. Particulièrement l'introduction, où se donne une « méthode pragmatique » : repérer et classer des constellations d'images, leurs noyaux organisateurs, les archétypes. Mais il n'en fait pas un livre de recettes romanesques, il y cherche plutôt les éléments d'une configuration personnelle.

Il se parle à travers sa nouvelle esquisse narrative et songe d'abord, avec son guide, que ce début où deux récits se chevauchent ne sera pas forcément celui du livre. Les deux chronologies, celle du récit autobiographique et celle de l'histoire inventée pourront s'articuler dans le vécu d'un processus dialectique. Ainsi se fera le dévoilement progressif d'une énigme qui comprendra sa genèse même. Voilà un peu sa réflexion du 3 août, où il prend soin de transcrire le propos du disciple de Bachelard sur la différence entre les commencements ontologique et méthodologique (JO, p. 262). Visiblement, l'idée du retour (méthodologique) sur le texte improvisé le conforte.

Plus encore, Durand lui avait suggéré un premier schéma possible : construire l'énigme autour d'une « image-matrice [40] », en fait la question de l'attentat (« a-t-il été vraiment commis ? ») qui devait « retenti[r] dans tout le livre » (p. 262). L'acte criminel devait être alors relié à la découverte provoquée par le test psychologique (Rorschach) dit du « choc noir » (voir appendice I). Mais

---

40. Comme il est écrit dans le manuscrit du *Journal*, plutôt que l'« image motrice » qu'on lit dans l'ouvrage imprimé (p. 262).

il est clair que l'acte n'a pas lieu : même si le choc noir devient celui « de la lucidité » (p. 23), il ne provoque que les larmes… et le roman. Le soutien technique que recherche Aquin transparaît mieux ensuite, quand son narrateur fait allusion au « répertoire d'images », pensant au programme narratif suivi, et se dit « coffré en bonne et due forme dans son concept métallique » (PE, p. 18). C'est qu'il a trouvé plus que des images (aussi bien « motrices » que « matricielles »). Avant d'arriver au « régime diurne » (et masculin) du combat, il suit d'abord ce qui s'appelle plus précisément, dans le « régime nocturne de l'image » (second livre des *Structures anthropologiques*), le schème de la descente comme « euphémisation de la chute et du gouffre » (p. 227-230, entre autres). D'où les images qui se déploient dans *Prochain épisode*, depuis l'incipit : la flamme, l'eau, la nuit, le ventre (maternel, et bientôt digestif ou sexuel), la chevelure, Orphée, etc[41]. Parmi elles, la symbolique « barque funéraire », furtivement mentionnée (PE, p. 18), doit être rattachée à la « barque-coffre », présente dans la liste de mots constituée par Aquin après l'entrée du 31 juillet[42], et au coffre de la voiture où H. de

---

41. Nous avons renoncé à signaler ici ou dans l'annotation du roman tous les emprunts faits par Aquin. On se reportera à l'ouvrage de Durand pour éclairer la lecture de bien d'autres motifs ou thèmes que ceux de la chute et de l'ascension (comme lutte contre le temps) : ceux de l'Orient (comme lumière victorieuse) : de la guerre (l'homéopathie des rapports du héros et de son adversaire) ; de la gullivérisation (les deux guerriers de la commode) ; de la répétition (inhérente au régime nocturne) ; de l'œil et de son surdéterminisme (le manteau ocellé de Ferragus).

42. Liste de quarante et une transcriptions (voir appendice I), dont une quinzaine au moins semblent provenir des *Structures*

Heutz doit trouver la mort. Car, selon Durand, l'automobile est un ersatz de la barque antique (et du cheval). La
« barque-coffre » fait ainsi partie des objets symboliques
« souvent soumis à des renversements de sens, ou à tout
le moins à des redoublements qui aboutissent à des processus de double négation : tels « l'avaleur avalé, l'arbre
renversé, la barque-coffre qui enferme tout en surnageant
[…], etc. » (*Structures anthropologiques*, p. 54). Dans la
navigation du commencement, le narrateur pouvait donc
bien aller de la « barque funéraire » de sa descente intérieure au coffre de la voiture où il devait tuer son double.
D'évidence, certains « mots générateurs », comme il les
appellera en 1976, dans *Obombre* (MEL I, p. 365), renvoient à plus que des termes : à ces générateurs textuels
que sont les premiers ouvrages appelés à la rescousse.

Dans sa logique associative, Aquin a pu ensuite
passer des *Structures anthropologiques* à l'ouvrage de
Paoli pour y trouver, au chapitre des « Croyances popu-
laires, superstitions, sortilèges », une lame de défixion[43]

---

anthropologiques : « hiérophanie », « la barque-coffre qui enferme
tout en surnageant », « zone matricielle », « motilité », « digestion »,
« avalage », « descente », « blottissement », « baptême », « enfouissement », « succion », « salive », « taurocéphale », « hippomorphe » et
« anastomose ». Seulement « descente » se retrouvera nommément
(une fois) dans *Prochain épisode*.

43. Dans la liste de vocabulaire déjà signalée (note 42) apparaissent, dans un groupe de dix-huit mots connotant le monde
antique (religieux, gouvernemental, militaire, conformément au
modèle de la puissance définie par Durand, p. 142), plusieurs
termes semblant provenir de *Vita romana* : « lupercale » (p. 89),
« naumachie » (p. 376), « aryballe » (p. 250) et « lame de défixion »
(p. 416-417), et qui ne seront pas reversés dans le roman.

portant la figure d'un démon debout sur une barque, comme le Charon de la mythologie gréco-romaine (voir appendice III). L'écrivain y recueille certaines des formules d'imprécation qui y sont inscrites, pour constituer le mystérieux cryptogramme reçu par le narrateur-espion[44]. Et il n'oublie pas l'analyse qu'en fait Paoli (voir note 135 du roman), allant jusqu'à porter sur l'enveloppe (mot inclus dans la liste du 31 juillet) le nom du narrateur à vouer aux enfers, comme on le faisait dans l'antiquité sur une lame de plomb. Le concept est donc aussi «métallique» que contraignant puisqu'il ira d'une lame de malédiction bas-romaine au coffre d'une voiture, en passant d'abord par une complexe synthèse de recherches sur l'imaginaire.

Un autre emprunt direct à Paoli pourrait se déduire enfin du «K» présent dans l'illustration d'«une séquence de huit signes magiques» propres, selon l'auteur de *Vita*

---

44. Aquin réunit en un seul mot sept des quinze inscriptions littérales originelles, retenant, si on exclut l'erreur typographique, AZURA ou AZURARA (PE, p. 59) plutôt qu'ARURARA. Se trouvent ici confirmées plusieurs remarques de Clermont DOYON qui a analysé, dans son mémoire de maîtrise («L'art de la narration dans *Prochain épisode* d'Hubert Aquin», Université Laval, février 1979, 176 p.), certains des rapprochements à faire avec l'ouvrage de Paoli. Signalant que c'est à la latiniste Yolande Grisé (Université d'Ottawa) que l'on doit l'identification du cryptogramme, Clermont Doyon rappelle la rencontre d'Aquin avec les étudiants du cégep François-Xavier Garneau (Québec, le 4 avril 1973), alors que l'auteur avait prétendu ne plus se souvenir «des mots d'ancien latin qu'il [avait] alors utilisés», tout en parlant ensuite de «défixion» et «défiction», à partir de l'étymologie de «fixion» et «fiction» (DOYON, *op. cit.*, p. 160).

romana, aux lames de malédiction. Comme le roman insistera sur la noirceur de la compagne du narrateur-espion : la « noire Eurydice », l'« ombre noire », sa « noire magie » (PE, p. 16), celle qui a les yeux noirs (p. 35) et de blonds cheveux évoquant l'image d'un « fleuve noir » (p. 147), le choix de cette lettre pourrait facilement être dû à Paoli. Le nom de l'amante n'est pas réduit à une abréviation (avec le point attendu) mais au pur signe de la femme nocturne déjà suggérée par Durand. Le « K » pourra, de toute évidence, être investi par le lecteur de bien d'autres significations qui ne pouvaient qu'enchanter l'auteur [45].

Avec Martin du Gard :
nourrir une histoire d'espionnage

Des œuvres de Roger Martin du Gard, Aquin pourra tirer plus que ne le laisse croire son roman avec le personnage

---

45. Par exemple : géographique, chimique, mythologique ou littéraire. Plusieurs critiques (dont Patricia SMART, dans *Hubert Aquin agent double*) y voient l'abréviation de « Québec » ou (graphie ancienne) « Kébec ». Pour d'autres, la connotation pourrait passer par le symbole du potassium (radioactif, il joue un rôle déterminant dans le régime thermique de la terre comme la femme dans le récit) et la force magique, le principe divin de l'Égypte ancienne : Ka, puisque les amours du narrateur et de K les emporteront bientôt vers la haute vallée du Nil, là où se trouvent les vallées (funèbres) des rois et des reines. Enfin, comment oublier KAFKA, ne serait-ce que pour le contrepoint ? À trois reprises, l'auteur aimé d'Aquin jouera de cette marque éminemment personnelle : pour Joseph K. (*Le Procès*, 1924), K. l'Arpenteur (*Le Château*) et Karl Rossmann (*Amérique*, 1927).

wolof (note 6), le café du Globe (note 121) ou le quartier Carouge (note 127), idées venues tout probablement de l'histoire des Thibault. L'écrivain interné pouvait aussi se souvenir, dès la première semaine de l'écriture, de la dépression de Jean Barois, de la femme quittée, de l'enfant qu'il ne pourra pas connaître et davantage : d'un faux espion ou encore de la préférence de Barois, médecin qui se voulait essayiste, pour l'action plutôt que pour la réflexion. Même l'allusion suisse aurait pu être incitative, qui contenait un rappel des révolutions, tout en faisant mention d'un certain professeur d'histoire naturelle nommé Shertz[46].

Il allait de soi que *Les Thibault* laissent plus de traces que *Jean Barois*, puisque Jacques Thibault, le révolutionnaire anarchisant, est bien proche du narrateur d'Aquin, même s'il est contre la révolution sanglante. Militant de l'Internationale socialiste, il rompra avec son milieu bourgeois, pensant, lui aussi, à la mort «presque sans interruption». Adepte de Nietzsche, il habitera à Lausanne, rue des Escaliers-du-Marché, fréquentant bientôt le quartier des révolutionnaires où réside son mentor dont le nom commence par la lettre «M» : Meneystrel. Devenu espion, il recevra une lettre écrite à l'encre sympathique ou encore un message de certaine Mme Hultz. Après Shertz, voilà un nom à consonance encore plus familière : de Heutz a pu trouver là aussi, par dérivation,

---

46. Voir Roger MARTIN DU GARD, *Œuvres complètes*, Paris, Gallimard, 1955, «Bibliothèque de la Pléiade», préface d'Albert Camus, tome I (1403 p.), p. 229, et, dans le tome II (1433 p.), les dernières parties (VII et VIII) des *Thibault*.

son patronyme définitif. L'auteur disposait-il des romans de Martin du Gard dès le début de son internement[47]? Il pouvait lui suffire, au départ, de les avoir en mémoire pour étoffer son roman d'espionnage, quitte à ne relire l'un ou l'autre (sans doute *Les Thibault*) que le 30 août (JO, p. 267-268), pour relancer l'écriture en panne.

Ce qui est sûr: le 7 août (après avoir écrit l'essentiel des trois premiers chapitres?), il dispose bel et bien d'un « plan vectoriel »; il a dit auparavant: une « trajectoire vectorielle ». On en comprend maintenant les principes longuement médités et les supports intertextuels, anciens et récents, finalement élus. Il faisait ainsi jouer dans la chimie de l'improvisation, comme en un précipité, les origines lointaines et proches d'une histoire sans cesse recommencée, la sienne propre, immédiate, dont il devait tirer le contrepoint fictif, divers jeux de correspondances thématiques et esthétiques prévus ou à naître de l'exercice. Et il entrevoyait déjà « l'ordre secret qui sera obtenu par une rétroaction formelle qui conférera au désordre préalable sa beauté profonde et sa cohérence jusque-là inconnaissable » (JO, p. 263) pour le lecteur.

Il avait, auparavant (le 3 août), bien séparé les « ordres différents » que sont, d'une part, « l'attentat, l'emprisonnement » et, d'autre part, « le wolof, César », c'est-à-dire les parcours du narrateur-auteur et du narrateur-espion. Il pouvait désormais travailler au « roman », l'his-

---

47. On ne peut en avoir la certitude. Le mot « encorbelle-ment », présent dans *Jean Barois* et dans la liste de vocabulaire du 31 juillet (appendice I), reste un trop mince indice.

toire d'espionnage : « me limiter au roman-espionnage, à l'hydrologie, aux Romains », ajoutant immédiatement : « tout centrer sur le roman d'espionnage » (p. 264).

Bourcart : pour d'autres « mots démarreurs »

L'« hydrologie » ? Pour enrichir sa thématique de l'eau profonde, il irait du lac à l'océan, du moins à son vocabulaire : cela se voit par la liste qui va suivre l'entrée du 7 août (appendice I). Après quelques mots de Durand (dépression hespérienne[48], disphorique), le lecteur peut suivre son relevé au fil des pages du *Fond des océans*. Cette nouvelle liste, coiffée d'une indication (« R + N 357 »), peut, comme le signale Bernard Beugnot (JO, p. 302, note 298) renvoyer encore au journal de Ramuz et, éventuellement, à Nietzsche. Mais Aquin pense peut-être plutôt au rapprochement à faire entre Ramuz et Nabokov sur la vie propre aux mots. Car, comme on l'a vu plus haut à propos de l'écriture du paysage (note 23), chez l'écrivain russo-américain, le mot est aussi plus qu'un « matériau à construire les phrases », comme dit Ramuz. Nabokov aurait pu souscrire à ce qui suit : « Les mots, quand ils vivent, sont comme l'eau qui jaillit du roc sous le pic : le mot est projeté à vous, il vous saute contre. » (Ramuz, *Journal*, p. 358) Quoi qu'il en soit, les premiers

---

48. Voir *Les Structures anthropologiques de l'imaginaire* (p. 48, 97) où l'on lira « hespérienne », comme dans le manuscrit d'Aquin, plutôt que « vespérienne », comme le propose le *Journal* imprimé (p. 264). Il en va de même pour « ange » auquel on substituera « auge ».

mots de cette liste, rattachables d'abord aux «Romains» («psychostasie»: la pesée des âmes par Anubis), puis au mouvement des astres avant que l'on n'entre dans la nuit de Durand et les profondeurs océaniques, illustrent assez la combinaison envisagée des paysages céleste (religieux autant que cosmique) et océanique. S'agit-il, pour autant, d'une bonne illustration des «mots démarreurs», puisque leur utilisation sera plus appuyée[49] que celle de la première liste? Ils paraissent avoir un rôle plus ornemental que fonctionnel, car l'auteur (conscient des contraintes du lac?) en atténue la connotation océanique. Exemples: il ne dira pas «fosse de subsidence» mais «fosse liquide», «zone» et non «zone plissée», etc. Le répertoire hydrologique sera donc lui aussi limité, davantage même que celui de l'antiquité romaine, plus articulé, lui, à la définition de l'«historien des guerres romaines», H. de Heutz, et au récit d'espionnage à développer.

---

49. De source inconnue, on retrouve dans le roman: vitesse radiale (p. 42), spire (124), orbite (7), anophèle (64). Puis, après les termes pris chez Durand, ceux de Bourcart: plissement (p. 105), fosse (7, 20, 44), zone (112, 127, 135), fluviatile (30, 105), calcaire (68, 103), tsunami (67), fracture (31, 97), courant (31, 35, 65, 102, 115, 132, 158), sable (68, 90, 115), axe (19, 42, 105), écoulement (131), affaissement (20), couche (68), cordillère (107), voûte (synclinale, plutôt qu'«anticlinale»), p. 93; «renversée» (105), effusif (105), ennoiement (64), cicatrice (86). Le «x» dont certains mots sont précédés (voir appendice I) témoigne-t-il d'un premier choix qui ne sera pas toujours maintenu?

Prochain épisode

Avec Honoré de Balzac et Henri Lefebvre : pour l'écriture et la révolution

C'est alors que Balzac pouvait entrer en jeu[50]. N'est-il pas le modèle par excellence du romancier dès qu'il s'agit de mystère et de conspiration ? Aquin dira bientôt (le 12 septembre 1964), en lisant *L'Envers de l'histoire contemporaine*, la nécessité du mystère balzacien («la grandeur terrifiante de ce qu'il faut taire jusqu'à la fin») et surtout la fonction de la *conspiration*, comme «joint entre le quotidien et l'Histoire» (JO, p. 268). Relit-il, dès le premier temps de l'écriture, *L'Histoire des Treize*, en fait *Ferragus*, l'un de ses trois récits ? On peut le présumer, en se fiant à l'apparition de la citation tronquée au premier chapitre (note 27), mais le *Journal* de l'Institut ne gardera pas cette trace. Aquin inscrira, après la liste «hydrologique» du 7 août, la phrase de Vautrin (*Le Père Goriot*) : «Il n'y a pas de principes, il n'y a que des événements», puis songera (le 19 août) à faire comme le bagnard en fuite, l'insurgé absolu, le surhomme : «tout rompre». Et, le 12 septembre, il s'attardera dans *L'Envers de l'histoire contemporaine* à la conspiration[51], «cette *rupture* (qui caractérise l'espionnage, les complots, le brigandage...)», «ce type de relation individu-société [qu'il

---

50. Dès 1954, Aquin disait le lire, «pour être emporté [...] dans un autre monde qui nous révèle certaines inconnues de la vie» (JO, p. 176).

51. Souligné dans le manuscrit, le mot «conspiration» n'apparaît qu'une fois dans PE, *infra*, p. 127. Aquin se garde par ailleurs de toute référence directe aux frères de la Consolation qu'il aurait pu évoquer pour ses frères révolutionnaires.

inclinait] le plus à exploiter dans le roman» (p. 269). En particulier: la relation propre à l'histoire révolutionnaire, aux «grands bouleversements historiques [qui] sont continuellement présents à chaque page de ce récit extraordinaire» (p. 268).

Ainsi se pense le roman d'espionnage: dans son rapport avec l'Histoire et avec la puissance cachée. Avec le réalisme historique plutôt qu'avec le réalisme descriptif auquel il n'était pas question de revenir. «Balzac éliminé», écrira le narrateur (p. 12) pour dire sa manière (dont sa «prose cumulative»), qui n'est pas celle de l'inimitable «vrai romancier». Balzac n'en sera pas moins l'écrivain le plus cité du roman, de façon très explicite quand il s'agira du modèle fictif de la puissance (Ferragus, le vengeur sibyllin) et de la figure prétendue de l'impuissance chez le Balzac réel, l'amoureux de Genève. Les autres renvois, à la triple identité commune à Ferragus et à de Heutz (note 35), à la lettre chiffrée de *Ferragus* (note 46), à Manfred (note 86), à Gaudissart (note 100), au cryptogramme de *La Physiologie du mariage* (note 200) restent conjecturaux, plus que le souvenir probable de la paternité malheureuse de Ferragus et de Goriot (de Balzac lui-même). Dans la société intertextuelle, plus qu'ailleurs encore, on ne prête qu'aux riches.

Cette vision d'un certain rapport de l'individu avec la vie sociale vient à l'écrivain le 12 septembre, au terme d'une crise intérieure où l'entreprise romanesque a semblé perdre sa pertinence même. La fin du premier mois de la rédaction aurait pu être celle du roman. Le 19 août, l'interné craignait l'emprisonnement réel à venir sinon l'aliénation elle-même: «comment m'ajuster sur un réel que des cloisons m'empêchent de toucher [...]» (JO, p. 265). La fiction ne le libérait plus, à moins de «devenir Vautrin». Le 21, il songeait pourtant à écrire (une nouvelle), mais en abandonnant l'exercice en cours, sa «technique de construction», son style, pour «créer des personnages : écrire à la troisième personne du singulier», avec une «action qui se déroule selon une linéarité chronologique» du genre «reportage» (p. 266).

La contestation du roman commencé est telle que le 22, il relira «avec empressement et presque avec vertige des pages (lieux devenus communs) de *Critique de la vie quotidienne* de Henri Lefebvre». Il constate que, selon le critique marxiste, les écrivains de l'échec et du merveilleux auraient, en somme, aux XIXe et XXe siècles, attaqué la vie quotidienne et nié le réel, préféré les magies écrites à l'action. «Depuis Baudelaire, l'envers du monde vaut mieux que l'endroit», lui disait encore Lefebvre (p. 136), allant au cœur de son projet. Ne faisait-il pas partie des écrivains et des «philosophes» qui «[hurlent] à la mort comme des chiens» (Lefebvre, p. 139)? Ce jour-là, il était donc amené à se juger très sévèrement, ne voyant l'avenir que dans la transformation révolutionnaire de la vie. Le choix de la révolution devait permettre d'échapper à la fuite et à la «double vie esthétique» (JO, p. 267; PE, p. 43). Il fallait sans doute adopter la «pensée-action» proposée : ne résolvait-elle pas le vieux dilemme, si présent dans son *Journal*? L'écriture pouvait-elle être une action, une révolution?

Voilà qui éclaire beaucoup de passages de *Prochain épisode*, dont ceux légitimant l'action violente et le caractère provisoire et prophétique, «prérévolutionnaire», comme le disaient plusieurs à l'époque de *Parti pris*, de l'entreprise esthétique. Voyons celui-ci, entre bien d'autres :

> Seule l'action insaisissable et meurtrière de la guérilla sera considérée comme historique ; seul le désespoir agi sera reconnu comme révolutionnaire. L'autre, l'écrit ou le chanté, émargera à la période prérévolutionnaire. (*Prochain épisode*, p. 90)

Mais l'auteur réel ne suivra pas tout à fait son personnage. S'il devait renoncer à l'esthétisme et à ses magies, comme il le dit le 22 août, il ne reniait pas pour autant la littérature. Il fallait tout simplement qu'elle devienne «action totale» et ne soit pas une «pseudo-révolution». Branchée sur la «vraie vie», elle devait être «amour de la vie quotidienne» et désir de transformation (JO, p. 266-267). D'où ce projet de «Nouvelle» sous forme de reportage auquel il revient après la longue note sur *Critique de la vie quotidienne*.

Le romancier en panne retiendra donc l'essentiel de ces «Notes sur quelques lieux devenus communs», plutôt que les termes typiques de Lefebvre[52], et reviendra, le 30 août, à la littérature : justement celle de sa vie immédiate, la «vraie», pour éviter l'angoisse, «[combattre] la tristesse», «pour conjurer les larmes». Après viendront les «cinq cents pages de Roger Martin du Gard» dont il a déjà

---

52. Sauf «action» et peut-être «possibles» (*infra*, p. 19 et 90), les mots «quotidien», «aliéné», «dialectique», «magie», «transformer» participent d'une aire sémantique habituelle chez Aquin. Mais l'influence de Lefebvre (note 38) se marque depuis au moins 1963, comme on le voit dès «Profession écrivain» (note 3).

été question et la traduction d'un «documentaire sur le Kenya» (JO, p. 267-268). Le reportage intime et sa diversion fictive pouvaient reprendre. Après Ramuz, Durand, Paoli et Bourcart, Balzac et Lefebvre trouvaient leur étonnante complémentarité dans le puzzle du romancier.

La fin du premier jet

Le deuxième mois de la rédaction allait se faire sans heurt apparent, atteignant ce sommet de la «course folle[53]» du 17 septembre, car alors, «comme un acte majeur [le roman] avance [...inventant] à chaque instant sa propre trajectoire» (JO, p. 269). La vie réelle a gagné. L'auteur avait travaillé mieux que ne le laisse entendre (humoristiquement?) son narrateur, au centre du récit:

> Ce roman métissé n'est qu'une variante désordonnée d'autres livres écrits par des écrivains inconnus. (p. 86-87)

La variante se tissait plutôt dans une ordonnance personnelle d'œuvres souvent majeures de l'histoire du roman et de la pensée contemporaine. L'auteur jouait de ses connaissances littéraires dans la mesure où elles servaient son projet romanesque. On le voit bien dans sa thématique révolutionnaire fortement ancrée dans l'histoire du Québec (dont il s'agissait de renverser le cours). Les nombreux renvois au roman historique projeté en

---

53. À partir du chapitre V (p. 43), le mot «course» ne cesse de se dire «effrénée» (p. 48, 100), «involvée» (55), «de feu» (60), «à relais» (104), puis lente et «effusive» (105), en traversant la deuxième partie du roman.

1961 (*Papineau inédit*) le démontrent aisément. Aussi éclatée que paraisse la référence externe, c'est sur sa singularité première que le métissage romanesque érige ici sa dimension universelle.

Aquin progresse apparemment ainsi jusqu'au 22 septembre. Mais il ne faut pas prendre à la lettre une confidence postérieure : « La veille de mon départ, je mettais la main à la dernière page du roman[54]... » Il s'agissait, sans aucun doute, de la dernière du manuscrit de l'Institut. Restaient encore à venir les retours en arrière, les ajouts et les inévitables retouches faites jusqu'au dactylogramme du 19 janvier ou encore les dernières interventions de la période qui va jusqu'à l'impression en octobre 1965.

La version première de *Prochain épisode* est ainsi née, selon toute vraisemblance, sur les premières pages du journal intime, pour se développer ensuite en huit semaines et quelques jours, pendant le temps fragmenté passé par son auteur dans la salle commune de l'Institut et dans la chambre que lui avait procurée le Dr Pierre Lefebvre (note 4 du roman). Sur le rythme emporté de la rédaction

---

54. « James Bond + Balzac + Stirling Moss... = Hubert Aquin » (note 28). Sur la vitesse de la rédaction, Aquin déclarait en 1966 : « Pendant mes trois mois de détention préventive, j'ai écrit *Prochain épisode* en travaillant quinze heures par jour. » (Entrevue donnée à Jeanine Delpech, dans « Les enfants terribles du Québec », *Les Nouvelles littéraires*, 20 octobre 1966) De son côté, Pierre-Yves Mocquais (dans son édition de *Neige noire* à paraître dans Bibliothèque québécoise) remarque, à partir de la datation que fait Aquin de sa progression dans *Neige noire*, qu'en un seul jour (exemple : le 10 février 1974) il pouvait écrire seize pages.

finale, un doute subsistera. L'auteur pouvait-il écrire quinze ou dix-huit heures par jour, comme il l'a dit ? Tenir ce rythme ? Il n'avait théoriquement « pas le droit de lire, d'écrire, de travailler en dehors de la salle commune » (accessible le jour seulement) et, de toute manière, il se faisait « casser les pieds à longueur de journée par les fous, les infirmières, les infirmiers [55] ».

Du manuscrit au dactylogramme :
22 septembre 1964 – 19 janvier 1965

Le 19 janvier 1965, Aquin commence sa lettre à Pierre Tisseyre en parlant d'un manuscrit « tout juste » dactylographié (appendice V). En l'absence du manuscrit et du dactylogramme (alors confondus par l'auteur), que retenir de l'histoire de ce dernier avant-texte ?

---

55. « James Bond + Balzac + Stirling Moss... = Hubert Aquin », *Magazine Maclean*, p. 37 et 41 (note 28). Selon une autre hypothèse, non retenue ici, c'est seulement après la sortie de l'Institut que *Prochain épisode* aurait pu être écrit. Selon le Dr Vincent Mauriello, qui a repris Hubert Aquin sous ses soins à la fin de septembre 1964, conformément à la demande du Dr P. Lefebvre (14 juillet 1964, appendice IV), pour une analyse qui aurait duré quelque huit mois (jusqu'au printemps 1965), ce serait à cette époque que l'écrivain aurait vraiment pu écrire *Prochain épisode*, en une sorte d'« accouchement cérébral » dont le psychiatre aurait été le témoin et le soutien. Au printemps 1965, Aquin aurait décidé, de son propre chef, d'interrompre l'analyse, alors qu'il en aurait eu encore besoin. Tout en rappelant l'essentiel rapport de *Prochain épisode* avec l'analyse psychanalytique, ce témoignage atteste aussi l'intensité du travail intervenu dans l'établissement de la version définitive du roman.

Dans le journal du 5 octobre, le romancier se donnait jusqu'à Noël pour la «transcription». Trois mois pour faire une copie dactylographiée? Même s'il lui fallait attendre le procès, éventuellement jusqu'au 15 février (selon la lettre déjà citée), l'auteur se proposait sans doute plus que la toilette du texte. Assurément les compléments, dont Andrée Yanacopoulo a eu connaissance: il fallait, par exemple, vérifier sur des cartes géographiques les noms de lieux cités. Sa réinstallation au domicile conjugal lui permettait bien davantage, puisqu'il retrouvait sa bibliothèque. Ne devait-il pas aussi revoir la question de «l'article 47 B de la constitution suisse au sujet du secret des comptes de banque», comme il le mentionne après les notes du 5 octobre?

Quoi qu'il en soit, il pouvait, dès les premiers temps de sa libération, être tenté de proposer son «livre-roman [56]» à une jeune maison à la mode, les Éditions du Jour [57]. Il aura finalement préféré courir sa chance au prix

---

56. On est fondé à croire que se confondent le «roman» et le «livre-roman» dont il est question dans les notes télégraphiques du 5 octobre, étant donné que, dans le manuscrit, «le roman» est relié à l'autre inscription par un trait fléché. Voir appendice I.

57. Et non les Éditions de l'Homme, auxquelles on pourrait songer par la référence d'Aquin à Edgar Lespérance. Comme bien d'autres, l'écrivain pouvait, à tort, associer aux Éditions du Jour (fondées en 1961) l'imprimeur et distributeur qui avait financé la première maison, lancée aussi par Jacques Hébert (en 1958), mais qui ne publiait pas d'ouvrages de fiction. Voir Claude JANELLE, *Les éditions du Jour. Une génération d'écrivains* (Hurtubise-HMH, «Cahiers du Québec» n° 73, 338 p.). De 1961 à 1965, la maison de la rue Saint-Denis avait déjà publié une bonne dizaine de «Romanciers du jour», dont Marie-Claire Blais, Jean-Paul Filion, Jean Basile, Roch Carrier, Andrée Maillet et Yves Thériault.

annuel du Cercle du livre de France, d'autant plus qu'il «port[ait] une haute estime» au «travail» de l'éditeur à qui il avait déjà soumis *L'Invention de la mort*, comme il le dit en raccourci dans la lettre citée plus haut. Quant au dactylogramme, il a été produit en partie par Mme Monique Fortier (amie et collaboratrice de la première heure à l'Office national du film), entre le 22 septembre et Noël 1964, comme en témoigne la responsable elle-même[58], sur qui Aquin comptait, parmi d'autres premières lectrices, y compris Thérèse Larouche (sa femme), Andrée Yanacopoulo et Andrée Ferretti à qui Aquin aurait apporté son manuscrit dès le 3 octobre. L'auteur aura ensuite mis à profit les vacances des fêtes et les premières semaines de janvier pour terminer et «faire dactylographier», par quelqu'un d'autre (ou le faire lui-même?), le reste du manuscrit enfin au point. Ajouté à ce qui se laisse voir, le fait qu'il ait donné des fragments à dactylographier indique peut-être que, pour être intense, la production du dernier avant-texte fut plutôt intermittente. Ne devait-il pas d'abord gagner sa vie à travers les piges de la traduction, de la scénarisation et de l'enseignement[59] (ITIN, p. 156)?

---

58. En réponse à une lettre datée du 23 décembre, elle écrit à une amie, le 31 janvier 1965: «Au moment où j'ai reçu ta lettre, j'avais en ma possession le manuscrit d'un roman qu'Hubert Aquin publiera vraisemblablement bientôt. [...] Je n'en ai pas terminé la lecture car je n'avais qu'une partie du manuscrit que je tapais. Hubert me l'a repris et il veut que j'attende un peu afin d'oublier ce que j'ai tapé pour pouvoir le relire tout d'une traite, la tête fraîche.» (Archives privées de Mme Monique Fortier)

59. Nous avons signalé d'autres aspects de la genèse de *Prochain épisode* dans «Pour un modèle génétique aquinien», *Incidences*

III. *La publication*

La phase pré-éditoriale ira apparemment jusqu'au 2 juillet, alors que le texte de la première édition devient pratiquement définitif. En l'absence de documents pertinents sur les différents états du dactylogramme, il faut ici encore se rabattre sur des sources annexes comme la correspondance connue de l'époque dont les extraits les plus significatifs se retrouvent plus loin (appendice V).

En résumé, le 21 janvier, Pierre Tisseyre répond à l'envoi du 19 : il est d'accord pour la publication. Il a fait diligence, car il a trouvé le texte «tellement riche». Mais comme il pense que «c'est un livre qui n'aura que peu de succès [60]», il compte sur une subvention (qui sera obtenue en juin) du Conseil des Arts du Canada. Il envoie le contrat à l'auteur le 2 février. Le 8, Aquin demande l'ajout d'une clause spécifiant que la publication ne pourra se faire que lorsque la justice aura disposé des accusations qui pèsent sur lui. Il demande aussi une dérogation afin de

---

critiques d'une entreprise éditoriale, Bulletin de l'ÉDAQ, n° 7, mai 88, p. 81-91. Puis dans «Aquin Archiloque ou l'atelier de *Prochain épisode*», *Échanges université de Toronto/UQAM*, Colloque «Texte et avant-texte», les 8 et 9 mars 1991, Toronto, Département de français, Université de Toronto, 1993, p. 1-14. Et dans «L'édition de l'œuvre d'Hubert Aquin : brève histoire d'un projet et notes sur l'édition de *Prochain épisode*», *Challenges, Projects, Texts : Canadian Editing / Défis, projets et textes dans l'édition critique au Canada, Directeurs : John Lennox et Janet M. Paterson,* New York, AMS Press, Inc., 1993, p. 8-25.

    60. Jean-Pierre GUAY, *Lorsque notre littérature était jeune,* entretiens avec Pierre Tisseyre, Montréal, Cercle du livre de France, 1983, p. 199.

publier un éventuel recueil d'essais aux éditions Parti pris. Le 2 mars, il signe et renvoie le contrat définitif à l'éditeur, tout en disant procéder à des corrections, sans doute mineures. Et c'est avec l'impression, la correction d'épreuves (non retrouvées) et la conception de la couverture que s'achève l'étape éditoriale. Le 20 septembre, Aquin peut expédier à son éditeur des repères biographiques pour la troisième de couverture.

Pendant les treize mois qui séparent la sortie de l'Institut et celle du livre, Hubert Aquin a par ailleurs réintégré son circuit professionnel. Par exemple : la télévision de Radio-Canada pour laquelle, en plus d'y être interviewé, il a préparé (en juillet) son adaptation de *La Parisienne* d'Henri Becque. Il a aussi repris sa collaboration à la revue *Liberté*, contribuant à la rédaction des numéros 37-38 portant sur les rébellions de 1837-1838, tout en publiant «Calcul différentiel de la contre-révolution» en mai (n° 39). Autant d'activités qui pouvaient influer moins sur le texte déjà déposé que sur la diffusion du livre à venir. Par ailleurs, même si Aquin attendra jusqu'au 4 mars 1966 sa libération judiciaire, il sait dès l'automne que la parution du livre ne saurait lui nuire. Il dresse une liste très détaillée des envois à faire, dont celui destiné à Fidel Castro lui-même (appendice V).

IV. *La réception*

Les trois mille exemplaires imprimés furent lancés très efficacement, d'abord à Montréal, le 2 novembre, à la librairie Renaud-Bray. Le jour même, Aquin accorde à Nicole Godin une entrevue pour l'émission radiophonique

Présent (édition métropolitaine) de Radio-Canada. Le 5, il
est à Québec pour le second lancement. Et dès le 6 paraissent, dans la presse montréalaise, deux entrevues reflétant
la fascination de la critique et la réserve d'un écrivain peu
sûr de lui.

Le *Petit Journal* titre : « Prochain épisode : est-ce le
roman d'un grand rêve [l'indépendance québécoise] ? »
Son rédacteur, Blois [pseudonyme d'André Major], y voit
l'ouvrage d'un homme blessé, un « Québécois obsédé par
notre destin historique », un « roman historique romantique », « une première » après celui de Félix-Antoine
Savard : *Menaud maître-draveur* (1937). Aquin réplique
avec les noms de Balzac, Jean Bruce, Georges Simenon,
James Joyce et Hermann Broch, dont il avait lu *La Mort
de Virgile* en 1962 (JO, p. 242). Du côté de *La Presse*,
l'entrevue menée par Gilles Marcotte dit plus laconique-
ment : « Hubert Aquin et le destin d'écrivain ». C'est
que le nouveau romancier, « avare de renseignements »
sur son ouvrage, rappelle surtout « avoir tout fait pour ne
pas devenir écrivain », après avoir précisé que le titre
« donn[ait] le sens du livre ».

C'est plutôt le 13 novembre que s'accuse le retentissement du livre. Les deux critiques les plus importants
de l'époque sont ébranlés. Jean Éthier-Blais avoue, dans
son feuilleton du *Devoir* [61], ne savoir par où commencer,
étant donné que « la lecture de ce livre a suscité [...] un tel
flot de souvenirs et de visions magiques » qu'il « reste
comme effrayé devant lui ». Voyant dans l'auteur la figure

---

61. L'article est repris dans *Signets* II, Montréal, Cercle du
Livre de France, 1967, p. 233-237.

d'une nouvelle génération intellectuelle, formée en France et donc sans complexe d'infériorité, il est d'abord sensible à la «poésie qui sourd de la géographie mentale d'un homme civilisé», puis à la poursuite du double idéal à tuer. Il recommande finalement la lecture «pour le souffle, la voix qui commande aux mots et aux rythmes, pour l'extrême raffinement de la culture». Il conclut en disant: «Nous n'avons plus à chercher. Nous le tenons, notre grand écrivain. Mon Dieu, merci.»

Dans sa critique du roman, parue dans *La Presse*, Gilles Marcotte dit pour sa part que «le premier roman de la saison littéraire est une bombe»: un livre, ni traditionnel ni nouveau roman, «qui crée, avec une puissance explosive, sa propre forme». Il analyse ensuite cette «confession masquée», circonstancielle mais transposée, où l'on trouve, «en contrepoint, le défi et l'aveu», toujours cette «imagination follement libre» d'une double histoire, vécue et inventée. Il se demande à la fin: «qui tuera-t-on? qui est l'ennemi?» Comment ici échapper au vertige et à l'équivoque qui «suscite un malaise qu'on n'arrive pas à dissiper?» Il prévient donc le lecteur: «Vous lirez peut-être ce roman avec agacement, avec inquiétude, mais vous le lirez: c'est la victoire d'un écrivain de race.» Pour lui, le roman «est l'une des œuvres littéraires les plus singulières», les plus richement écrites, qui aient vu le jour au Canada français[62].»

---

62. Article repris sous le titre: «Hubert Aquin contre H. de Heutz», dans *Les Bonnes Rencontres. Chroniques littéraires*, Montréal, Hurtubise-HMH, coll. «Reconnaissances», 1971, p. 188-191.

Le ton de la célébration était doublement confirmé. N'attendait-on pas depuis longtemps, dans le milieu littéraire restreint du Québec, le «premier grand roman québécois», «l'œuvre géniale», le prix Nobel, comme le dira Raymond Barbeau [63] ? La vingtaine d'articles qui allaient s'ajouter avant la fin de l'année rediraient à l'unanimité le «grand écrivain», aussi bien que le «grand livre», sinon le «roman (presque) total» (Clément Lockquell, *Le Soleil*, 20 novembre 1965). L'entourage de l'auteur ne fut pas en reste, comme l'illustrent les lettres d'André Belleau, de Jean Cayrol ou de Roland Barthes (appendice V), et surtout les articles parus dans les revues *Liberté* et *Parti pris* [64]. Le plus passionné fut sans doute André Major qui, revenant à la charge, fit du romancier un visionnaire, précisant:

> Aquin a écrit le roman de la condition québécoise et sa réussite est totale, même si elle reste en suspens, attendant d'un Événement politique son triomphe

---

63. Voir Raymond Barbeau, «Notre premier prix Nobel» (*Le Quartier latin*, 27 janvier 1966, «Le Cahier des arts et des lettres», p. 3-4), où l'on rappelle que le prix Nobel de 1903 fut décerné à l'écrivain norvégien indépendantiste Bjørnstjerne.

64. Pas moins de cinq textes différents traitent du roman, en totalité ou en partie, dans la revue *Liberté* (novembre-décembre 1965). Outre André Major cité plus loin, les auteurs sont: Mireille Bigras, Jacques Folch, Arthur Lamothe, Yves Préfontaine. Dans la revue *Parti pris* (décembre 1965, III, nᵒ 5), nous avons fait pour notre part «une étape de la révolution québécoise», en rapprochant le roman de la poésie de Paul Chamberland. Michel Bernard devait y revenir un an plus tard (*Parti pris*, IV, décembre 1966, p. 78-87), voyant le roman comme une «autocritique de l'impuissance».

absolu. [...] Notre héros, nous le tenons : c'est celui qui vit notre malheur et lutte pour en triompher. (*Liberté*, VII, n° 6, p. 495-497)

Les reproches sont rares ou peu significatifs tant ils sont enrobés d'éloges. Un rédacteur du *Quartier latin* [65] rappelle ainsi que l'écrivain est un ancien directeur de l'hebdomadaire étudiant de l'Université de Montréal. S'il apprécie beaucoup la qualité de l'ouvrage, il mentionne des « faiblesses de détail » : le roman d'espionnage proviendrait d'une « rédaction antérieure », alourdissant l'action d'aventures « innombrables » ou, parfois, « incroyables ». Le dialogue manquerait enfin de fermeté. Un autre critique [66] lui reprochera, avec autant de déférence, d'emmêler, « de façon obvie », « son moi aux personnages ».

Il faudra ensuite attendre les premiers mois de 1966 pour prendre connaissance d'un accueil élargi qui, dans un premier temps, sera lui aussi plutôt favorable. Au Canada anglais, Joyce Marshall confie son émotion et son étonnement devant une prose aussi paradoxale de passion et de raison qu'émouvante de vérité descriptive dans la présentation de la géographie canadienne [67]. En France, Jacques Berque parlera, dans *Les Lettres françaises* (13

---

65. André BERTRAND, « *Prochain épisode* de H. Aquin » « Le Cahier des arts et des lettres », *Le Quartier latin*, 2 décembre 1965, p. 14.

66. Maurice HUOT, « Premier épisode d'Hubert Aquin » [*sic*], *le Droit*, 11 décembre 1965, p. 7.

67. Voir la transcription de l'émission radiophonique de Canadian Broadcasting Corporation (CBC) « The Arts This Week, Book Review » du 2 janvier 1966 (de 10 h 03 à 10 h 30, HNE) :

janvier 1966, p. 10) d'«Un roman de la libération» et d'un auteur qui, ailleurs, «porterait son vrai nom [...] de révolutionnaire», disant que «contre ce Canada menacé de Floride, ce livre est un appel», le «cri furieux et subtil» d'un «Français noir». Les lecteurs français de l'époque ne suivront guère Jacques Berque[68].

Fin février, un communiqué du Cercle du livre de France annonce : la réimpression de l'ouvrage (le premier tirage a été épuisé «en deux mois et demi») ; la publication à Paris en mai par la maison Robert Laffont ; l'achat des droits de traduction en anglais, à fort prix, par l'éditeur torontois McLelland ; la prise d'une option de traduction en hongrois ; et le refus de deux offres («jugées insuffisantes») d'adaptation au cinéma. Là-dessus, dans un mot datant de la même époque à son avocat Bernard Carisse, Aquin précisait qu'il s'agissait de Gaumont et de Radio-Canada, confiant par ailleurs : «Tisseyre m'exhorte à être à Paris — à ses frais — pour le lancement [...] TV, radio, journaux, conférences de presse, etc. [...] Tisseyre me demande de terminer roman n° 2 [*Trou de mémoire*] qu'il veut lancer en octobre 66.»

«I found it [*Prochain épisode*] almost unbearably moving. Aquin [...] has conquered his material and given it human as well as philosophic dimensions. [...] His prose is at once lucid and feverish, passionnate and controlled. He has a strong lyric gift that is at its most marked in passages of description that show an honest and innocent love for Canadian geography I have never observed in one of our writers in English.»

68. Voir le dossier de presse de l'ÉDAQ et l'ouvrage de Jacqueline GÉROLS, *Le roman québécois en France*, Montréal, Hurtubise-HMH, 1984, «Cahiers du Québec», n° 76, 359 p.

Ainsi se déroulèrent les premiers mois de la réception de *Prochain épisode*. Aux contributions journalistiques s'en ajoutèrent tant d'autres, en particulier du côté de l'université, qu'aujourd'hui les chercheurs disposent de plus de trois cents études entièrement ou partiellement consacrées au roman[69]. Les travaux des René Lapierre et Patricia Smart ont porté fruit. Le rayonnement au Canada anglais et à l'étranger n'a cessé d'augmenter, particulièrement dans les milieux spécialisés en études françaises ou francophones. Aux études d'abord thématiques, sociologiques et structurales ont succédé les comparatistes, les psychanalytiques et les sociocritiques. C'est du côté génétique et de l'histoire littéraire que devrait dorénavant se porter l'attention.

Devenu maintenant un classique de la littérature québécoise, *Prochain épisode* a continué d'être la porte d'entrée d'une œuvre dont la suite paraît plus complexe. Sur elle, comme sur son éclatante manifestation première, le débat des lectures continue. Certains voudraient revenir à la dimension politique alors que la charge poétique de l'œuvre a fini par prévaloir depuis les années 1980[70]. Quoi

---

69. Selon une évaluation encore incomplète. Si l'on se fie aux recherches de Jacinthe Martel, on en trouve 275 jusqu'en 1985 : 235 consacrées en totalité à *Prochain épisode* et 40 autres qui le sont partiellement. Pour la période qui va de 1985 à nos jours, Manon Dumais en a repéré (pour son mémoire de maîtrise à l'Université du Québec à Montréal) dix-huit du premier type et quinze du second.

70. Anthony PURDY rappelle les termes du débat, dans « Hubert Aquin, romancier » (*Le roman contemporain au Québec (1960-1985)*, tome VII des « Archives des lettres canadiennes », Fides, 1992, p. 53-73). Signalant d'abord, avec Patricia SMART, « la

qu'il en soit, personne ne s'étonnera que le roman d'une « aventure existentielle portée à son point limite [71] » interroge aussi bien le discours québécois que l'esthétique du XXe siècle.

V. *Le texte*

L'édition Tisseyre ou l'édition Laffont ?

En l'absence de manuscrit et de placards d'imprimerie, la présente édition a été établie à partir de la première. Elle a été préférée à celle de Laffont, conformément à la tradition de lecture qu'a favorisée l'auteur lui-même en laissant reproduire l'édition Tisseyre et en négligeant l'autre, d'ailleurs peu diffusée hors de France, et dont on trouvera les variantes plus loin.

------

profonde ambivalence des sentiments qui sous-tendent la réception critique de l'œuvre », il conclut que son auteur est un « grand écrivain » parce qu'il a « habité son pays » et que « l'œuvre d'Hubert Aquin sera québécoise ou ne sera pas ». Dans le même ouvrage, dans le chapitre « Le roman québécois de 1960 à 1985 » (p. 39), Gilles MARCOTTE propose que *Prochain épisode* soit encore vu comme le roman par excellence de la Révolution tranquille dont le sens, à défaut des termes eux-mêmes, s'inscrirait dès l'*incipit* cubano-suisse (= « révolution » et « tranquillité »). Son lecteur privilégié serait d'abord celui figuré aussi dans le texte : il serait abonné de *Parti pris* et lecteur de la psychanalyse, de la modernité et de la rupture, de la femme-pays, de la liberté. De son côté, Josée THERRIEN a récemment étudié « Le non-lieu de l'écriture, [la] déconstruction et [la] postmodernité dans l'œuvre romanesque d'Hubert Aquin » (Université d'Ottawa, thèse de doctorat, 1994).

    71. *Dictionnaire universel des littératures*, publié sous la direction de Béatrice Didier, Paris, PUF, 1994, vol. 1, à l'article « Aquin, Hubert » (p. 171).

Si l'on peut apprécier l'élagage propre à la seconde édition (quatorze relatives transformées ; une douzaine de phrases refaites ; autant de suppressions de termes), en revanche l'interrogation naît devant plusieurs des substitutions de termes (quelque soixante-dix) où le sens se trouve modifié : par exemple, quand « verbatile » devient « versatile ». La pertinence des changements n'est pas davantage évidente quand il s'agit de la suppression de cinq phrases entières, ou encore de la disparition du dernier mot : « fin », puisque là encore se trouvent en cause non seulement certains usages québécois mais parfois l'invention verbale de l'auteur et sa théorie romanesque. L'histoire de ces modifications, pour autant que l'on en puisse juger actuellement, laisse l'impression que l'auteur s'est ponctuellement accommodé d'un code éditorial pouvant lui donner un nouveau public lecteur.

Comme le montre la correspondance, les changements font l'objet d'échanges et de rencontres, du 13 janvier au 5 juillet 1966, entre Montréal et Paris, en passant par Lausanne, au début de juin. Nous n'en rappellerons ici que l'essentiel. C'est le 13 janvier que Pierre Tisseyre, qui avait d'abord laissé à Jean Éthier-Blais le soin d'annoncer à son auteur la bonne nouvelle de l'édition française, la lui confirme par écrit, tout en faisant une remarque à propos de « petites corrections ». Puis, Georges Belmont, directeur de la collection « Préférences » où paraîtra l'ouvrage, lui annonce, le 22 février, un envoi : « le jeu d'épreuves que nous possédons[72], avec des indications en marge ». Sa lettre précise :

---

72. Envoyé par le CLF ? Voir la lettre de Georges Belmont (appendice V).

Vous verrez qu'il y a des passages que, sincèrement, je crois trop longs ; d'autres parfois, trop embarrassés de pronoms relatifs. Il y a aussi certaines expressions trop marquées pour que leur répétition fréquente passe inaperçue (par ex. : « par surcroît », « me déprendre »). Il y a enfin, en général, une surabondance d'adjectifs qui, si elle est excellente parfois, gêne à d'autres moments où l'accumulation finit par être une faiblesse et déprécie les épithètes les plus fortes.

Le directeur littéraire conclut en espérant une publication d'autant plus rapide qu'il y aura accord sur les corrections proposées. La sortie est alors prévue pour le mois de mai.

Mais l'auteur, peu enclin, à l'époque, au travail de correction, reste perplexe : le 17 mars, il demande à son éditeur : « [...] j'aimerais bien savoir quelles modifications je dois apporter au texte. Jean Éthier-Blais n'a pas communiqué avec moi à ce sujet ». Le critique du *Devoir* devait-il s'en occuper ? Ici se placent, sans doute, les « Corrections d'auteur » non datées, retrouvées dans ses dossiers. Faite à Montréal par une main autre que celle d'Aquin[73], cette liste ne relève que des irrégularités d'emploi et des fautes d'orthographe qui ne seront d'ailleurs pas toutes

---

73. Sans doute par le personnel de l'éditeur montréalais. La seule trace retrouvée d'une correction voulue par Aquin — et que nous avons maintenue en dépit de l'usage courant — concerne le « coffre-arrière » (PE, p. 61, 63, 75, 95, 110). Sur une feuille volante, manuscrite et non datée, on lit : « à retrouver coffre-arrière [doublement souligné et relié par un trait à] remettre traits d'union » (Dossier « Documents divers », Fonds Aquin).

rectifiées dans l'édition française (voir plus bas les variantes). Quoi qu'il en soit, le 5 avril, il écrit à Robert Laffont son souhait de voir l'œuvre paraître en septembre, comme le lui recommande Jean Éthier-Blais, ajoutant :

> Je viens tout juste de recevoir le texte de « Prochain épisode », annoté et commenté par votre collaborateur Monsieur Georges Belmont. De plus, Monsieur Belmont a pris soin de m'indiquer les principales modifications que je dois apporter à mon roman. Je crois en avoir fini avec ce travail d'ici trois semaines environ.

Et, en effet, un mois plus tard, le 3 mai, à la demande de Pierre Tisseyre : (« Où en êtes-vous avec Laffont ? Avez-vous fait les corrections qu'il a demandées ? »), Aquin répond sans plus de précision : « J'ai retourné à Georges Belmont les épreuves corrigées (modérément....) de *Prochain épisode* ». Lapidaire, l'adverbe de la parenthèse indique assez les réserves de l'auteur. Nouvelle étape : le 3 juin, son éditeur montréalais réexpédie par avion, à Lausanne (à l'hôtel d'Angleterre où séjourne Aquin...), les épreuves finales reçues de Paris. Le 9, Aquin annonce sans plus leur correction et leur envoi à Paris. Une autre de ses lettres, datée du 5 juillet, fait enfin état de ses rencontres avec Robert Laffont, Georges Belmont et Jacques Peuchmaurd (du Service littéraire de Laffont), annonçant que le livre est sous presse.

Tout s'est visiblement passé comme si l'auteur répugnait à gommer le caractère inchoatif de son œuvre, précisément le « surcroît » de l'expression, ses répétitions systématiques et ses québécismes (exemple : « gâchette » plutôt que «détente»). Ne devait-elle pas narrer un gâchis existentiel, et retracer par là sa propre «genèse»? Le *Journal* du roman témoigne bien de cette attitude (voir l'entrée du 31 juillet 1964). Peut-être Aquin retrouve-t-il aussi un peu de cette volonté affirmée de «désécrire», comme les écrivains de *Parti pris* le voulaient à la même époque[74]: «Bousculer le langage. Briser ses articulations, le faire éclater sous la pression intolérable de ma force: désécrire s'il le faut, crier, hurler […]. Écrire comme on assassine [...]. Créer la beauté homicide» (JO, 4 août 1964). Ces propos, parallèles à l'écriture de *Prochain épisode*, rappellent ceux de 1962, quand Aquin rêvait d'un roman policier à la Joyce (JO, 25 septembre), ou encore quand il voulait (le 24 novembre) «tuer beaucoup en [se] tuant: ensevelir la langue française, les mots maternels ou féminins, [son] pays lui-même [...].» Dans ces conditions, Aquin n'était que logique avec lui-même en favorisant la diffusion de la première édition, indiquant ainsi *de facto* le texte de base.

En ce qui concerne les autres éditions faites après 1965 (voir plus bas la note bibliographique), on remarquera que toutes ont repris le texte originel, à l'exception

---

74. Même si Aquin s'est à juste titre défendu de vouloir écrire en «joual» (l'argot montréalais devenu plus ou moins québécois), comme le faisaient certains partisans du vérisme, il aurait pu, à cette époque, co-signer leur proposition fondamentale à l'égard du traitement à faire subir à la langue française. Voir, par exemple, Paul CHAMBERLAND: «Mal écrire, c'est descendre aux enfers de notre mal de vivre, en tirer l'Eurydice de notre humanité québécoise.» (*Parti pris*, vol. 2, n⁰ 5, janvier 1965, p. 36).

de la plus récente, publiée en 1992 chez Leméac, presque identique à celle qui est ici proposée comme définitive.

Les interventions sur le texte

Peu de modifications ont été apportées au texte de base. Nous avons tenu compte des « Corrections d'auteur » pour la standardisation des temps narratifs, de l'orthographe (coquilles, bourdons, etc.) et de la ponctuation. Il en a été de même pour l'emploi des majuscules dans les titres d'ouvrages ou les noms de lieux. L'usage du trait d'union, des indications horaires et des sigles a aussi été rendu homogène. Nous avons signalé en notes quelques cas particuliers.

L'annotation, obligatoirement copieuse puisque la répétition et l'intertextualité (interne et externe) sont au principe même de l'écriture, a tout de même été limitée. Parallèlement à la course si ludique, tous azimuts, pratiquée par l'auteur, il fallait ici, à l'aide du *Journal*, favoriser les repères essentiels d'une vie et d'une pensée, éclairer les principes d'un codage aussi raffiné qu'humoristique. Il nous a paru commode d'éclairer par des notes ponctuelles, assez étoffées, un grand nombre de détails autobiographiques que la présentation aurait éloignés du récit. Quant aux rapports entretenus ici avec le reste de l'œuvre, il allait de soi de privilégier les deux textes romanesques dont *Prochain épisode* constitue à bien des égards la reprise et l'annonce : *L'Invention de la mort* (1959) et *Trou de mémoire* (1968).

Si la langue de l'auteur est par ailleurs marquée par la pratique d'une écriture cursive, elle est fréquemment sertie de mots rares ou inventés qui sont regroupés en un glossaire, à la fin du livre. Nous n'avons pas retenu les néologismes faciles à comprendre comme « antécéder », ou d'autres (comme « constellaire » ou « ophéliser ») commentés plus haut.

*
* *

Je dois beaucoup à feu Claude Sabourin et à Guy Allain qui ont travaillé à la première annotation du roman. Je voudrais aussi remercier particulièrement Andrée Yanacopoulo, pour la consultation de la bibliothèque d'Aquin, du manuscrit du *Journal*, et pour tant de renseignements ; les membres du comité éditorial dont Bernard Beugnot, maître et ami avec qui j'ai eu l'honneur de partager la direction du projet d'édition. Je n'oublie pas non plus le soutien administratif apporté par les deux universités marraines de notre entreprise, en particulier celui du recteur Claude Corbo et des collègues du département d'Études littéraires. De nombreux éclaircissements sont venus, en cours de route, de plusieurs personnes dont Roméo Arbour, Georges Belmont, André Brochu, le Dr Jacques de Champlain, Manon Dumais, Andrée Ferretti, Pierre Filion, Monique Fortier, Naïm Kattan, Peter Klaus, Michèle Lalonde, le Dr Camille Laurin, Anne Legault, Janet Paterson, Corinne Renevey, Ben-Z. Shek, Christine Swings du Centre d'Études Georges Simenon (Université de Liège) et Pierre Turgeon. Que tous trouvent ici l'expression de ma plus vive reconnaissance.

Note bibliographique

I. Ouvrages bibliographiques

MARTEL, Jacinthe, « Bibliographie analytique d'Hubert Aquin, 1947-1982 », *Revue d'histoire littéraire du Québec et du Canada français*, vol. 7, 1984, p. 79-229.

——, « Bibliographie analytique d'Hubert Aquin (mise à jour, 1983-1984) », *Revue d'histoire littéraire du Québec et du Canada français*, vol. 10, 1985, p. 75-112.

——, « Bibliographie analytique d'Hubert Aquin (mise à jour, 1985) », *Bulletin de l'ÉDAQ,* nº 6, 1987, p. 23-62.

DUMAIS, Manon, « Bibliographie analytique d'Hubert Aquin, 1986-1995 », mémoire de maîtrise, Département d'Études littéraires, UQAM, 1995.

II. Ouvrages critiques consacrés à Hubert Aquin et à **Prochain épisode**

CARDINAL, Jacques, *Le roman de l'histoire. Politique et transmission du nom dans* Prochain épisode *et* Trou de mémoire *de Hubert Aquin*, Candiac, les Éditions Balzac, 1993, 192 p.

LAMONTAGNE, André, *Les Mots des autres. La poétique intertextuelle des œuvres romanesques de Hubert Aquin,* Sainte-Foy, PUL, « Vie des lettres québécoises », 1992, 311 p.

LAPIERRE, René, *Les Masques du récit. Lecture de* Prochain épisode *de Hubert Aquin*, Montréal, Hurtubise-HMH, 1980, « Cahiers du Québec : Littérature », 138 p.

———, *L'Imaginaire captif. Hubert Aquin*, Montréal, Quinze, « Prose exacte », 1981, 184 p.

MACCABÉE IQBAL, Françoise, *Hubert Aquin romancier*, Sainte-Foy, PUL, « Vie des lettres québécoises », 1978, 288 p.

———, *Desafinado* : otobiographie de Hubert Aquin, Montréal, VLB Éditeur, 1987, 461 p.

MOCQUAIS, Pierre-Yves, *Hubert Aquin ou la quête interrompue*, Montréal, Cercle du livre de France, 1985, 234 p.

RICHARD, Robert, *Le Corps logique de la fiction. Le code romanesque chez Hubert Aquin*, Montréal, L'Hexagone, « Essais littéraires », 1990, 134 p.

SMART, Patricia, *Hubert Aquin, agent double. La dialectique de l'art et du pays dans* Prochain épisode *et* Trou de mémoire, Montréal, PUM, « Lignes québécoises », 1973, 138 p.

WALL, Anthony, *Hubert Aquin entre référence et métaphore*, Candiac, Québec, les Éditions Balzac, 1991, 238 p.

Édition critique

III. *Autres éditions de* **Prochain épisode**

Prochain épisode, Paris, Laffont, coll. «Préférences»,
    1966, 229 p.
Prochain épisode, Toronto, McLelland and Stewart, 1967,
    (traduction en anglais de Penny Williams), 125 p.
Prochain épisode, Montréal, Éditions du Renouveau
    Pédagogique, coll. « Lecture Québec », 1969, 152
    p. (avec présentation, bibliographie, étude et glos-
    saire par Gilles Beaudet).
Prochain épisode, Toronto, McLelland and Stewart, coll.
    « New Canadian Library » n° 84, 1972, (traduction
    de Penny Williams, avec une introduction de
    Ronald Sutherland), 126 p.
Prochain épisode, Montréal, Éditions Art global, 1978,
    192 p.
Prochain épisode, Montréal, Leméac Éditeur, (texte établi
    par Jacques Allard), 1992, 174 p.

N.B. D'autres ouvrages de référence sont mentionnés
dans la présentation et l'annotation.

Sigles, abréviations
et signes conventionnels

BE   *Blocs erratiques*, textes rassemblés et présentés par René Lapierre, Montréal, Quinze, 1977, 284 p.

BIB   Ouvrage qui figure dans la bibliothèque d'Hubert Aquin. La date ajoutée parfois à cette mention indique l'année de l'édition possédée par Aquin. La liste de ces ouvrages figure dans la chronologie établie par Guylaine Massoutre (tome I).

CC   «Copies conformes».

CLF   Éditions du Cercle du livre de France.

DESA   *Desafinado* de Françoise Maccabée Iqbal.

ÉDAQ   Édition critique de l'œuvre d'Hubert Aquin (projet de recherche subventionné). L'édition parue, la documentation sera disponible au Centre de documentation du département d'études littéraires de l'UQAM.

ITIN   *Itinéraires d'Hubert Aquin*, biochronologie établie par Guylaine Massoutre (tome I).

JM   Bibliographie établie par Jacinthe Martel.

Prochain épisode

JO	L'édition du *Journal (1948-1971)* d'Hubert Aquin par Bernard Beugnot (tome II).
MEL I	*Mélanges littéraires I* par Claude Lamy (tome IV).
MEL II	*Mélanges littéraires II* par Jacinthe Martel (tome IV).
PE	La présente édition de *Prochain épisode*.
PUF	Presses universitaires de France.
PUL	Presses de l'Université Laval.
PUM	Presses de l'Université de Montréal.
PUQ	Presses de l'Université du Québec.
TM	L'édition de *Trou de mémoire*, par Janet M. Paterson et Marilyn Randall (tome III).
UQAM	Université du Québec à Montréal.

PROCHAIN ÉPISODE

« Tu es donc dans les Alpes ? N'est-
ce pas que c'est beau ? Il n'y a que
cela au monde. »

Alfred de MUSSET*

* *Correspondance de G. Sand et d'A. de Musset*, p. 40,
E. Deman, Libraire-éditeur, Bruxelles 1904[1].

1.

Cuba coule en flammes au milieu du lac Léman pendant que je descends au fond des choses[2]. Encaissé dans mes phrases, je glisse, fantôme, dans les eaux névrosées du fleuve et je découvre, dans ma dérive, le dessous des surfaces et l'image renversée des Alpes[3]. Entre l'anniversaire de la révolution cubaine et la date de mon procès, j'ai le temps de divaguer en paix, de déplier avec minutie mon livre inédit et d'étaler sur ce papier les mots clés qui ne me libéreront pas. J'écris sur une table à jeu, près d'une fenêtre qui me découvre un parc cintré par une grille coupante qui marque la frontière entre l'imprévisible et l'enfermé. Je ne sortirai pas d'ici avant échéance. Cela est écrit en plusieurs copies conformes et décrété selon des lois valides et par un magistrat royal irréfutable. Nulle distraction ne peut donc se substituer à l'horlogerie de mon obsession, ni me faire dévier de mon parcours écrit[4]. Au fond, un seul problème me préoccupe vraiment, c'est le suivant : de quelle façon dois-je m'y prendre pour écrire un roman d'espionnage ? Cela se complique du fait que je rêve de faire original[5] dans un genre qui comporte un grand nombre de règles et de lois non écrites. Fort heureusement, une certaine paresse m'incline vite à renoncer d'emblée à renouveler le genre espionnage. J'éprouve une grande sécurité, aussi bien l'avouer, à me pelotonner mollement dans le creuset d'un genre littéraire aussi bien défini. Sans plus tarder, je décide donc d'insérer le roman qui vient dans le sens majeur de la tradition du roman d'espionnage. Et comme il me plairait, par surcroît, de situer l'action à Lausanne, c'est déjà chose faite. J'élimine à toute allure des procédés qui survalorisent le héros agent secret : ni Sphinx, ni Tarzan extra-lucide, ni Dieu, ni Saint-Esprit, mon espion ne doit pas être logique au point que l'intrigue soit dispensée de l'être, ni tellement lucide que je puisse, en revanche, enchevêtrer tout le reste et fabriquer une histoire sans queue ni tête qui, somme toute, ne serait comprise que par un grand dadais armé qui ne communique ses pensées à personne. Et si j'introduisais un agent secret wolof... Tout le monde sait que les Wolofs[6] ne sont pas légion en Suisse Romande et qu'ils sont assez mal représentés dans les services secrets. Bien sûr, j'ai l'air de forcer un peu la note et de donner à fond dans le bloc afro-asiatique, de céder au lobby de l'Union Africaine et Malgache[7]. Mais quoi ! si Hamidou Diop[8] me sied, il n'en tient qu'à moi de lui conférer l'investiture d'agent secret, de l'affecter à la M.V.D.[9] section Afrique et de lui confier une mission de contre-espionnage à Lausanne, sans autre raison que de l'éloigner de Genève où l'air est moins salubre. Dès maintenant, je peux réserver pour Hamidou une suite au Lausanne-Palace[10], le munir de chèques de voyageur de la Banque Cantonale Vaudoise[11] et le constituer Envoyé Spécial[12] (mais faux) de la République du Sénégal auprès des grandes compagnies suisses enclines à faire des placements mobiliers dans le désert. Une fois Hamidou bien protégé par sa fausse identité et installé au Lausanne-Palace, je n'ai plus qu'à faire entrer les agents de la C.I.A. et du M.I. 5[13] dans la danse. Et le tour est joué. Moyennant l'addition de quelques espionnes désirables et la facture algébrique du fil de l'intrigue, je tiens mon affaire. Hamidou s'impatiente, je le sens prêt à faire des folies : somme toute, il est déjà lancé. Mon roman futur est déjà en orbite[14], tellement d'ailleurs, que je ne peux déjà plus le rattraper. Je reste ici figé, bien planté dans mon alphabet qui m'enchaîne ; et je me pose des questions. Écrire un roman d'espionnage comme on en lit, ce n'est pas loyal : c'est d'ailleurs impossible. Écrire une histoire n'est rien, si cela ne devient pas la ponctuation quotidienne et détaillée de mon immobilité interminable et de ma chute ralentie dans cette fosse liquide. L'ennui me guette si je ne rends pas la vie strictement impossible à mon personnage. Pour peupler mon vide, je vais amonceler les cadavres sur sa route, multiplier les attentats à sa vie, l'affoler par des appels anonymes et des poignards plantés dans la porte de sa chambre ; je tuerai tous ceux à qui il aura adressé la parole, même le caissier de l'hôtel, si poli au demeurant. Hamidou en verra de toutes les couleurs, sinon je n'aurai plus le cœur de vivre. Je poserai des bombes dans son entourage et, pour compliquer irrémédiablement le tout, je lui mettrai les Chinois dans les pattes, plusieurs Chinois mais tous pareils : dans toutes les rues de Lausanne, il y aura des Chinois, des hordes de Chinois souriants qui regarderont Hamidou dans le blanc des yeux. L'absorption d'un comprimé de Stellazin[15] m'a distrait, l'espace d'un moment, de la carrière de ce pauvre Hamidou. Dans quinze minutes, ce sera le repas refroidi et, d'interruption en interruption, je parviendrai ainsi jusqu'au coucher, édifiant sans continuité des plans de roman, multipliant les inconnues d'une équation fictive et imaginant, somme toute, n'importe quoi pourvu que cet investissement désordonné me soit rempart contre la tristesse et les vagues criminelles qui viennent me briser avec fracas, en scandant le nom de la femme que j'aime.

Une journée d'hiver, en fin d'après-midi, nous avons roulé dans la campagne d'Acton Vale. Des cercles de neige dispersés sur les coteaux nous rappelaient la neige éblouie qui avait enveloppé notre première étreinte dans l'appartement anonyme de Côte-des-Neiges[16]. Sur cette route solitaire qui va de Saint-Liboire à Upton puis à Acton Vale, d'Acton Vale à Durham-Sud, de Durham-Sud à Melbourne, à Richmond, à Danville, à Chénier qui s'appelait jadis Tingwick[17], nous nous sommes parlé mon amour. Pour la première fois, nous avons entremêlé nos deux vies dans un fleuve d'inspiration qui coule encore en moi cet après-midi, entre les plages éclatées du lac Léman. C'est autour de ce lac invisible que je situe mon intrigue et dans l'eau même du Rhône agrandi que je plonge inlassablement à la recherche de mon cadavre. La route paisible qui va d'Acton Vale à Durham-Sud, c'est le bout du monde. Dérouté, je descends en moi-même mais je suis incapable de m'orienter, Orient. Emprisonné dans un sous-marin clinique, je m'engloutis sans heurt dans l'incertitude mortuaire. Il n'y a plus rien de certain que ton nom secret, rien d'autre que ta bouche chaude et humide, et que ton corps merveilleux que je réinvente, à chaque instant, avec moins de précision et plus de fureur. Je fais le décompte des jours à vivre sans toi et des chances de te retrouver quand j'aurai perdu tout ce temps : comment faire pour ne pas douter ? Comment faire pour ne pas bénir le suicide[18] plutôt que cette usure atroce. Tout s'effrite au passé. Je perds la notion du temps amoureux et la conscience même de ma fuite[19] lente, car je n'ai pas de point de repère qui me permette de mesurer ma vitesse. Rien ne se coagule devant ma vitrine : personnages et souvenirs se liquéfient dans l'inutile splendeur du lac alpestre où je cherche mes mots. J'ai déjà passé vingt-deux jours loin de ton corps flamboyant. Il me reste encore soixante jours de résidence sous-marine avant de retrouver notre étreinte interrompue ou de reprendre le chemin de la prison. D'ici là, je suis attablé au fond du lac Léman, plongé dans sa mouvance fluide qui me tient lieu de subconscient, mêlant ma dépression à la dépression alanguie du Rhône cimbrique, mon emprisonnement à l'élargissement de ses rives[20]. J'assiste à ma solution. J'inspecte les remous, je surveille tout ce qui se passe ici ; j'écoute aux portes du Lausanne-Palace et je me méfie des Alpes. L'autre soir à Vevey, je me suis arrêté pour prendre une chope de bière au Café Vaudois[21]. En parcourant au hasard la *Feuille d'Avis*[22], je suis tombé sur un entrefilet que j'ai pris la peine de découper sournoisement. Le voici : « Mardi le 1er août, le professeur H. de Heutz, de l'université de Bâle, donnera une conférence sur "César et les Helvètes" sous les auspices de la Société d'Histoire de la Suisse romande, 7 rue Jacques-Dalcroze, Genève[23]. Peu avant l'équinoxe du printemps de 58, les Helvètes s'étaient réunis au nord du lac Léman, en vue d'un exode

massif dans l'ouest de la Gaule chevelue. Cette concentra-
tion opérée à quelques milles de Genaba (Genève), avec
l'intention de traverser le Rhône sur le pont de cette ville
et d'enfreindre ainsi l'intégrité de la Gaule transalpine,
détermina la conduite de César[24]. C'est de cette guerre
qui opposa César et les courageux Helvètes, que traitera
l'éminent professeur H. de Heutz. » Mystifié en quelque
sorte par cette conférence et la corrélation subtile que j'ai
décelée entre ce chapitre de l'histoire helvétique et certains éléments de ma propre histoire, j'ai fourré la petite
annonce dans mon porte-monnaie et me suis promis de ne
pas oublier, le 1er août, d'aller tuer le temps à Genève en
tuant quelques milliers d'Helvètes à coups de balises[25],
histoire de me faire un peu la main.

    Le jour commence à décliner. Les grands arbres qui
bordent le parc de l'Institut sont irradiés de lumière. Jamais ils ne me sont apparus avec tant de cruauté, jamais
encore je ne me suis senti emprisonné à ce point. Désemparé aussi par ce que j'écris, je sens une grande lassitude
et j'ai le goût de céder à l'inertie comme on cède à une
fascination. Pourquoi continuer à écrire et quoi encore ?
Pourquoi tracer des courbes sur le papier quand je meurs
de sortir, de marcher au hasard, de courir vers la femme
que j'aime, de m'abolir en elle et de l'entraîner avec moi
dans ma résurrection vers la mort ? Non, je ne sais plus
pourquoi je suis en train de rédiger un casse-tête, alors
que je souffre et que l'étau hydrique se resserre sur mes
tempes jusqu'à broyer mon peu de souvenirs. Quelque
chose menace d'exploser en moi. Des craquements se
multiplient, annonciateurs d'un séisme que mes occupa-
tions égrenées ne peuvent plus conjurer. Deux ou trois

romans censurés[26] ne peuvent pas me distraire du monde libre que j'aperçois de ma fenêtre, et dont je suis exclu. Le tome IX des œuvres complètes de Balzac me décourage particulièrement. « Il s'est rencontré sous l'Empire et dans Paris, treize hommes également frappés du même sentiment, tous doués d'une assez grande énergie pour être fidèles à la même pensée, assez politiques pour dissimuler les liens sacrés qui les unissaient... » Je m'arrête ici. Cette phrase inaugurale de l'*Histoire des Treize*[27] me tue ; ce début fulgurant me donne le goût d'en finir avec ma prose cumulative, autant qu'il me rappelle des liens sacrés — maintenant rompus par l'isolement — qui m'unissaient à mes frères révolutionnaires. Je n'ai plus rien à gagner en continuant d'écrire, pourtant je continue quand même, j'écris à perte. Mais je mens, car depuis quelques minutes je sais bien que je gagne quelque chose à ce jeu, je gagne du temps : un temps mort que je couvre de biffures et de phonèmes, que j'emplis de syllabes et de hurlements, que je charge à bloc de tous mes atomes avoués, multiples d'une totalité qu'ils n'égaliseront jamais. J'écris d'une écriture hautement automatique et pendant tout ce temps que je passe à m'épeler, j'évite la lucidité homicide[28]. Je me jette de la poudre de mots plein les yeux. Et je dérive avec d'autant plus de complaisance qu'à cette manœuvre je gagne en minutes ce que proportionnellement je perds en désespoir. Je farcis la page de hachis mental, j'en mets à faire craquer la syntaxe, je mitraille le papier nu, c'est tout juste si je n'écris pas des deux mains à la fois pour moins penser. Et soudain, je retombe sur mes pieds, sain et sauf, plus vide que jamais, fatigué comme un malade après sa crise. Maintenant que

le tour est joué, Balzac éliminé[29], évité le mal de désirer
en vain et d'aimer follement la femme que j'aime, maintenant que j'ai découpé ma fureur en notions dévaluées, je
suis reposé et je peux lever les yeux sur le paysage en-
glouti[30], compter les arbres que je ne vois plus et me re-
mémorer les noms des rues de Lausanne. Je peux même,
sans aucun trouble, me souvenir de l'odeur de peinture
fraîche de ma cellule à la prison de Montréal et des sen-
teurs écœurantes des cellules de la Sûreté Municipale.
Maintenant que je me sens dégagé, je me laisse à nouveau
reprendre par l'incohérence ; je cède à ce flot improvisé,
renonçant plus par paresse que par principe au découpage
prémédité d'un vrai roman. Je laisse les vrais romans aux
vrais romanciers. Pour ma part, je refuse *illico* d'introduire l'algèbre dans mon invention. Condamné à une certaine incohérence ontologique, j'en prends mon parti. J'en
fais même un système dont je décrète l'application immédiate. Infini, je le serai à ma façon et au sens propre. Je
ne sortirai plus d'un système que je crée dans le seul but
de n'en jamais sortir. De fait, je ne sors de rien, même
pas d'ici. Je suis pris, coincé dans une cabine hermétique
et vitrée. À travers ma vitre pénitentiaire, je vois une
camionnette rouge — suspecte, ma foi — qui me rappelle
une autre camionnette rouge stationnée un matin sur
l'avenue des Pins, devant la porte cochère des Fusiliers
Mont-Royal. Mais voilà que cette tache rouge s'ébranle et
disparaît dans la noirceur, me privant ainsi d'un souvenir
tonifiant. Bye-Bye ! Fusiliers Mont-Royal. Adieu aux armes[31] ! Ce calembour inattendu me décourage : j'ai envie
de fondre en larmes, je ne sais trop pourquoi. Toutes ces
armes volées à l'ennemi, cachées puis découvertes une à

une dans la tristesse, toutes ces armes ! Et moi qui suis ici désarmé pour avoir tenu une arme, désarmé aussi devant le soleil ralenti qui s'affaisse silencieusement dans l'île Jésus [32] ! Si je cède encore au crépuscule, je ne pourrai pas tenir longtemps à mon poste, ni manœuvrer sereinement dans les eaux mortes de la fiction. Si je regarde une fois de plus le soleil évanoui, je n'aurai plus la force de supporter le temps qui coule [33] entre toi et moi, entre nos deux corps allongés sur le calendrier du printemps et de l'été, puis brisés soudains au début du cancer. Fermer les paupières, serrer les doigts sur le stylo, ne pas céder au mal, ne pas croire aux miracles, ni aux litanies que chaque nuit je profère sous le drap, ne pas invoquer ton nom, mon amour. Ne pas le dire tout haut, ne pas l'écrire sur ce papier, ne pas le chanter, ni le crier : le taire, et que mon cœur éclate !

Je respire par des poumons d'acier. Ce qui me vient du dehors est filtré, coupé d'oxygène et de néant, si bien qu'à ce régime ma fragilité s'accroît. Je suis soumis à une expertise psychiatrique avant d'être envoyé à mon procès. Mais je sais que cette expertise même contient un postulat informulé qui confère sa légitimité au régime que je combats et une connotation pathologique à mon entreprise. La psychiatrie est la science du déséquilibre individuel encadré dans une société impeccable. Elle valorise le conformiste, celui qui s'intègre et non celui qui refuse ; elle glorifie tous les comportements d'obéissance civile et d'acceptation. Ce n'est pas seulement la solitude que je combats ici, mais cet emprisonnement clinique qui conteste ma validité révolutionnaire [34].

Aussi bien relire Balzac ! Je veux m'identifier à

Ferragus, vivre magiquement l'histoire d'un homme condamné par la société et pourtant capable, à lui seul, de tenir tête à l'étreinte policière et de conjurer toute capture par ses mimétismes, ses dédoublements et ses déplacements continuels. J'ai rêvé de cela moi aussi, fuyant chaque jour dans un appartement différent, m'habillant avec les vêtements de mes hôtes, masquant mes fuites dans un rituel de parades et de mises en scène. Pour m'être drapé inconsciemment dans les vêtements ocellés de Ferragus[35], je me retrouve aujourd'hui dans une clinique surveillée, après un séjour sans gloire dans la prison de Montréal[36]. Tout cela ressemble à une formidable tricherie, y compris le mal que je ressens à l'avouer. Plus j'avance dans le désenchantement, plus je découvre le sol aride sur lequel, pendant des années, j'ai cru voir jaillir une végétation mythique, véritable débauche hallucinatoire[37], inflorescence de mensonge et de style pour masquer la plaine rase, atterrée, brûlée vive par le soleil de la lucidité et de l'ennui : moi ! La vérité désormais ne tolère plus que je l'ensemence d'une forêt de calices[38]. Dévoilée une fois pour toutes, ma face me terrorise. Entré ici prisonnier, je me sens devenir malade de jour en jour. Plus rien n'alimente mon âme : nulle nuit étoilée ne vient transmuer mon désert en une nappe d'ombre et de mystère. Plus rien ne me propose une distraction ni ne m'offre quelque euphorie de substitution. Tout me déserte à la vitesse de la lumière, toutes les membranes se rompent laissant fuir à jamais le précieux sang.

2.

Entre le 26 juillet 1960 et le 4 août 1792[39], à mi-chemin entre deux libérations et tandis que je m'introduis, enrobé d'alliage léger, dans un roman qui s'écrit à Lausanne, je cherche avidement un homme qui est sorti du Lausanne-Palace après avoir serré la main de Hamidou Diop. Je me suis faufilé dans le hall de l'hôtel sans me faire remarquer par Hamidou. En exécutant un paso doble, je me suis trouvé en une fraction de seconde devant l'hôtel, juste à temps pour voir une 300 SL s'éloigner en direction de la place Saint-François[40]. Quelque chose me dit que cette silhouette filante n'a pas surgi du Sahel sénégalais et que, dans cette affaire, Hamidou joue double. Inutile en tout cas de le questionner sur l'identité de son interlocuteur et de lui faire part de mes intuitions téméraires. Ce bel Africain est plus rusé qu'un Chinois. Avec sa loquacité débordante et sa négritude sportive, il masque trop bien ses ruses et son intelligence redoutable.

Tout en faisant ces considérations sur la duplicité subtile de mon héros, je marchais lentement en remontant la rue de Bourg ; et je suis entré au cinéma de la place Benjamin-Constant pour revoir *Orfeu Negro*[41]. En écoutant

Felicidade, je me suis mis à pleurer. Je ne sais pourquoi cette chanson de bonheur me parle mélancolie, ni pourquoi cette joie frêle se traduit en moi par des accords funèbres. Alors, plus rien ne me retient d'appeler ma noire Eurydice, de la chercher dans la nuit interminable, ombre entre les ombres d'un sombre carnaval, nuit plus noire que la nuit saturnale, nuit plus douce que la nuit que nous avons passée ensemble quelque part sous le tropique natal un certain 24 juin[42]. Eurydice, je descends. Me voici enfin. À force de t'écrire, je vais te toucher ombre noire, noire magie, amour. Le cinéma Benjamin-Constant m'est chute libre[43]. Ce soir même, à quelques lieues de l'Hôtel de la Paix, siège social du F.L.N.[44], à quelques pas de la prison de Montréal, siège obscur du F.L.Q., je frôle ton corps brûlant et je le perds aussitôt, je te reconstitue mais les mots me manquent. La nuit historique semble sécréter l'encre de Chine dans laquelle je distingue trop de formes fuyantes qui te ressemblent et ne sont jamais toi. Au terme de ma décadence liquide, je toucherai le pays bas, notre lit de caresses et de convulsions. Mon amour... J'ai le vertige. Je finis par avoir peur de chaque silhouette, de mes voisins au cinéma, de cet étranger qui me cache le profil mulâtre d'Eurydice, de ces gens qui attendent sur le trottoir à la sortie du cinéma.

Je me suis précipité à travers tout ce monde agglutiné et j'ai traversé la place Benjamin-Constant. Et tandis que je longeais la façade illuminée[45] de l'Hôtel de la Paix, j'ai regardé dans l'autre direction, le contour dentelé des Alpes de Savoie et la nappe marbrée du lac. Il était onze heures quinze. J'avais perdu ma journée. Je n'avais plus rien à faire, personne à rencontrer, aucun espoir de retrouver l'homme à qui Hamidou a serré la main dans le hall du Lausanne-Palace. Nonchalamment je suis rentré à l'hôtel. On m'a remis la clé de ma chambre et un papier bleu scellé. Je l'ai décacheté rapidement et, ne comprenant rien à ce qui était écrit, je l'ai mis dans ma poche pour ne pas me faire remarquer du garçon d'ascenseur. Aussitôt enfermé dans ma chambre, je me suis étendu sur mon lit et j'ai relu cet amas informe de lettres majuscules écrites sans espacement : CINBEUPERFLEUDIARUNCOBESC UBEREBESCUAZURANOCTIVAGUS[46]. Devant ce cryptogramme monophrasé, je restai perplexe quelques minutes, puis je résolus de procéder d'abord à une statistique alphabétique, par ordre de récurrence, ce qui m'a donné : E 7 fois ; U 7 ; R 5 ; B, A et C 4 fois ; S 3 ; I 3 ; O 2 ; G 2 ; P, F, L, V et Z une seule fois[47]. La prédominance flagrante de la voyelle U a de quoi mystifier. Je ne connais pas de langue où l'épiphanie de cette voyelle soit aussi nombreuse. Même en portugais et en roumain, où foisonnent les U, on ne détecte pas une prédominance du U sur les autres voyelles.

Le cryptogramme de l'Hôtel de la Paix ne cesse de me fasciner, non seulement par son origine mystérieuse[48] (qui n'a rien à voir avec le Bureau dont je connais par cœur tous les chiffres et même leurs variantes), mais aussi par l'intention qui a présidé à l'envoi de ce message. En butant sur cette équation à multiples inconnues que je dois résoudre avant d'aller plus avant dans mon récit, j'ai le sentiment de me trouver devant le mystère impénétrable par excellence. Plus je le cerne et le crible, plus il croît au-delà de mon étreinte, décuplant ma propre énigme lors même que je multiplie les efforts pour la saisir. Je n'arrive pas à réinventer le code de ce message ; et faute de le traduire dans mon langage, j'écris dans l'espoir insensé qu'à force de paraphraser l'innommable, je finirai par le nommer. Pourtant, j'ai beau couvrir de mots cet hiéroglyphe[49], il m'échappe et je demeure sur l'autre rive, dans l'imprécision et le souhait. Coincé dans ma sphère close, je descends, comprimé, au fond du lac Léman et je ne parviens pas à me situer en dehors de la thématique fluante qui constitue le fil de l'intrigue. Je me suis enfermé dans un système constellaire qui m'emprisonne sur un plan strictement littéraire, à tel point d'ailleurs que cette séquestration stylistique me paraît confirmer la validité de la symbolique que j'ai utilisée dès le début : la plongée. Encaissé dans ma barque funéraire et dans mon répertoire d'images, je n'ai plus qu'à continuer ma noyade écrite. Descendre est mon avenir, plonger mon gestuaire unique et ma profession. Je me noie. Je m'ophélise dans le Rhône. Ma longue chevelure manuscrite se mêle aux plantes aquatiles et aux adverbes invariables, tandis que je glisse, variable, entre les deux rives échancrées du fleuve cisalpin. Ainsi, coffré en bonne et due forme dans mon concept métallique, sûr de n'en pas sortir mais incertain d'y vivre longtemps, je n'ai qu'une chose à faire : ouvrir mes yeux, voir follement ce monde déversé, poursuivre jusqu'au bout celui que je cherche, et le tuer.

Tuer[50] ! Quelle splendide loi à laquelle il fait bon parfois se conformer. Pendant des mois, je me suis préparé intérieurement à tuer, le plus froidement possible et avec le maximum de précision. Ce dimanche matin où il pleuvait, je me préparais secrètement à frapper. Mon cœur battait régulièrement, mon esprit était clair, agile, précis comme doit l'être une arme à feu. Les mois et les mois qui avaient précédé m'avaient vraiment transformé. Et c'est avec un sentiment aigu de la gravité de mon attentat et avec des réflexes parfaitement dressés que j'inaugurais cette journée de noce noire. Soudain vers dix heures trente la rupture s'est produite. Arrestation, menottes, interrogatoire, désarmement[51]. Contretemps total, cet accident banal qui m'a valu d'être emprisonné est un événement anti-dialectique[52] et la contradiction flagrante du projet inavoué que j'allais exécuter l'arme au poing et dans l'euphorie assainissante du fanatisme. Tuer confère un style à l'existence. C'est ce possible continuellement présent qui, par son insertion inavouable dans la vie courante, injecte à celle-ci le tonus sans quoi elle se résume à une reptation asthénique et à l'interminable expérimentation de l'ennui. Après mon procès et ma libération, je ne puis imaginer ma vie en dehors de l'axe homicide[53]. Déjà, je brûle d'impatience en pensant à l'attentat multiple, geste pur et fracassant qui me redonnera le goût de vivre et m'intronisera terroriste, dans la plus stricte intimité. Que la violence instaure à nouveau dans ma vie l'ordre vital, car il me semble que, depuis trente-quatre ans, je n'ai pas vécu sinon comme l'herbe. Si je faisais le compte, par une computation rapide, des baisers donnés, de mes grandes émotions, de mes nuits d'émerveillement, de mes journées lumineuses, des heures privilégiées et de ce qui me reste des grandes découvertes ; et si j'additionnais, sur une infinité de cartes postales perforées, les villes que j'ai traversées, les hôtels où je me suis arrêté pour un bon repas ou pour une nuit d'amour, le nombre de mes amis et des femmes que j'ai trahies, à quel sombre inven-

taire toutes ces opérations arythmales me conduiraient-
elles ? La courbe sinusoïdale du vécu ne traduit pas l'espoir
ancien. J'ai dévoyé sans cesse ma ligne de vie, pour obtenir, par une accumulation d'indignités, moins de bonheur,
ce qui m'a entraîné à en redonner moins que rien. Devant
cette statistique infuse qui me hante soudain avec accom-
pagnement de lassitude, je n'imagine rien de mieux que
continuer d'écrire sur cette feuille et plonger sans espoir
dans le lac fantôme qui m'inonde. Descendre mot à mot
dans ma fosse à souvenirs, tenter d'y reconnaître quelques
anciens visages blessés, inventer d'autres compagnons qui
déjà me préoccupent, m'entraînent dans un nœud de fausses pistes et finiront par m'exiler, une fois pour toutes,
hors de mon pays gâché.

    Entre un certain 26 juillet et la nuit amazonique du
4 août, quelque part entre la prison de Montréal et mon
point de chute, je décline silencieusement en résidence
surveillée et sous l'aile de la psychiatrie viennoise ; je me
déprime et me rends à l'évidence que cet affaissement est
ma façon d'être. Pendant des années, j'ai vécu aplati avec
fureur. J'ai habitué mes amis à un voltage intenable, à un
gaspillage d'étincelles et de courts-circuits. Cracher le
feu, tromper la mort, ressusciter cent fois, courir le mille
en moins de quatre minutes[54], introduire le lance-flammes
en dialectique, et la conduite-suicide en politique, voilà
comment j'ai établi mon style. J'ai frappé ma monnaie
dans le vacarme à l'image du surhomme avachi[55]. Pirate
déchaîné dans un étang brumeux, couvert de Colts 38 et
injecté d'hypodermiques grisantes, je suis l'emprisonné,
le terroriste, le révolutionnaire anarchique et incontesta-
blement fini ! L'arme au flanc, toujours prêt à dégainer

devant un fantôme, le geste éclair, la main morte et la mort dans l'âme[56], c'est moi le héros, le désintoxiqué! Chef national d'un peuple inédit! Je suis le symbole fracturé de la révolution du Québec, mais aussi son reflet désordonné et son incarnation suicidaire. Depuis l'âge de quinze ans, je n'ai pas cessé de vouloir un beau suicide : sous la glace enneigée du lac du Diable, dans l'eau boréale de l'estuaire du Saint-Laurent, dans une chambre de l'Hôtel Windsor avec une femme que j'ai aimée, dans l'auto broyée l'autre hiver, dans le flacon de Beta-Chlor 500 mg, dans le lit du Totem, dans les ravins de la Grande-Casse et de la Tour d'Aï, dans ma cellule CG19, dans mes mots appris à l'école, dans ma gorge émue, dans ma jugulaire insaisie et jaillissante de sang[57]! Me suicider partout et sans relâche, c'est là ma mission. En moi, déprimé explosif, toute une nation s'aplatit historiquement et raconte son enfance perdue, par bouffées de mots bégayés et de délires scripturaires et, sous le choc noir de la lucidité[58], se met soudain à pleurer devant l'immensité du désastre et de l'envergure quasi sublime de son échec. Arrive un moment, après deux siècles de conquêtes[59] et trente-quatre ans de tristesse confusionnelle, où l'on n'a plus la force d'aller au-delà de l'abominable vision. Encastré dans les murs de l'Institut et muni d'un dossier de terroriste à phases maniaco-spectrales, je cède au vertige d'écrire mes mémoires et j'entreprends de dresser un procès-verbal précis et minutieux d'un suicide qui n'en finit plus. Vient un temps où la fatigue effrite les projets pourtant irréductibles et où le roman qu'on a commencé d'écrire sans système se dilue dans l'équanitrate[60]. Le salaire du guerrier défait, c'est la dépression. Le salaire de la dépression nationale, c'est mon échec, c'est mon enfance dans une banquise, c'est aussi les années d'hibernation à Paris et ma chute en ski au fond du Totem dans quatre bras successifs. Le salaire de ma névrose ethnique, c'est l'impact de la monocoque et des feuilles d'acier lancées contre une tonne inébranlable d'obstacles. Désormais, je suis dispensé d'agir de façon cohérente et exempté, une fois pour toutes, de faire un succès de ma vie. Je pourrais, pour peu que j'y consente, finir mes jours dans la torpeur feutrée d'un institut anhistorique, m'asseoir indéfiniment devant dix fenêtres qui déploient devant mes yeux dix portions équaniles d'un pays conquis[61] et attendre le jugement dernier où, étant donné l'expertise psychiatrique et les circonstances atténuantes, je serai sûrement acquitté[62].

Ainsi, muni d'un dossier judiciaire à appendice psychiatrique, je peux me consacrer à écrire page sur page de mots abolis, agencés sans cesse selon des harmonies qu'il est toujours agréable d'expérimenter, encore que cela, à la limite, peut ressembler à un travail. Mais cet effort milligrammé avec soin n'est pas nocif, ni contre-indiqué, à condition bien sûr que les périodes d'écriture soient brèves et suivies de périodes de repos. Rien n'empêche le déprimé politique de conférer une coloration esthétique à cette sécrétion verbeuse; rien ne lui interdit de transférer sur cette œuvre improvisée la signification dont son existence se trouve dépourvue et qui est absente de l'avenir de son pays. Pourtant, cet investissement à fonds perdus a quelque chose de désespéré[63]. C'est terrible et je ne peux plus me le cacher: je suis désespéré. On ne m'avait pas dit qu'en devenant patriote, je serais jeté ainsi dans la détresse et qu'à force de vouloir la liberté, je me retrouverais enfermé. Combien de secondes d'angoisse et de siècles de désemparement faudra-t-il que je vive pour mériter l'étreinte finale du drap blanc ? Plus rien ne me laisse croire qu'une vie nouvelle et merveilleuse remplacera celle-ci. Condamné à la noirceur, je me frappe aux parois d'un cachot qu'enfin, après trente-quatre ans de mensonges, j'habite pleinement et en toute humiliation[64]. Je suis emprisonné dans ma folie, emmuré dans mon impuissance surveillée, accroupi sans élan sur un papier blanc comme le drap avec lequel on se pend[65].

3.

Entre le 26 juillet cubain et la nuit lyrique du 4 août[66], entre la place de la Riponne et la pizzeria de la place de l'Hôtel-de-Ville[67], à Lausanne, j'ai rencontré une femme blonde dont j'ai reconnu instantanément la démarche majestueuse. Le bonheur que j'ai éprouvé à cet instant retentit encore en moi tandis qu'attablé dans cette pizzeria lausannoise, rendez-vous des maçons du Tessin, je me laisse aller à la tristesse qui m'engourdit progressivement depuis que je suis ressorti de mon hôtel où je n'ai fait que passer quelques minutes stériles après être allé au cinéma Benjamin-Constant[68]. C'est dans cette pizzeria que j'ai échoué.

Et quand le juke-box émit pour la troisième fois les premiers accords de *Desafinado*[69], je n'en pouvais plus de nostalgie. Je me suis dégagé du comptoir au rythme des guitares afro-brésiliennes et j'ai réglé mon addition à la caisse. Et me voici à nouveau dans cette nuit antérieure, étranglé une fois de plus dans l'étau de la rue des Escaliers-du-Marché[70] que je remonte comme si cette dénivellation avait la vertu de compenser ma chute intérieure. C'est à quelques pas de la place de la Riponne et me dirigeant vers elle, que j'ai aperçu la chevelure léonine de K[71]. En

pressant le pas, je me suis vite trouvé à côté d'elle, tout
près de son visage détourné. Comme je craignais de la
faire fuir par la soudaineté de mon approche, je me suis
empressé de conjurer un malentendu et j'ai prononcé son
prénom, avec une inflexion qu'elle se devait de reconnaître. C'est alors que l'événement merveilleux, notre rencontre, s'est produit, alors même que nous approchions
tous deux de la grande esplanade de la place de la
Riponne. Nous avons tourné sur notre gauche, après avoir
découvert la colonnade sombre de l'université et le bonheur aveuglant de nous retrouver. Je ne me souviens plus
de l'itinéraire que nous avons suivi après ni quelles rues
sombres nous avons parcourues lentement, K et moi,
avant de nous arrêter un moment sur le Grand-Pont, juste
au-dessus de la *Gazette de Lausanne*[72] et face à la masse
sombre du Gouvernement cantonal[73] qui nous cachait le
lac Léman et le spectre des Alpes. Douze mois de séparation, de malentendus et de censure s'achevaient magiquement par ce hasard : quelques mots réappris, le frôlement
de nos deux corps et leur nouvelle attente. Douze mois
d'amour perdu et de langueurs se sont abolis dans le délire fondamental de cette rencontre inespérée et de notre
amour fou[74], emporté à nouveau vers la haute vallée du
Nil[75], dans une dérive voluptueuse entre Montréal et
Toronto, le chemin de la Reine-Marie et le cimetière des
Juifs portugais, de nos chambres lyriques de Polytechnique[76] à nos rencontres fugaces à Pointe-Claire, quelque
part entre un 26 juillet violent et un 4 août funèbre, anniversaire double d'une double révolution : celle qui a commencé dangereusement et l'autre, secrète, qui est née dans
nos baisers et par nos sacrilèges.

Notre vie a déjà tenu dans quelques serments volup-
tueux et tristes échangés dans une auto stationnée à l'île
Sainte-Hélène, près des casernes[77], par un soir de pluie.
Avant de te rencontrer, je n'en finissais plus d'écrire un
long poème. Puis un jour, j'ai frémi de te savoir nue sous
tes vêtements ; tu parlais, mais je me souviens de ta bouche seulement. Toi, tu parlais en attendant et moi, j'attendais. Nous étions debout, tes cheveux s'emmêlaient dans
l'eau-forte de Venise par Clarence Gagnon[78]. C'est ainsi
que j'ai vu Venise, au-dessus de ton épaule, noyée dans
tes yeux bruns, et en te serrant contre moi. Je n'ai pas
besoin d'aller à Venise pour savoir que cette ville ressemble à ta tête renversée sur le mur du salon, pendant que je
t'embrassais. Ta langueur me conduit à notre étreinte in-
terdite, tes grands yeux sombres à tes mains humides qui
cherchent ma vérité. Qui es-tu, sinon la femme finie qui
se déhanche selon les strophes du désir et mes caresses
voilées ? Dans notre plaisir apostasié, germaient tous nos
projets révolutionnaires. Et voilà que par une nuit de plein
été, quelque part entre le vieux Lausanne et son port
médiéval[79], sur la ligne médiane qui sépare deux jours
et deux corps, nous retrouvons notre ancienne raison de
vivre et d'avoir mille fois souhaité mourir plutôt que d'affronter la séparation cruelle dont la terminaison subite
nous a inondés de joie.

Nous avons marché longtemps cette nuit-là, jusqu'à
ce que la vallée tout entière du Rhône s'emplisse de soleil
et que, petit à petit, l'ancien port d'Ouchy résonne du
bruit des moteurs et du travail, et que les garçons disposent les chaises sur la terrasse de l'Hôtel d'Angleterre où
Byron, en une seule nuit dans le bel été de 1816, a écrit

le Prisonnier de Chillon[80]. Nous nous sommes attablés à la terrasse de l'Hôtel d'Angleterre pour prendre un petit déjeuner et garder le silence à la hauteur du miroir liquide qu'une haleine brumeuse voilait encore. Après douze mois de séparation et douze mesures d'impossibilité de vivre un mois de plus, après une nuit de marche depuis la place de la Riponne jusqu'au niveau du lac antique et à la première heure de l'aube, nous sommes montés dans une chambre de l'Hôtel d'Angleterre, peut-être celle où Byron a chanté Bonnivard qui s'était jadis abîmé dans une cellule du château de Chillon. K et moi, inondés de la même tristesse inondante, nous nous sommes étendus sous les draps frais, nus, anéantis voluptueusement l'un par l'autre, dans la splendeur ponctuelle de notre poème et de l'aube. Notre étreinte aveuglante et le choc incantatoire de nos deux corps me terrassent encore ce soir, tandis qu'au terme de cette aube incendiée je me retrouve couché seul sur une page blanche où je ne respire plus le souffle chaud de ma blonde inconnue, où je ne sens plus son poids qui m'attire selon un système copernicien et où je ne vois plus sa peau ambrée, ni ses lèvres inlassables, ni ses yeux sylvestres, ni le chant pur de son plaisir. Désormais seul dans mon lit paginé, j'ai mal et je me souviens de ce temps perdu retrouvé[81], passé nu dans la plénitude occulte de la volupté.

Les rythmes déhanchés de *Desafinado* qui éclatent par surprise dans le Multivox[82] me hissent au niveau du lac amer où j'ai retrouvé l'aube de ton corps, dans une seule étreinte bouleversante, et me ramènent à ton rivage membrané où j'aurais mieux fait de mourir alors, car je meurs maintenant. Ce matin-là c'était le beau temps, celui de la jointure exaltée de deux jours et de nos deux corps. Oui, c'était l'aube absolue, entre un 26 juillet qui s'évaporait au-dessus du lac et la nuit immanente de la révolution. Les mots qui s'encombrent en moi n'arrêtent pas le ruisseau clair du temps fui de fuir en cascades jusqu'au lac. Le temps passé repasse encore plus vite qu'il n'avait passé ce matin-là, dans notre chambre de l'Hôtel d'Angleterre avec vue sur le glacier disparu du Galenstock qui descendait un jour sur la terrasse de l'hôtel à l'endroit même où K et moi nous nous étions assis à l'aube. Glacier fui, amour fui, aube fugace et interglaciaire, baiser enfui très loin sur l'autre rive et loin aussi de la vitre embuée de mon bathyscaphe[83] qui plonge à pic sous la fenêtre de la chambre où Byron a pleuré dans les stances à Bonnivard[84] et moi dans la chevelure dorée de la femme que j'aime.

Ce soir, si je dérive dans le lit du grand fleuve soluble, si l'Hôtel d'Angleterre se désagrège dans le tombeau liquide de ma mémoire, si je n'espère plus d'aube au terme de la nuit occlusive et si tout s'effondre aux accords de *Desafinado*, c'est que j'aperçois, au fond du lac, la vérité inévitable, partenaire terrifiante que mes fugues et mes parades ne déconcertent plus. Au fond de cette liquidité inflationnelle[85], l'ennemi innommé qui me hante me trouve nu et désarmé comme je l'ai été dans l'étreinte vénérienne qui nous a confirmés à jamais, K et moi, propriétaires insaisissables de l'Hôtel d'Angleterre, qui se trouve à mi-chemin entre le château de Chillon et la villa Diodati, Manfred et la future libération de la Grèce[86]. Que vienne l'ennemi global que j'attends en dépérissant ! Que l'affrontement se produise et qu'advienne enfin l'accomplissement de la vérité qui me menace ! Ou alors qu'on me libère au plus vite et sans autre forme, moi, prisonnier sans poète qui me chante. Et je me noierai une fois de plus, au fond d'un lit chaud et défait, dans le corps brûlant de celle qui m'a gorgé d'amour entre la nuit d'un hasard et la nuit seconde, entre le fond noir du lac de Genève[87] et sa surface héliaque. Les mots de trop affluent devant ma vitre, engluent ce périmètre de mémoire dans l'obscuration[88], et je chavire dans mon récit. L'Hôtel d'Angleterre, était-ce un 24 juin ou un 26 juillet ? et cette masse chancelante qui obstrue mon champ de vision, est-ce la prison de Montréal ou le château de Chillon, cachot romantique où le patriote Bonnivard attend toujours la guerre révolutionnaire que j'ai fomentée sans poésie ? Entre cette prison lacustre et la villa Diodati, près de Genève, dans une chambre divine d'un hôtel de passage où Byron s'est arrêté, j'ai réinventé l'amour. J'ai découvert un soleil éclipsé par douze mois de séparation et qui, ce matin-là, s'est levé entre nos deux corps assemblés, réchauffant le milieu suprême de notre lit pour jaillir enfin, éclatant et intolérable, dans le lac antique qui dévalait glorieusement de nos deux ventres. Ah ! qu'on me rende la chambre soleil et notre amour, car tout me manque et j'ai peur. Que se passe-t-il donc en moi qui fasse trembler le granit alpestre ? Le papier se dérobe sous mon poids comme le lac fluviatile. La dépression me déminéralise insidieusement. Mer de glace je deviens lave engloutissante, miroir à suicide. Trente deniers, et je me suicide[89] ! En fait, je réduirais encore le prix pour me couper avec un morceau de vitre : et j'en aurais fini avec la dépression révolutionnaire ! Oui, finies la maladie honteuse du conspirateur, la fracture mentale, la chute perpétrée dans les cellules de la Sûreté. Finis le projet toujours recommencé d'un attentat et le plaisir indécent de marcher dans la foule des électeurs en serrant la crosse fraîche de l'arme automatique qu'on porte en écharpe ! Et que je vole enfin ! Que je me promène encore incognito et impuni au hasard des rues qui s'échappent de la place de la Riponne et ruissellent en serpentant jusqu'aux rives de Pully et d'Ouchy pour se mêler au grand courant de l'histoire et disparaître, anonymes et universelles, dans le fleuve puissant de la révolution !

Seul m'importe ce laps de temps entre la nuit de la haute ville et l'aube révolutionnaire qui a foudroyé nos corps dans une chambre où Byron, pour une nuit écrite, s'est arrêté entre Clarens et la villa Diodati, en route déjà pour une guerre révolutionnaire qui s'est terminée dans l'épilepsie finale de Missolonghi[90]. Seul m'importe ce chemin de lumière et d'euphorie. Et notre étreinte du lever du jour, lutte serrée, longue mais combien précise qui nous a tués tous les deux, d'une même syncope, en nous inondant d'un pur sang de violence !

Je ne veux plus vivre ici, les deux pieds sur la terre maudite, ni m'accommoder de notre cachot national comme si de rien n'était. Je rêve de mettre un point final à ma noyade qui date déjà de plusieurs générations. Au fond de mon fleuve pollué, je me nourris encore de corps étrangers, j'avale indifféremment les molécules de nos dépressions séculaires, et cela m'écœure. Je m'emplis de père en fils d'anticorps ; je me saoule, fidèle à notre amère devise[91], d'une boisson nitrique qui fait de moi un drogué.

4.

Il était près de six heures quand nous avons quitté notre chambre à l'Hôtel d'Angleterre. Le soleil, principe de notre amour et de notre ivresse, commençait déjà à se voiler derrière les Cornettes de Bise, vidant ainsi la grande vallée de sa signification. Mais en nous, l'astre brûlait encore de son éclat hypogique. Nous sommes descendus sur le quai des Belges[92], nous mêlant nonchalamment aux travailleurs et aux amoureux. Puis, nous nous sommes approchés plus près du lac encore. Nous avons arpenté, ivres de notre ivresse révolue, la grande jetée et le quai. Le vapeur Neuchâtel[93] se trouvait amarré, entouré d'une foule bruyante et gaie. Nous nous sommes assis, à quelque distance du bateau blanc et de la foule, sur l'enfilade décroissante de rochers qui émergent de l'eau bleue du lac Léman. Que ce paysage m'emprisonne encore dans sa belle invraisemblance, et je mourrai sans amertume[94] ! Qu'une fois de plus, à la fin du jour, je puisse flâner avec K, la main dans la main, sur les rives d'Ouchy, marcher en équilibre instable sur ces rochers érodés et m'asseoir tout près de K, si près que ses cheveux crépusculaires effleurent ma joue ! Car je délirais, en cet endroit précis, le dos tourné à la ville en gradins et face à la profondeur déchirée des grandes montagnes, tout près, oui tout près de la femme délivrée qui marchait sur les eaux[95] et que j'aime ! De quoi donc était fait notre bonheur en cet instant où nous contemplions ses reflets assombris dans les cyprès qui camouflaient le vapeur Neuchâtel, dans l'eau sereine du lac et dans l'Alpe nombreuse dont les flancs éblouis surgissaient devant nous ? De quoi ce temps fui était-il plein, sinon peut-être du long voyage ardent qui l'avait précédé et de l'explosion récente de notre plaisir : douze mois et une nuit de chute entre la place de la Riponne et l'aube révolutionnaire qui a bouleversé le ciel, la chaîne tout entière des Alpes, visibles et invisibles, et nos corps réunis en 1816. Pendant que nous devenions l'épicentre d'un univers grandiose, une sérénité accomplie succédait à la déchirure du plaisir. En cet instant, sur ces rochers oubliés par l'érosion et au milieu de notre éblouissement, plus rien ne faisait obstacle à mon euphorie : je dérivais dans la plénitude. J'avais reçu l'investiture de l'amour et de l'aube. Quelque chose de glorieux opérait en moi, pendant que le soleil épuisé descendait avec les eaux du Rhône et que K, frileuse ou mélancolique peut-être, se rapprochait tendrement de moi.

C'est alors que nous sommes revenus vers la ville rembrunie. Nous avons fait quelques pas en direction de l'Hôtel d'Angleterre, sans nous rendre jusqu'à sa terrasse débordante de clients. Nous nous sommes attablés à la terrasse du Château d'Ouchy, tournant ainsi le dos au soleil décliné, regardant sur notre gauche le littoral des grands hôtels et à notre droite les Alpes ténébreuses qui flottaient sur le lac. C'est précisément à cette table, devant un gin-tonic et la grande perspective qui s'engouffre à l'infini dans les Alpes lépontiennes[96], que K m'a parlé de la Mercedes 300 SL à indicatif du canton de Zurich. Perdu dans les yeux noirs de K, j'arrivais mal à suivre avec attention les révélations compliquées qu'elle me faisait, d'autant que je contemplais avec émotion ses lèvres pleines et que je m'amusais à réentendre ses phrases longues, souvent énigmatiques, qui m'étaient pourtant familières.

— C'est un banquier[97], m'a-t-elle dit.

— J'ai déjà oublié son nom...

— Carl von Ryndt. Mais ne te fie pas à son nom, bien entendu... pas plus qu'à sa profession. Il est banquier comme il y en a des milliers en Suisse. À Bâle, il y a quelques mois, il s'appelait de Heute ou de Heutz. Il se présentait alors comme Belge (il affectait même un accent brabançon) et travaillait à une thèse sur Scipion l'Africain...

— Mystifiant !

— Mais attends la suite. Pierre — enfin, le patron — l'a fait surveiller soigneusement et ce n'est pas facile de suivre un oiseau de ce genre. Je te fais grâce du détail des hypothèses historiques sur lesquelles il fonde sa thèse. C'est quelque chose d'affolant, crois-moi, que de se donner une couverture pareille : c'est à peu près aussi compliqué que de se faire passer pour nonce apostolique et d'aller jusqu'à dire une messe pontificale avec diacre et sous-diacre... Von Ryndt, en tout cas, ne m'étonnera plus. À Bâle, il est si bien entré dans la peau de l'historien des guerres romaines, qu'il est allé jusqu'à donner des conférences sur Scipion l'Africain devant des sociétés savantes. En fait, on le sait aujourd'hui, von Ryndt doit travailler à une thèse qui a été faite par un illustre inconnu il y a un siècle ! Il se rend moins souvent à la bibliothèque de l'université que dans l'annexe du Palais fédéral à Berne[98], sous prétexte de poursuivre ses recherches dans la capitale fédérale : von Ryndt a joué longtemps à l'historien belge très studieux et hautement spécialisé dans une période généralement inconnue de l'histoire romaine. De Heute ou de Heutz — enfin, le double de von Ryndt — s'est révélé, au terme de notre enquête, un homme incroyable d'astuce, mais carrément dangereux pour nous... Tu sais, depuis que j'ai obtenu ma séparation, je vois les choses plus froidement qu'avant. À vrai dire, j'ai changé ma philosophie de l'existence, en faisant de la mienne un gâchis... À quoi penses-tu ? On dirait que tu es triste soudain... Le désastre ne me fait plus peur désormais. J'ai le sentiment que je ne traverserai jamais de période aussi noire que les douze derniers mois que j'ai passés dans des chambres d'hôtel de Manchester, Londres, Bruxelles, Berne ou Genève, en transit dans chaque ville et obligée de garder la face. Je crois que j'ai fait une grande dépression : j'ai pris quelques médicaments à l'occasion, mais je ne me suis jamais fait traiter. Maintenant, c'est fini. Comment me trouves-tu ? Regarde comme c'est merveilleux sur le lac en ce moment. Si j'étais millionnaire, j'achèterais une villa tout près d'ici, sur le bord du lac. Quand je serais déprimée, je ne bougerais pas de ma villa et je regarderais les montagnes, comme on fait en ce moment...

— Dans les environs de Vevey, c'est merveilleux. Tu connais Clarens ? Non... Ou, peut-être, sur la rive entre Saint-Prex et Allaman, mais je rêve moi aussi. Nous ne serons jamais millionnaires à moins de rafler les fonds de l'organisation et d'ajouter à cela une série de hold-up impunis... et encore, si un jour je deviens millionnaire, ce ne sera pas pour engloutir mon capital dans un chalet suisse. J'aimerais mieux m'ouvrir un crédit à la Fabrique Nationale ou à Solingen[99]...

— Tu as raison. Il n'y a pas de retraite dorée pour nous, ni même de vie paisible, tant que ce sera impossible de vivre normalement dans notre pays. Ce soir, je suis à Lausanne. Dans quelques jours, l'organisation m'enverra dans une autre ville...

J'étais perdu dans son regard, lac noir où le matin même j'avais vu le soleil émerger, nu et flamboyant. J'étais triste de la tristesse de K, heureux quand elle semblait l'être, et je redevenais révolutionnaire quand elle évoquait la révolution qui nous avait réunis et qui m'obsède encore, inachevée...

— Il a été vu trois fois à Montréal, à notre connaissance, au cours des six derniers mois. Nous avons la preuve qu'il s'est mis en relation avec Gaudy[100], et que ce von Ryndt (ou le Belge) est l'émissaire de Gaudy en Europe. Tu comprends maintenant?

— Là je comprends... Et, au point où en sont les choses, je ne m'attarderais pas une seconde de plus à me rendre à l'évidence, je passerais à l'action. Seulement, pendant qu'on en parle, von Ryndt a peut-être une fois de plus changé de nom[101]...

K m'a regardé longuement, avec défi et amour à la fois. Nous nous sommes compris; et elle a enchaîné tout simplement:

— Dans les vingt-quatre heures, il faut régler ce problème... Tu ne crois pas? Mais il faut que je te parle un peu de lui encore. Von Ryndt est président de la Banque Commerciale Saharienne, 13 ou 14 rue Bonnivard, à Genève. De plus, il siège au conseil d'administration de l'Union de Banques Suisses. Je passe sur un certain type de corrélation qui existe entre l'U.B.S. et les Services Secrets de Berne[102]. Mais tu connais la puissance de l'U.B.S. comme lobby fédéral, et tu sais comme moi que l'article 47 B[103] de la constitution fédérale qui garantit l'anonymat de ceux qui se servent de la Suisse comme d'un coffret de sûreté, peut, à un certain niveau et fort discrètement, être enfreint. Somme toute, von Ryndt est un voyant qui connaît certains fonds secrets, ceux de l'organisation par exemple, et qui par conséquent peut arriver à les geler en supprimant tout simplement les quelques patriotes qui y ont légalement accès. Il est même permis de croire que pour chaque dépôt que nous faisons dans une banque suisse, il doit y avoir un bordereau en duplicata qui, par les bons soins de von Ryndt, est déposé aux archives de la R.C.M.P.[104] à Ottawa, à Montréal, et peut-être même chez nos « amis » de la C.I.A. Et comme le séjour de tous les étrangers sur le sol suisse fait l'objet d'une fiche minutieuse, von Ryndt et ses collègues peuvent en arriver, avec un peu de méthode, à savoir lequel de nous effectue les virements et ainsi de suite...

— Carl von Ryndt, Banque Commerciale Saharienne, 13 rue Bonnivard, Mercedes 300 SL à indicatif du canton de Zurich. Je retiens cela. Mais cette Banque Commerciale Saharienne, elle existe vraiment ou bien c'est comme notre Laboratoire de Recherches Pharmacologiques S.A.[105] ?

K m'a donné toutes les coordonnées de l'homme

aux trois cents chevaux vapeur qui lui seraient bientôt inutiles. Et puis, vers six heures trente du soir, nous nous sommes quittés après nous être donné rendez-vous vingt-quatre heures plus tard à la terrasse de l'Hôtel d'Angleterre, juste sous la fenêtre de la chambre que nous venions à peine de quitter, ivres l'un de l'autre, amoureux.

5

Maintenant que mon délai a expiré depuis longtemps, je tente de retrouver l'ordre sériel des minutes entre le moment où je me suis éloigné de K au Château d'Ouchy et le moment de mon retour le lendemain à la terrasse de l'Hôtel d'Angleterre, mais je m'égare dans ce procès-verbal. Je dérape dans les lacets du souvenir, comme je n'ai pas cessé de déraper avec ma Volvo, dans le col des Mosses entre Aigle et l'Étivaz avant de rejoindre Château-d'Œx. La première indication que j'ai obtenue au sujet de von Ryndt m'a conduit à l'Hôtel des Trois Rois à Vevey[106], puis, de là, je me suis rendu au Rochers-de-Naye à Montreux[107], toujours en quête du banquier à la 300 SL. D'après le chasseur de l'hôtel que j'ai enduit de francs suisses, von Ryndt allait rejoindre le notaire Rubattel, aux bureaux de l'Union fribourgeoise de Crédit, à Château-d'Œx, tout près de la pharmacie Schwub sur le chemin du Temple[108]. Du plein centre de Montreux à Château-d'Œx, j'escomptais, en forçant, une heure de trajet. Mais j'ai pressé l'accélérateur de ma Volvo jusqu'à faire gondoler la feuille d'acier sous mes pieds. Entre Montreux et Yvorne, la route était encombrée et j'ai eu un

41

mal fou à m'en tenir à l'horaire que je m'étais fixé. Au volant de ma Volvo engluée dans le flot démoralisant des autos, j'avais le sentiment que le temps travaillait contre moi et la certitude que von Ryndt vivait ses dernières heures dans les bureaux de l'Union Fribourgeoise de Crédit. J'ai tout fait pour doubler scandaleusement les affreux qui faisaient du 60 km à l'heure devant moi. Je travaillais ferme au volant, et je suais tellement que ma chemise était détrempée sous mon aisselle gauche, là où je sentais le poids de mon Colt 38 automatique, solidement engainé dans son *holster*. Avant d'entrer à Aigle, j'ai littéralement bondi sur la route d'évitement en direction du Sépey et de Saanen. Dès la sortie du pont de la Grande-Eau[109], j'ai mis mes phares à long fuseau et je me suis engagé à tombeau ouvert sur la paroi escarpée de la montagne. Au premier virage en épingle à cheveux, j'ai eu clairement conscience que l'auto s'exaltait en dehors de l'axe[110]. Mais je me suis appliqué, à mesure que je m'élevais vers Les Diablerets, à prendre chaque courbe à une vitesse radiale maximum et à réduire à un crissement plaintif mon adhérence au sol. À chaque virage, je faisais diminuer la marge infime qui me séparait d'une embardée, accumulant par ce procédé audacieux quelques secondes d'avance sur mon parcours[111].

Le temps passe et je mets un temps infini à traverser le col des Mosses. Chaque virage me surprend en troisième alors que je devrais avoir déjà commencé de décompresser ; chaque phrase me déconcerte. Je brûle les mots, les étapes, les souvenirs et je n'en finis plus de me déprendre dans les entrelacs[112] de cette nuit intercalaire. L'événement qui a déjà pris trop d'avance sur moi se déroulera tout à l'heure, dans quelques minutes, quand je frapperai le creux de la vallée et la nappe fondamentale de ma double vie[113]. Cette route entrelacée qui fuit à toute allure sous la traction de mes phares, ralentit soudain avant que j'arrive à Château-d'Œx. Le ruban d'asphalte qui se faufile entre les Mosses et le Tornettaz me ramène ici, près du pont de Cartierville[114], non loin de la prison de Montréal, à moins d'un quart d'heure en auto de mon domicile légal et de ma vie privée. Toutes les courbes que j'enlace passionnément et les vallées que j'escorte me conduisent implacablement dans cet enclos irrespirable peuplé de fantômes. Je ne veux plus rester ici. J'ai peur de m'habituer à cet espace rétréci ; j'ai peur de me retrouver différent à force de boire l'impossible à gueule ouverte et, en fin de compte, de n'être plus capable de marcher de mes deux pieds quand on me relâchera. J'ai peur de me réveiller dégénéré, complètement désidentifié, anéanti. Un autre que moi, les yeux hagards et le cerveau purgé de toute antériorité, franchira la grille le jour de ma libération[115]. Le mal que je ressens m'appauvrit trop pour que j'éprouve, à tenter de le désigner, le moindre soulagement. C'est pourquoi, sans doute, chaque fois que je prends mon élan dans ce récit décomposé, je perds aussitôt la raison de le continuer et ne puis m'empêcher de considérer la futilité de ma course écrite dans l'ombre des Mosses et du Tornettaz, quand je songe que je suis emprisonné dans une cage irréfutable. Je passe mon temps à chiffrer des mots de passe comme si, à la longue, j'allais m'échapper ! Je fuselle mes phrases pour qu'elles s'envolent plus vite ! Et j'envoie mon délégué de pouvoir en Volvo dans le col des Mosses, je l'aide à se rendre sans accrochage jusqu'au palier supérieur du col et je lui fais dévaler l'autre versant de la montagne à une vitesse échevelée, croyant peut-être que l'accroissement de sa vitesse finira par agir sur moi et me fera échapper à ma chute spiralée dans une fosse immobile. Tout fuit ici sauf moi. Les mots coulent, le temps, le paysage alpestre et les villages vaudois, mais moi je frémis dans mon immanence et j'exécute une danse de possession à l'intérieur d'un cercle prédit[116].

À Château-d'Œx, l'horloge du beffroi indiquait huit heures et demie quand, après une heure d'investigation entre les bureaux de l'Union Fribourgeoise de Crédit et la villa des Pasteurs de l'Église Nationale[117], je suis reparti sur la même route, mais dans le sens opposé, à la recherche non plus du président de la Banque Commerciale Saharienne mais d'un citoyen belge préoccupé d'histoire romaine et mandaté pour nous faire des histoires. La 300 SL s'était évaporée quelque part entre Montreux et les Pasteurs de l'Église Nationale. Scipion l'Africain voyageait, selon des sources autorisées, à bord d'une Opel bleue, voiture plus convenable pour un universitaire. J'avais obtenu mes renseignements du pasteur Nussbaumer, spécialisé lui-même dans l'historiographie du Sonderbund[118]. Je l'ai interrogé de façon subtile après m'être identifié auprès de lui comme un spécialiste des guerres puniques. Dieu m'est témoin que j'ai été tout surpris d'apprendre, par ce subterfuge, la présence en Suisse d'un collègue qui connaissait Scipion l'Africain comme le fond de sa main. La conversation que j'ai eue avec le pasteur Nussbaumer m'a remonté le moral et m'a mis en pleine forme pour escalader d'une seule traite le mur assombri des Mosses, ce que j'ai fait d'ailleurs avec un entrain et une précision qui m'auraient qualifié d'emblée pour le Rallye des Alpes. Une fois rendu au plus haut du col, je ne me suis pas accordé une seconde de répit: j'ai poussé le moteur à fond sur la seule droite du parcours, au bout de laquelle j'ai donné du frein avant de démultiplier pour aborder le premier d'une longue série de virages. De parabole en ellipse et en double «S», j'ai dégradé ainsi jusqu'au Sépey, puis jusqu'au niveau du Rhône aux abords d'Aigle. En dix-neuf minutes et douze secondes, chronométrage officieux mais vrai, j'ai parcouru la distance entre les Charmilles, où m'a reçu le révérend Nussbaumer, et la gare de la crémaillère juste à l'entrée d'Aigle. J'étais fier, à juste titre, de ma performance de schuss et de la tenue de route de ma Volvo[119].

C'est avec vivacité et dans un style fracassant, que j'ai franchi la dernière étape qui me séparait du célèbre professeur H. de Heutz. D'Aigle au château de Chillon, j'ai «drivé» comme un déchaîné, puis, après le goulot de Montreux-Vevey, je me suis lancé à nouveau jusqu'aux portes de Lausanne, chère ville que j'ai traversée aveuglément. Vers dix heures, j'ai décéléré: j'étais enfin rendu à Genève. En prenant la route de Lausanne, j'ai débouché sur le quai des Bergues que j'ai longé en transgressant toutes les lois de la circulation en pays calviniste. Puis, après avoir traversé le Rhône, là même où les Helvètes l'auraient traversé si César ne les avait exterminés, j'ai enfilé quelques rues et je me suis trouvé, frais comme une rose, à la porte de la Société d'Histoire de la Suisse Romande. Ma montre-bracelet, de fabrication suisse, indiquait dix heures et douze minutes.

— Pardon, madame, c'est bien ici que le professeur de Heutz donne sa conférence...

— Vous arrivez trop tard, monsieur. C'est fini, à cette heure-ci vous pensez bien...

— Vous savez peut-être où je peux le rejoindre ? Je suis un de ses collègues...

— C'est grand, Genève. Vous pouvez toujours le trouver, mais où ? Je vous suggère plutôt de contacter M. Bullinger[120], notre président. Après nos conférences, il s'arrête souvent au Café du Globe[121]...

En quelques minutes, j'avais stationné mon auto en diagonale sur le quai du Général-Guisan, à deux pas du Globe. Ce faisant, j'étais tout étonné de comprendre que cette conférence sur «César et les Helvètes» que je m'étais promis d'entendre, en prenant une bière à Vevey, avait été donnée, en mon absence, par celui que je poursuivais d'un canton à l'autre.

La terrasse du Café du Globe était encore tout illuminée et de nombreux clients occupaient la place. À l'intérieur du café, je percevais les silhouettes d'autres clients et des garçons. Avant d'entrer dans mon champ d'action, j'ai fait mine de flâner un peu devant les vitrines des bijoutiers, jusqu'au moment où j'avisai une Opel bleue stationnée vis-à-vis de la terrasse du café. En m'installant moi-même à la terrasse, je pouvais surveiller l'auto et, à partir du moment où son propriétaire y entrerait, je disposerais encore d'une marge de temps pour me rendre à la Volvo stationnée un peu plus loin et prendre l'Opel en chasse. Une fois installé devant une Feldschlosschen à gros collet, j'ai récapitulé tous les points de la situation. Le pasteur Nussbaumer savait que je désirais rencontrer H. de Heutz, ainsi que la réceptionniste de la Société d'Histoire de la Suisse Romande : ces deux personnes avaient de bonnes raisons de me croire également un collègue et ami de H. de Heutz. (En cas de gâchis, ma Volvo prendrait le chemin de l'Italie et je rentrerais une fois de plus dans mon personnage de correspondant de la Canadian Press en Suisse, domicilié au 18, boulevard James-Fazy, Genève[122].) D'ailleurs, l'historien belge n'a rien à voir avec le banquier Carl von Ryndt dont la disparition n'inquiéterait sûrement pas le pasteur Nussbaumer ou les honorables membres de la Société d'Histoire de la Suisse Romande, ni même le garçon de café qui m'avait servi une chope de bière. Bien sûr, le chasseur du Rochers-de-Naye à Montreux savait qu'un homme correspondant vaguement à ma fiche anthropométrique cherchait un nommé von Ryndt et s'apprêtait à faire le trajet de Montreux jusqu'à Château-d'Œx pour le rencontrer. Mais ce chasseur, discret comme un banquier, ne saurait affirmer que je n'ai pas trouvé mon homme à Château-d'Œx puisque, de toute façon, j'ai cessé de chercher von Ryndt à Château-d'Œx et que j'ai commencé, transmué en romaniste, à chercher un certain H. de Heutz, spécialiste accrédité de Scipion l'Africain et des guerres césariennes. À la terrasse du Café du Globe, trois clients discouraient savamment sur Balzac et dans le plus pur accent des natifs de Genève.

— Vous connaissez la théorie de Simenon ? Passionnante, absolument passionnante. Selon lui, Balzac aurait été impuissant[123]…

— Mais, mon cher, cette théorie a deux points faibles : d'abord elle est rigoureusement invérifiable. Deuxièmement, elle est en contradiction avec les faits. Rappelez-vous la liaison de Balzac avec Mme Hanska... Et c'est ici même, à Genève, qu'ils se sont aimés et autrement que par lettres ! Dans la correspondance qu'ils ont continué d'échanger par la suite, il y a des allusions précises à leurs rencontres amoureuses de Genève [124]...

— Mais justement, c'est dans cette surenchère verbale au sujet de simples rencontres, que Simenon a détecté quelque chose de louche. Un homme qui a possédé une femme n'a plus besoin, après cela s'entend, de lui écrire sur le mode persuasif. On persuade une femme avant...

— Quand on n'a pas laissé d'enfant à une femme, à ce compte-là, on peut toujours être suspecté d'impuissance. Cela est bien embêtant...

— Et puis, j'ai peine à croire que Genève a été néfaste à Balzac et que c'est dans notre ville qu'il a connu cette humiliation. Nous n'avons pas à nous en enorgueillir. Sans compter que cette rumeur fâcheuse nuirait au tourisme...

Les rires fusaient à l'autre table, tandis que je me reposais de ma course effrénée en regardant l'espace inerte du lac, en attendant de tuer le temps d'un homme que je ne connaissais pas encore sinon par son invraisemblance et son indétermination. Quels instants merveilleux n'ai-je pas passés à la terrasse du Café du Globe, en attendant qu'un de mes nombreux voisins quitte sa table et se dirige vers l'Opel bleue stationnée le long du quai du Général-Guisan. Genève me semblait l'endroit le plus agréable au monde où un terroriste puisse attendre l'homme qu'il va tuer. Antichambre de la révolution et de l'anarchie, la ville antique qui étrangle le Rhône m'enchantait par sa douceur, son calme nocturne et par son illumination qui se reflétait dans le lac. J'étais bien, très bien même. Mes pensées débloquaient dans tous les sens à la fois.

Je voyais Balzac assis à ma place et rêvant d'écrire l'*Histoire des Treize*, imaginant dans l'extase un Ferragus insaisissable et pur, conférant à ce surhomme fictif tous les attributs de la puissance qui, au dire de mes voisins anonymes, avaient fait cruellement défaut au romancier. Vienne la puissance triomphale de Ferragus pour venger l'inavouable défaite et qu'éclate la démesure en des pages brûlantes puisque, dans un lit triste à l'Hôtel de l'Arc[125] ou ailleurs, nul éclat n'a mis un terme au délire amoureux ! Ferragus me hantait, ce soir-là, dans cette ville injuste au romancier ; le vengeur fictif et sibyllin inventé par Balzac entrait lentement en moi, m'habitait à la façon d'une société secrète qui noyaute une ville pourrie pour la transformer en citadelle. L'ombre du grand Ferragus m'abritait, son sang répandait dans mes veines une substance inflammable : j'étais prêt, moi aussi, à venger Balzac coûte que coûte en me drapant dans la pèlerine noire de son personnage[126].

J'étais prêt à frapper, impatient même, quand je vis deux silhouettes traverser la rue et s'approcher de l'Opel bleue stationnée face au lac. Le temps de jeter quelques francs suisses sur la table, H. de Heutz avait ouvert la portière de l'Opel. J'étais au volant de ma Volvo et en marche, quand la voiture de H. de Heutz s'est déplacée, assez lentement toutefois, en longeant le quai du Général-Guisan. En dépit de la distance que je maintenais entre l'Opel et moi, je me suis aperçu que c'était une femme qui était avec lui. H. de Heutz fit un trajet assez compliqué, en passant par des rues presque désertes qui me posaient des problèmes de discrétion ; il stationna finalement son auto place Simon-Goulart qui, fort heureusement, m'était familière et me permettait de stationner sans me faire remarquer. Je l'ai vu, de loin, sortir de l'auto avec la femme ; et tous deux se sont engagés lentement sur le trottoir, bras dessus bras dessous, en direction du quai des Bergues. J'en fis autant, en prenant garde toutefois de ne pas attirer l'attention. De toute évidence, le cher exégète de Scipion l'Africain ne se comportait pas comme un homme traqué. Cette femme qu'il tenait par le bras, je ne savais trop qu'en faire, ni comment la mettre entre parenthèses à l'heure « H ». J'y pensais constamment pendant que, par la force des événements, je m'attardais inconsidérément devant les mouvements d'horlogerie exposés à profusion dans toutes les vitrines. Puis, juste à l'angle de la rue du Mont-Blanc, la femme disparut comme par enchantement, ce qui me fit prendre conscience que son départ me posait encore plus d'énigmes que sa présence encombrante ; H. de Heutz, lui, continua sa promenade d'un pas plus agile. En fait, il marchait beaucoup trop vite pour moi. Il m'était difficile de le suivre sans adopter son rythme précipité et, par conséquent, sans attirer l'attention. J'aurais mieux fait de rester au volant de la Volvo pour le filer en toute tranquillité. Trop tard pour revenir en arrière. Cette promenade nocturne avait quelque chose d'insensé, d'affolant. H. de Heutz et moi nous marchions quasiment au pas de course vers le quartier Carouge, ancien refuge des révolutionnaires russes[127]. H. de Heutz m'entraînait malgré moi dans l'aire germinale de la grande révolution. Et pendant que je rêvais aux grands exilés qui, bien avant nous deux, avaient erré dans les rues étroites et désespérées du quartier Carouge, et à l'instant où je m'y attendais le moins, je reçus un coup sec dans les reins et un autre, plus dur encore, d'aplomb sur la nuque. La nuit genevoise s'est fêlée, et je me suis senti manipulé par une grande quantité de mains habiles.

6.

La pièce où je me suis retrouvé était splendide : trois grandes portes-fenêtres donnaient sur un parc charmant[128], et il m'a semblé apercevoir, tout à fait au fond du paysage, une nappe miroitante qui me fit penser que j'étais probablement encore en Suisse et, par surcroît, dans un salon et quel salon ! J'étais fasciné par la grande armoire avec des figures d'anges en marqueterie, bois sur bois. Une vraie splendeur. Machinalement, j'ai demandé :

— Où suis-je ?
— Au château.
— Mais quel château ?
— Au château de Versailles, imbécile.
— Ah !...

Je sortais petit à petit de mon sommeil comateux et non sans prendre conscience en même temps d'une douleur lancinante dans la nuque, ce qui supprima instantanément l'amnésie dans laquelle j'avais été plongé jusque-là. J'ai compris que la nuit venait de finir. Vingt-quatre heures s'étaient donc passées depuis l'aube de l'Hôtel d'Angleterre. J'étais perdu, véritablement perdu et — j'en pris conscience d'un geste machinal — désarmé.

— Alors, ça revient les idées ?

Mon interlocuteur se tenait devant moi à contre-jour, si bien que je ne discernais pas son visage. Mais j'ai compris que c'était un interlocuteur valable et, afin d'établir un dialogue positif, je me devais de reprendre mes esprits le plus rapidement possible...

— J'aimerais bien prendre un verre d'eau...

— Ici, on ne boit que du champagne... Alors on joue aux espions ? On se promène la nuit une arme sous le bras et on poursuit d'honnêtes citoyens qui paient leurs impôts et sont en règle avec la société ? C'est une vraie honte pour la Suisse.

— Je crois qu'il y a malentendu.

— Dans ce cas, expliquez-vous...

Il me fallait procéder clairement et avec assurance, sans quoi je n'arriverais jamais à me tirer de ce faux pas. Il me fallait élaborer une riposte éclair et, puisque je n'avais plus d'arme à dégainer, vider mon chargeur dialectique sur cet inconnu dressé entre le jour et moi. Hélas ! les secondes de silence qui s'accumulaient ne me rendaient ni mes réflexes, ni ma présence d'esprit. J'étais encore empâté et je ne réussissais pas à articuler un raisonnement précis en vue de reprendre en main la situation. En ce moment même, je n'arrive pas à souffler à mon double les quelques phrases d'occasion qui le sortiraient du pétrin. La silhouette parahélique de mon interlocuteur me bloque ; cet homme occupe outrageusement tout le paysage où je rêve confusément de courir en suivant les ruisseaux jusqu'au lac émerveillé. Quelque chose qui ressemble à une thrombose me paralyse ; et je n'arrive pas à émerger de cette catatonie nationale qui me fige sur un fauteuil Louis XV, à moins qu'il ne soit Régence, devant un inconnu placide qui ne sait pas encore ce que je suis venu faire dans sa vie, tandis que moi, le sachant trop, je dois le taire et surtout, mais oui surtout et au plus vite, trouver une autre explication, improviser sur-le-champ un scénario passe-muraille[129]...

— Je veux voir votre supérieur, lui dis-je.

— Ce n'est pas chrétien de déranger les gens si tôt le matin...

— Peu importe, il faut que je le voie. Je suis en mission officielle et je tiens à savoir à qui j'ai affaire avant d'établir mon identité. Croyez-moi : faites vite, c'est très important... pour vous. D'ailleurs... j'ai le sentiment que nous faisons le même métier et que, par surcroît, nous travaillons pour les mêmes intérêts...

Ouvrir mon jeu en premier comportait beaucoup d'inconvénients, surtout que je ne savais pas encore si mon adversaire s'était fait une idée quelconque du motif de ma filature de la nuit précédente. Je devais procéder avec prudence et mettre du style dans mes feintes sans quoi je me trouverais rapidement pris au dépourvu. Le souvenir de ma course involvée depuis le Château d'Ouchy jusqu'à l'Hôtel des Rochers-de-Naye à Montreux, puis à travers le col des Mosses jusqu'à Château-d'Œx, aller-retour avec une pointe vers Genève où j'ai pratiqué mon footing, le souvenir de cette soirée gâchée m'humiliait de façon cinglante. Alors même que j'avais besoin de toutes mes ressources d'orgueil pour me donner du génie[130], je restais obsédé par mon échec. Le plus humiliant me paraissait encore à venir puisqu'à quelques heures de là, si jamais je me libérais, je devrais étaler mon inefficacité devant K, lui raconter tout dans le détail : mon exploit automobile, l'euphorie que j'avais ressentie à la terrasse du Café du Globe ainsi que ma déconfiture finale. Somme toute, je me suis fait disqualifier par H. de Heutz et si j'évite une rétrospection minutieuse de ma mission, c'est pour ne pas tourner le fer dans la plaie.

Mon gardien armé se tenait immobile entre les fenêtres et moi, à contre-jour du paysage extra-lucide qui s'étendait, vaste, au-delà du château où je pourrissais de honte et d'impatience. Comment adopter une attitude altière, quand on a juste le goût de pleurer et l'envie de téléphoner, comme si cela se demandait dans une situation pareille. D'ailleurs, je n'avais pas le numéro de téléphone de K ; et la seule façon dont nous avions convenu de nous rejoindre, c'est sur la terrasse de l'Hôtel d'Angleterre en fin d'après-midi. D'ici là, moyennant quelle performance d'imagination et d'audace, je n'avais qu'une chose à réussir : sortir du château plombé où un inconnu, H. de Heutz sans aucun doute, laissait pointer la crosse de son 45 hors de sa veste et, non sans coquetterie, me questionnait et m'obligeait à parler alors même que je n'avais pas retrouvé mes esprits. Il me posait des questions et allez donc ne pas répondre : ce serait impoli, maladroit et propre à prolonger une incarcération qui, pour mon honneur, avait déjà trop duré. Je réponds tant bien que mal. Je parle, mais qu'est-ce que je dis au juste ? C'est illogique. Mon improvisation oblique dans le genre allusif. Pourquoi diable lui raconter cette salade au sujet de mon bureau de Genève et lui dire qu'un coup de fil arrangerait les choses et mettrait un terme à ce quiproquo dérisoire ? Je déraille.

C'est pénible cette conversation dont je fais les frais : je meuble, je dis n'importe quoi, je déroule la bobine, j'enchaîne et je tisse mon suaire avec du fil à retordre. Là, vraiment, j'exagère en lui racontant que je fais une dépression nerveuse et en me composant une physionomie de défoncé. Et toute cette histoire de difficultés financières, cette allusion à dormir debout à mes deux enfants et à ma femme que j'aurais abandonnés, décidément je lui raconte des sornettes... Il ne bouge toujours pas. S'il ne m'a pas giflé, c'est peut-être qu'il mord, ma foi. Au fond, j'ai peut-être donné un bon numéro. Je joue le tout pour le tout : je continue dans l'invraisemblable...

— Depuis tout à l'heure, je crâne ; j'essaie de tenir tête et de jouer la comédie. Cette histoire de poursuite armée et d'espionnage est une farce sinistre. La vérité est plus simple : j'ai abandonné ma femme et mes deux enfants, il y a deux semaines[131]... Je n'avais plus la force de continuer à vivre : j'ai perdu la raison... En fait, j'étais acculé au désastre, couvert de dettes et je n'étais plus capable de rien entreprendre, plus capable de rentrer chez moi. J'ai été pris de panique : je suis parti, j'ai fui comme un lâche... Avec le pistolet, je voulais réussir un hold-up, rafler quelques milliers de francs suisses. Je suis entré dans plusieurs banques en serrant mon arme sous mon bras, mais je n'ai jamais été capable de m'en servir. J'ai eu peur. Hier soir, je marchais dans Genève — je ne me souviens plus où d'ailleurs ; je cherchais un endroit désert... pour me suicider ! (Tout va bien : H. de Heutz n'a pas encore bronché.) Je veux en finir. Je ne veux plus vivre...

— Ouais. C'est difficile à avaler...

57

— Vous n'êtes pas obligé de me croire. Au point où j'en suis, tout m'est égal.

— Si vous tenez absolument à vous tuer, c'est votre affaire… Mais je m'explique mal, quand il vous prend une pareille envie, pourquoi vous vous mettez à suivre un homme en pleine nuit et que vous ne le quittez pas d'une semelle…

— Mais je ne vous ai pas suivi ; je ne vous connais même pas... C'est pour cela que je suis ici. Je comprends maintenant... De toute façon, ma vie est finie, alors faites ce que vous voulez de moi. Vous m'avez pris pour un espion : faites ce que vous avez à faire en pareil cas. Tuez-moi, je vous le demande...

Je vis, non sans surprise, que H. de Heutz n'était pas loin de croire ma version psychiatrique. Chose certaine, il hésitait. Pendant ce temps, je prenais mon masque de grand déprimé. Je pensais aux deux petits enfants qui m'attendaient quelque part et à leur mère qui ne savait plus quoi répondre à leurs questions : pourquoi ne couche-t-il plus à la maison ? Pauvres petits, ils ne sauront même pas que leur père a voulu se tuer parce qu'il n'avait plus la force de refaire sa vie, ni celle de voler les banques. Ils ne savent pas que leur père est indigne et dégénéré. Pendant que je pense à ces enfants qui m'attendent, un événement trouble se produit en moi. À vouloir me faire passer pour un autre, je deviens cet autre ; les deux enfants qu'il a abandonnés, ils sont à moi soudain et j'ai honte. H. de Heutz me regarde toujours. Je m'affaisse devant lui. J'ai ravalé toute dignité. Je n'ai même plus ce vieil orgueil qui m'a souvent permis de m'éjecter d'une carlingue en flammes. Je suis prisonnier dans un château tourné vers le lac incendié dont je perçois les reflets au fond du paysage, à travers les grandes fenêtres qui illuminent[132] le salon somptueux où, drapé dans ma dépression de circonstance, je meurs d'inaction et d'impuissance. Car je ne sais plus ce qui va m'arriver maintenant et je n'ai pas assez de ressort pour garder l'initiative et empêcher H. de Heutz de me devancer.

— Et ça, c'est une lettre d'amour peut-être?

Et il déplia un morceau de papier bleu, celui-là même que j'avais découvert dans mon courrier l'autre soir à l'Hôtel de la Paix. Il me tendit le papier bleu, sans détourner le canon de son revolver de mon visage. Je reconnus aussitôt la moulure de ce poème infernal. Je le parcourus à nouveau avec attention, en pensant non à le déchiffrer, mais que c'était la pièce à conviction: CINBEUPERFLEUDIARUNCOBESCUBEREBESCU-AZURARANOCTIVAGUS[133]. Pendant que je murmurais chaque syllabe de ce cryptogramme, je me disais que j'étais fini à cause de ce message informel qui n'était peut-être au fond qu'une farce énorme de mon cher Hamidou, quelque transcription en caractères latins d'une grossièreté vernaculaire. Ce cher, très cher Hamidou m'avait mis dans un joli pétrin avec son message secret: décidément, j'étais surcuit comme un steak de Salisbury, définitivement perdu, *Kaputt, versich*[134]! Toutefois, les syllabes emboîtées les unes dans les autres de mon message hypercodé me signifiaient que j'avais autre chose à faire que tenter de gagner du temps, alors que le temps travaillait contre moi. Les secondes se fracturaient en mille intuitions divergentes qui n'engendraient pas d'action précise. Je devais au plus tôt mettre un terme à cette décharge d'intuitions inutiles et commencer à faire autre chose que regarder H. de Heutz et l'affreux borborygme sénégalais que j'essayais de lire entre les lignes, comme si le signal allait m'être donné par cet amoncellement visqueux de consonnes et de voyelles, qui n'était qu'une pièce d'anthologie de l'humour noir[135].

Le lac glaciaire resplendissait au fond de la vallée et le soleil du matin commençait sa course de feu au-dessus de l'Aiguille du Géant, quand soudain, avec une lenteur qui me rassura sur l'acuité de mes réflexes, je tendis le morceau de papier à H. de Heutz qui esquissa un geste du bras gauche pour en reprendre possession. Il eût été trop facile, donc maladroit, de l'attaquer à cet instant où tous ses muscles étaient prêts à parer une surprise. Je lui laissai donc le temps de replier le message d'Hamidou et de me distancer suffisamment pour en éprouver de la sécurité. Ce qu'il fit d'ailleurs, certain que si j'avais eu à attaquer je l'aurais fait quand la distance qui nous séparait était au minimum et que nos deux mains se touchaient presque. Maintenant qu'il s'était éloigné de moi, H. de Heutz se décontractait et relâchait visiblement son système de défense. Je déplaçai lentement mes pieds pour prendre la position de départ; puis, dans cet interstice infinitésimal de l'hésitation, je fis un bond total sur sa droite et frappai de toute ma force un coup sec sur sa tempe, assez fort pour le déséquilibrer et interrompre le geste qu'il amorça pour dégainer son arme qu'il avait imprudemment remise dans le *holster* après avoir repris possession du papier bleu. Mon bras droit fit le trajet que le sien devait faire et j'empoignai de mes cinq doigts la crosse de son revolver. Je fis une parade qui mit un

écran de distance entre lui et moi, et me permettait de
faire feu.

— Un mot et je tire. Sortez devant moi. Conduisez-
moi à l'auto...

J'emboîtai le pas derrière lui, en concentrant toute
mon attention sur ses mouvements, si bien que je n'ai vu
du décor somptueux de ce château que des images
parcellaires et déformées par mon propre déplacement :
des moulures dorées, la silhouette d'un buffet, un livre
relié... Le château restait plongé dans le silence : c'est tout
ce qui importait à ma sécurité. À gauche, dans une sorte
de hall contigu au salon, se trouvait la sortie. Nous sommes passés rapidement dans le parc. J'ai laissé mon hôte
me devancer de plusieurs pas pour être sûr de le garder en
joue et conjurer toute surprise. Je reconnus aussitôt l'Opel
bleue : je me fis remettre les clés de l'auto par H. de Heutz
et fis quelques pas en le contournant. Sans me presser, j'ai
ouvert le coffre-arrière et j'ai fait signe à H. de Heutz de
monter dans ce coffre qui, par bonheur, n'était pas encombré. Il hésita, surpris et méfiant sans doute. Mais j'in-
sistai d'un simple geste à main armée : et il enjamba aussitôt le pare-chocs arrière, se pelotonna tant bien que mal
dans le coffre à bagages dont je m'empressai de refermer
le couvercle. En quelques secondes, j'étais déjà au volant
de l'Opel bleue. Je n'eus aucune difficulté à démarrer le
moteur, à faire avancer la petite *sedan* sur le gravier. Il
n'y avait pas de grille à la sortie du parc ; je pris instinc-
tivement sur ma droite, à tout hasard. Le château se
trouvait à l'extrémité d'un village que j'apercevais
progressivement dans mon rétroviseur à mesure que je
m'en éloignais. De l'autre côté de la petite route, j'avisai

un panneau indicateur, je ralentis pour y lire le nom du village : Échandens. Ce nom ne me disait rien et, d'après la configuration du paysage, je pouvais conclure que je me trouvais quelque part entre Genève et Lausanne, à vrai dire plus près de Lausanne, étant donné ma position par rapport à la constellation des glaciers que le soleil éclairait obliquement. Je n'avais qu'une chose à faire : rouler vers la grande dépression au fond de laquelle j'apercevais la face lumineuse du lac Léman.

7.

Ce soir, pendant que je roule entre Échandens et le fond d'une vallée dans la voiture d'un homme qui ne me dérange plus, je me sens découragé. Cet homme, H. de Heutz ou von Ryndt, je ne l'ai pas encore tué et cela me déprime. J'éprouve une grande lassitude : un vague désir de suicide me revient. Je suis fatigué à la fin. Et mon problème ressemble singulièrement à celui de cet inconnu qui est couché en chien de fusil dans le coffre-arrière d'une Opel bleue que je conduisais à vive allure d'Échandens à Morges, empruntant des routes cantonales que je ne connaissais pas. Une seule chose me préoccupait alors, à savoir la méthode que je devais utiliser pour tuer H. de Heutz. À mesure que j'avançais dans cette paisible campagne, j'apercevais plus distinctement le cirque de montagnes qui sanglent le lac, et je reconnaissais la configuration dramatique de ce paysage qui nous avait ensorcelés, K et moi. En débouchant sur les hauteurs de Morges, j'aperçus le large ruban de l'autoroute et je pris la direction de Genève. Le cadran de la voiture indiquait neuf heures trente ; ma montre-bracelet précisait neuf heures trente-deux minutes. Tout allait bien. Mon colis ne réduisait pas ma vitesse de croisière. J'étais véritablement heureux et je conduisais dans un état voisin de l'ivresse. Mon imagination et ma supériorité m'avaient tiré d'une situation fâcheuse. Mon honneur était sauf. À six heures trente, j'irais retrouver K sur la terrasse de l'Hôtel d'Angleterre, ce qui me laissait amplement le temps de vider quelques balles dans la tempe de mon passager. En fait, je disposais de trop de temps : je n'avais pratiquement rien à faire avant notre rendez-vous, et je brûlais déjà d'impatience. Autant je suis accablé en ce moment, autant je me sentais libre alors de façon extravagante, démesurément puissant, invincible ! En rentrant dans Genève, je me rendis machinalement à la place Simon-Goulart. J'y aperçus aussitôt la forme ovulaire de ma Volvo. Je trouvai facilement une place pour stationner l'Opel, à deux pas de la Banque Arabe[136]. Dans l'euphorie de mon évasion, j'avais oublié de penser. Et je pris soudain conscience du danger. Aussitôt stationné, je résolus de décamper. D'abord, la place Simon-Goulart n'est pas un endroit où l'on peut aisément tuer un homme couché dans un coffre d'auto, sans éveiller quelques soupçons. De plus, les amis de H. de Heutz auraient peut-être l'idée d'y repasser pour attendre que je vienne reprendre ma Volvo, et me cueillir. J'avais commis une imprudence.

Depuis quelques instants, le spleen m'inonde. Des images fugaces circulent en tous sens comme des anophèles dans ma jungle mentale. J'ai mal. Des heures et des heures se sont ajoutées au temps que je mets à tuer H. de Heutz. Et la vie recluse marque d'un coefficient de désespoir les mots qu'imprime ma mémoire cassée. L'ennoiement brumaire me vide cruellement de mon élan révolutionnaire. J'ai beau ne pas vouloir exalter le bonheur que j'ai perdu, je le vante en secret et je confère à ce qui ne m'arrive pas des attributs plénipotentiaires. Je me revois installé sur la galerie d'une villa que nous avions louée[137]. Nous étions là en train de boire un vin de Johannisberg en haute altitude, face au Chamossaire ; de l'autre côté de la vallée, les grandes Alpes se dépliaient vers le sud. Ce qui me terrifie, c'est de ne plus être suspendu dans le vide majestueux, mais d'être ici, glissant dans les densités variables de ma défaite. Les heures qui s'amoncellent sur moi m'inhument dans mon désespoir. Je me sens loin de ma vie antérieure, loin aussi des matins de Leysin où je marchais dans l'air pur, mille huit cents mètres au-dessus de la tristesse et de l'échec, bien au-delà de la surface du lac Léman au fond duquel, depuis des jours, je descends, asphyxié dans un vaisseau d'obsidienne, emporté sans bruit dans un courant imaginaire qui passe devant la terrasse de l'Hôtel d'Angleterre où je meurs d'amour. Sensible uniquement au mouvement des eaux qui me poussent le long des rivages éblouis et me font glisser sous le socle des Alpes, je me laisse aller. Mon passé s'éventre sous la pression hypocrite du verbe. J'agonise, drogué dans un lac à double fond, tandis que, par des hublots translucides, je n'aperçois qu'une masse protozoaire et gélatineuse qui m'épuise et me ressemble.

En quelques jours d'été, dans cet intervalle entre deux rives tombantes et deux jours de révolution, entre l'île enflammée et la nuit délirante du 4 août, après deux siècles de mélancolie et trente-quatre ans d'impuissance, je me dépersonnalise. Alors même que le temps fuit pendant que j'écris, tout s'est figé un peu plus et me voici, cher amour, réduit à ma poussière finale. Minéralisation complète. J'atteins immobile une stase volcanique. Avec cette poussière historique, je cerne mes yeux et mes sourcils ; je me fais un masque. Je t'écris.

Écrire est un grand amour[138]. Écrire, c'était t'écrire ; et maintenant que je t'ai perdue, si je continue d'agglutiner les mots avec une persévérance mécanique, c'est qu'en mon for intérieur j'espère que ma dérive noématique, que je destine à des interlocuteurs innés, se rendra jusqu'à toi. Ainsi, mon livre à thèse n'est que la continuation cryptique d'une nuit d'amour avec toi, interlocutrice absolue à qui je ne puis écrire clandestinement qu'en m'adressant à un public qui ne sera jamais que la multiplication de tes yeux. Pour t'écrire, je m'adresse à tout le monde. L'amour est le cycle de la parole. Je t'écris infiniment et j'invente sans cesse le cantique que j'ai lu dans tes yeux ; par mes mots, je pose mes lèvres sur la chair brûlante de mon pays et je t'aime désespérément comme au jour de notre première communion[139].

8.

Lendemain. La tristesse me frappe avec la violence et la soudaineté de l'onde solitaire en son point de déferlement. Elle s'abat sur moi comme le tsunami. Quelques instants avant le fracas, je circulais aimablement dans mon inventaire : j'évoquais les villages que nous avons traversés dans les Cantons de l'Est entre Acton Vale et Tingwick qu'on appelle maintenant Chénier[140]. Soudain, me voilà terrassé, emporté avec les arbres et mes souvenirs à la vitesse de propagation de cette onde cruelle, charrié dans la vomissure décantée de notre histoire nationale, anéanti par le spleen. L'édifice fragile que j'avais patiemment érigé pour affronter des heures et des heures de réclusion craque de toutes ses poutrelles, se tord sur lui-même et m'engloutit dans sa pulvérisation. Il ne me reste plus rien au monde que la notation de ma chute élémentaire. La tristesse me salit : je la pompe, je l'avale par tous les pores, j'en suis plein comme un noyé. Cela est-il visible qu'ici je vieillis seul et que ni le soleil ni la volupté ne redorent ma peau ? Nul projet amoureux n'emplit mon corps ; rien ne m'obsède. Je fais quelques pas dans le corridor de mon submersible fermé ; je jette un regard par

67

le périscope. Je ne vois plus le profil de Cuba qui sombre au-dessus de moi, ni la dentelure orgueilleuse du Grand Combin, ni la silhouette rêveuse de Byron, ni celle de mon amour qui m'attend ce soir à six heures et demie à la terrasse de l'Hôtel d'Angleterre.

J'ai beau tracer sur ce papier le fil enchevêtré de ma ligne de vie, cela ne me redonne pas le lit encombré de coussins colorés où nous nous sommes aimés un certain 24 juin, tandis que, quelque part sous notre tumulte, tout un peuple réuni semblait fêter la descente irrésistible du sang dans nos veines. Tu étais belle, mon amour. Comme je suis fier de ta beauté. Comme elle me récompense ! Ce soir-là, je me souviens, quel triomphe en nous ! Quelle violente et douce prémonition de la révolution nationale s'opérait[141] sur cette étroite couche recouverte de couleurs et de nos deux corps nus, flambants, unis dans leur démence rythmée. Ce soir encore, je garde sur mes lèvres le goût humecté de tes baisers éperdus. Sur ton lit de sables calcaires et sur tes muqueuses alpestres, je descends à toute allure, je m'étends comme une nappe phréatique, j'occupe tout ; je pénètre, terroriste absolu, dans tous les pores de ton lac parlé : je l'inonde d'un seul jet, je déborde déjà au-dessus de la ligne des lèvres et je fuis, oh ! comme je fuis soudain, rapide comme la foudre marine, je fuis à toutes vagues, secoué par l'onde impulsive ! Je te renverse, mon amour, sur ce lit suspendu au-dessus d'une fête nationale... Dire qu'en ce moment j'écris les minutes du temps vécu hors de ce lit insurrectionnel, loin de notre spasme foudroyant et de l'éblouissante explosion de notre désir ! J'écris pour tromper le temps que je perds ici et qui me perd, laissant sur mon visage les traces ravinées de son interminable alluvion et la preuve indélébile de mon abolition. J'écris pour tromper la tristesse et pour la ressentir. J'écris sans espoir une longue lettre d'amour ; mais quand donc me liras-tu et quand nous reverrons-nous et nous reverrons-nous ? Que fais-tu en ce moment, mon amour ? Où circules-tu au-delà des murs ? T'éloignes-tu de ta maison, de nos souvenirs ? Passes-tu parfois dans l'aire érogène de notre fête nationale ? M'embrasses-tu parfois dans la chambre soulevée où se pressent un million de frères désarmés ? Retrouves-tu le goût de ma bouche comme je retrouve, obsédants, notre baiser et le fracas même de notre étreinte ? Penses-tu à moi ? Sais-tu encore mon nom ? M'entends-tu dans ton ventre quand l'évocation onirique de nos caresses vient secouer ton corps endormi ? Me cherches-tu sous les draps, le long de tes cuisses reluisantes ? Regarde, je suis pleinement couché sur toi et je cours comme le fleuve puissant dans ta grande vallée. Je m'approche de toi infiniment...

Les mots appris, les mots tus, nos deux corps nus sous le solstice national et nos deux corps terrassés au sortir d'une caresse alors que la dernière neige de l'hiver ralentissait notre chute, tout s'ébranle autour de moi dans une crise dévalorisante comme à l'approche d'un conflit mondial. La tempête qui s'abat dans les pages financières me frappe au cœur : l'inflation morbide me gonfle, me fait déborder. J'ai peur, j'ai terriblement peur. Que m'arrivera-t-il ? Car je suis désemparé, depuis que Bakounine est mort dans la prison commune de Berne, couvert de dettes et oublié[142]. Où es-tu, révolution ? Est-ce toi qui coules enflammée au milieu du lac Léman, soleil bafoué qui n'éclaire pas les profondeurs où j'avance incognito ?...

Entre le 26 juillet et ma nuit inflationnaire, je continue d'inventer les bras de la femme que j'aime et de fêter, par l'itération lasse de ma prose, l'anniversaire prophétique de notre révolution. Je reviens sans cesse à cette chambre ardente : sous nos corps entremêlés, un bruit sourd nous parvenait de la ville en fête : un halètement continu, ponctuation insoutenable qui se transmettait jusque dans notre maquis. Et je me souviens du désordre que nous avons infligé à tout ce qui nous entourait ; je me souviens de la clarté du ciel, de l'obscurité de notre cabine volante. Il faisait chaud, très chaud en ce 24 juin. Il nous semblait, mon amour, que quelque chose allait commencer cette nuit-là, que cette promenade aux flambeaux allait mettre feu à la nuit coloniale[143], emplir d'aube la grande vallée de la conquête où nous avons vu le jour et où, ce soir d'été, nous avons réinventé l'amour et conçu, dans les secousses et les ruses du plaisir, un événement éclatant qui hésite à se produire. Mais ce soir, je me dépeuple : mes rues sont vides, désolées. Tout ce monde en fête m'abandonne. Les personnages que j'ai convoités se dérobent au futur. L'intrigue se dénoue en même temps que ma phrase se désarticule sans éclat.

Je n'admets pas que ce qui se préparait un certain 24 juin ne se produise pas. Un sacrement apocryphe nous lie indissolublement à la révolution. Ce que nous avons commencé, nous le finirons. Je serai jusqu'au bout celui que j'ai commencé d'être avec toi, en toi. Tout arrive. Attends-moi.

9.

Je presse l'accélérateur à fond. Je connais un endroit tranquille près du château de Coppet. J'y serai dans quelques minutes. J'ai déjà perdu trop de temps. Aussitôt que j'en aurai fini avec mon passager, j'abandonnerai l'Opel près de la gare de Coppet, je prendrai le train omnibus pour Genève où je reprendrai possession de ma Volvo que je lancerai cette fois sur l'autoroute pour aller rejoindre K à la terrasse de l'Hôtel d'Angleterre à six heures et demie. Mieux encore : je me rendrai à Lausanne par le train et je prendrai un taxi au débarcadère. En trois ou quatre minutes, je serai devant l'Hôtel d'Angleterre. La Volvo, j'y renonce d'emblée et de gaieté de cœur : je rapporterai l'incident au Bureau ; simple formalité. Je ne vais quand même pas circuler dans une auto déjà repérée. Me voici à Coppet. J'ai une faim de loup (il est déjà plus de midi et demi), mais je mangerai quand tout sera fini. Il me presse d'ailleurs d'en finir avec H. de Heutz et toute cette histoire. Avant de prendre le train qui me ramènera tout à l'heure à Lausanne, je disposerai sûrement de quelques minutes pour aller prendre une croûte zurichoise au buffet de la gare et quelques décilitres de vin blanc du Valais. En attendant et pendant que je manœuvre dans Coppet en

71

direction du château, je concentre mon esprit sur le problème von Ryndt-de Heutz. Aussitôt le coffre ouvert, je le
ferai sortir à la pointe du revolver et je l'entraînerai dans
la forêt. Je retrouverai facilement cette clairière où j'ai
déjeuné sur l'herbe avec K, par un beau dimanche après-
midi. Voilà déjà le château des Necker, avec son romantisme usagé et sa grille princière. Je n'ai qu'à prendre à
gauche maintenant. Oui, c'est cela. Je reste en deuxième
vitesse. Rien autour, personne. Je deviens perplexe. Ce
bout de route ne conduit pas à la petite forêt où je veux
aller, du moins j'en doute. Je fais stopper l'auto, laissant
l'engin tourner au ralenti. Je décide de continuer. J'avance
quelques centaines de pieds : déjà le paysage plus élargi
me dit quelque chose. J'y suis. J'avance prudemment,
presque au pas ; si l'on s'en étonnait, j'aurais toujours
l'excuse d'être un touriste qui explore les abords du château. Tout ce qui me manque c'est une édition du *Journal
intime* de Benjamin Constant[144]. Je m'y reconnais. La
forêt commence. Vais-je retrouver sans difficulté l'entrée
que j'avais empruntée avec la Dauphine[145] vert parchemin
que nous avions louée pour une neuvaine ? L'air de
Desafinado que j'entends encore me poursuit, germe
lyrique de mon état d'âme et du désir que j'ai d'y échapper en me cachant dans ce bois voisin du château de
Coppet et dans le texte qui me ramène en Suisse et m'aide
à surmonter ma faim pendant que je conduis mon passager dans la forêt, en effleurant les branches des pins
jurassiques qui peuplent ce bois où d'autres exilés se sont
aventurés déjà.

Je coupe le contact. Silence religieux autour de la
petite voiture bleue. L'air est bon, très doux. On n'entend

rien d'autre que le murmure paisible de la nature. Rien de suspect. Je sors l'arme de la ceinture de mon pantalon où je l'avais engagée ; j'actionne le barillet, vérifie le cran d'arrêt, la détente, le nombre de cartouches disponibles. Tout est en ordre. Toujours rien autour. Je perçois au loin le vrombissement d'un train : c'est sans doute le rapide Zurich-Genève qui quitte la gare de Lausanne à onze heures cinquante-six. J'examine le terrain autour de l'auto : aucun piège, pas de dénivellement surprise et, à tout considérer, assez de dégagement pour me permettre de jouer sur marge avec mon banquier préféré. L'instant est arrivé. Aucun bruit ne parvient de l'intérieur du coffre ; je colle l'oreille à sa paroi chauffée par le soleil et je ne perçois strictement rien : c'est à croire que j'ai transporté un cadavre. Il n'y a vraiment aucun signe de vie dans ce petit cercueil surchauffé. H. de Heutz n'a quand même pas disparu par enchantement. Cela m'agace. J'insère la clé dans la serrure du coffre après avoir soulevé la plaque d'immatriculation qui fait fonction de double volet.

Depuis que je me suis levé ce matin, je combats une émotion sans cesse renaissante. C'est dimanche. Dehors il fait beau. Et je vois, sur la route 8[146] entre Pointe-au-Chêne et Montebello, l'auto beige qui roule sans moi. La campagne a quelque chose d'émouvant au sortir de Pointe-au-Chêne, tandis qu'on remonte l'Outaouais vers Montebello et qu'on se rend jusqu'à Papineauville. J'aime cette route cursive, les méandres paresseux de l'Outaouais, les coteaux élégants de notre frontière, vallonnements secrets, empreints d'intimité et de mille souvenirs de bonheur. J'aime aussi ce paysage extrême où il y a encore de la place pour moi. Quand tout sera fini, c'est là que je m'installerai dans une maison éloignée de la route, non pas sur le bord de la rivière des Outaouais, mais dans l'arrière-pays couvert de lacs et de forêts, sur la route qui va de Papineauville jusqu'à la Nation[147]. C'est là que j'achèterai une maison, tout près de la Nation, juste à l'entrée du grand domaine du lac Simon qu'on peut remonter en faisant du portage jusqu'au lac des Mauves pour rejoindre La Minerve[148]. Cette maison que je trouverai entre Portage-de-la-Nation et la Nation, ou bien entre la Nation et Ripon, ou entre la Nation et le lac Simon sur la route de Chénéville, je pleure de ne pas l'avoir trouvée plus tôt. J'ai affreusement peur de mourir pendu aux barreaux d'une cellule du pénitencier sans avoir eu le temps de retourner à la Nation, ni la liberté d'aller là-bas m'étendre dans l'herbe chaude de l'été, courir en lisière des grandes forêts peuplées de chevreuils, regarder le ciel démesuré au-dessus de la maison que j'habiterai un jour et vivre doucement, sans pleurer. Où est-il le pays qui te ressemble, mon vrai pays natal et secret, celui où je veux t'aimer et mourir[149] ? Ce matin, dimanche inondé de larmes d'enfant, je pleure comme toi, mon enfant, de ne pas être déjà rendu dans les champs ensoleillés de cette campagne qui rayonne autour de la Nation, dans la chaude lumière de notre pays retrouvé. Les heures qui viennent vont me briser. Quelques heures me suffiraient pour prendre la route 8 à Saint-Eustache où nos frères sont morts[150], pour remonter l'Outaouais par Oka, Saint-Placide, Carillon, Calumet et Pointe-au-Chêne, et de Pointe-au-Chêne à Montebello et à Papineauville où je prendrais la route de la Nation, en passant par Portage-de-la-Nation et Saint-André-Avellin. Quelques heures me conduiraient à la

Nation, tout près de cette maison en retrait de l'histoire, que j'achèterai un jour. Quelques années m'y conduiront-elles enfin ? Laissez-moi retourner dans ce dimanche d'été, au fond de cette campagne que j'aime. Laissez-moi me coucher encore une fois sur le sol chaud du pays de mon amour et dans le lit vulnérable qui nous attend. Le soleil éclaire une maison que je ne connais pas et que je n'aurai pas le pouvoir de rejoindre avant la nuit, ni demain, ni après-demain, ni en aucun autre jour d'ici ma comparution au Palais de Justice, en Cour du Banc de la Reine[151], où je devrai répondre des ténèbres qui ont retardé mon voyage à la Nation, vers cette maison de soleil et de douceur que nous habiterons un jour. Devant le juge, je devrai répondre de la nuit et me disculper de l'obscuration[152] suicidaire de tout un peuple ; répondre de mes frères qui se sont donné la mort après la défaite de Saint-Eustache[153] et de ceux qui n'en finissent plus de les imiter, tandis qu'un écran de mélancolie les empêche de voir le soleil qui éclaire la Nation en ce moment même. Je ne peux pas briser les cerceaux qui m'enserrent, pour aller vers cette maison qui nous attend sur la route sinueuse qui va de Papineauville à la Nation, pour aller vers toi, mon amour, et vers les quelques journées d'amour que je rêve encore de vivre. Mais comment me déprendre de cette situation ? Impossible.

Comment me défaire de H. de Heutz ? Le capot du coffre-arrière s'entrouvre lentement sous le ressort. Je fais un bond en arrière. Mon passager recroquevillé dans le fond est bel et bien vivant. Il regarde tout autour et se déplie avec méfiance. Il est visiblement engourdi. Le voici debout, hors du coffre.

— Ne bougez pas de là, sinon je vous descends.

Maintenant c'est moi qu'il regarde. Il est solennel comme un bouddha, le sourire en moins. Iconoclaste, je tiens solidement le 45 dans ma main droite.

— Et maintenant, lancez-moi vos papiers.

Ce qu'il fait. Je me penche pour ramasser son portefeuille en cuir de Florence. Trois coupures bleu sur bleu de cent francs suisses. Une carte d'affaires : Charles-André Junker, Imefbank, rue Petitot, 6, Genève. Téléphone : 26 12 70. Voilà un banquier que je ne manquerai pas d'aller consulter prochainement au sujet de la plus-value de nos investissements révolutionnaires en Suisse. J'empoche machinalement la carte gravée et les coupures de 100 FS. D'un geste rapide, je vide le compartiment des papiers. Je tombe sur un permis de conduire libellé au nom de François-Marc de Saugy[154], boulevard des Philosophes, 16, Liège. Profession : fondé de pouvoir.

— Vous êtes sans doute fondé de pouvoir de Carl von Ryndt et de H. de Heutz ?...

— Je ne sais pas de quoi vous parlez. Je ne connais pas ces noms...

— Inutile de me faire perdre mon temps, cher monsieur... de Saudy...

— de Saugy.

— ... cher monsieur de Saugy. Votre carte d'identité est en règle : votre fournisseur est un expert, croyez-moi. Mais je reste insensible devant ce travail de faussaire... Je sais qui vous êtes — de Heutz ou von Ryndt, peu m'importe ! — et je sais que vous travaillez contre nous. Aussi bien vous dire que nous avons démonté votre savante organisation et que nous sommes au fait des relations étroites que vous entretenez avec vos fondés de pouvoir de Montréal et d'Ottawa. En deux mots, vous êtes cuit. Maintenant que nous sommes de nouveau face à face, vous comprendrez que cette situation comporte un dilemme : c'est vous ou moi. C'est la logique du combat. Et puisque je vous tiens, cher banquier, votre tour est venu. Vous pouvez faire vos prières, à condition que ce soit bref...

Je le vois se décomposer devant moi. Il cherche sans doute à se tirer de là et à renverser la situation. Seulement je tiens l'arme cette fois et je me sens très confortable dans cette position. Si j'éprouve une certaine détente, cela vient du fait que j'ai le dessus. Je savoure en quelque sorte mon avantage.

— Écoutez... Je vous en supplie. Il faut que je vous explique...

— ... de quelle façon vous collaborez avec la R.C.M.P.[155] et sa grande sœur la C.I.A. ; et comment vous transgressez régulièrement l'article 47 B[156] de la constitution fédérale suisse pour avoir accès aux comptes en banque de certains investisseurs anonymes. Oui, expliquez toujours : cela m'intéresse.

— Je ne sais pas de quoi vous parlez, monsieur. Croyez-moi ; la vérité est plus triste, moins mystérieuse à coup sûr. Ce matin, au château, je vous ai donné un spectacle. J'ai joué un rôle devant vous... Je vous le répète : la vérité est plutôt décourageante. Comment vous dire ? Je suis un grand malade. Depuis des semaines, je vis comme un fugitif...

— Ne vous fatiguez pas. Je sais que vous allez me raconter n'importe quoi pour gagner du temps. Mais ça ne prend pas.

— Je vous jure que je ne vous raconte pas une histoire. C'est la vérité. Sur la tête de mes enfants, je vous le jure!... Oui, j'ai deux enfants, deux petits garçons. Et voilà des semaines que je ne les ai pas revus. Ils sont en Belgique. Je les ai abandonnés. Je me suis sauvé de chez moi. Je ne réussissais plus à affronter mes problèmes. C'était la banqueroute: je ne savais plus quoi faire. J'ai été pris de panique. Un soir, j'ai écrit une lettre à ma femme pour tout avouer et je me suis sauvé sans la revoir, comme un lâche. Ma femme n'avait pas de quoi vivre une semaine. J'ai pris l'express pour Bâle. Et je pensais qu'une fois rendu à Bâle, inconnu, je pourrais voler de l'argent et de là en faire parvenir à ma femme...

À mesure que j'écoute son histoire, j'éprouve une sorte de vertige, H. de Heutz semble à ce point bouleversé et véritablement ému que je ne suis pas porté à me méfier. Pourtant, c'est l'évidence, il est en train de se payer ma tête. Toute cette histoire à dormir debout ressemble singulièrement au boniment que je lui ai servi ce matin au château d'Échandens, jusqu'au moment où je lui ai fait le coup du désarmement unilatéral. H. de Heutz me raconte en ce moment exactement la même histoire alambiquée. C'est du plagiat. Pense-t-il que je vais gober ça?

— Je ne mens pas. Je me suis rendu d'abord à Bâle. J'ai cru qu'avec mon Mauser je ferais des miracles et que, du jour au lendemain, je me comporterais comme un voleur de grande classe: impeccable, poli avec les caissiers, impuni jusqu'au bout. J'ai pensé qu'il suffirait de cette arme et de mon désespoir pour faire fortune en quelques jours et envoyer des mandats postaux à ma femme. J'ai vécu plusieurs jours dans cet état, mais sans jamais rien voler, sans envoyer d'argent à ma femme. Chaque jour je me disais : « C'est pour aujourd'hui. Je vais réussir. » Et je me disais qu'un de ces jours, une fois riche, je ferais venir ma femme et mes enfants en Suisse. Ici nous pourrions nous établir, vivre heureux, louer une villa en montagne, dans le val d'Hérens du côté d'Évolène. Je connais un endroit merveilleux par là. C'est là que je voudrais m'établir avec ma femme et mes enfants[157]. J'ai hâte de revoir mes enfants, vous ne pouvez pas savoir. Je ne sais même pas comment ma femme se débrouille pour trouver de l'argent. Quand je suis parti de Liège, j'avais des dettes, une foule de dettes dont elle n'était pas au courant. Peut-être a-t-elle perdu courage et s'est-elle suicidée après avoir auparavant étranglé les enfants ? J'ai peur. Je ne sais plus quoi faire. Mes deux petits, je me demande maintenant si je les reverrai jamais. Ils doivent m'attendre chaque soir à l'heure du dîner. Quand j'étais à Liège, je revenais du bureau tous les jours à la même heure. Ils doivent demander à leur mère quand je vais revenir, et ma femme doit leur répondre que je suis parti travailler très loin ou bien que je suis mort. Ce serait bien, au fond, qu'elle leur dise que je suis mort à la guerre et que je ne reviendrai plus jamais jouer avec eux...

— Vous me prenez pour un imbécile, monsieur de Heutz. Vous croyez m'endormir avec votre histoire de fou. Par-dessus le marché, vous avez le culot de me resservir la même salade que je vous ai racontée ce matin... Vraiment vous chargez un peu trop à mon goût, sans compter que vous manquez totalement d'imagination !

Comme je dis cela, il éclate en sanglots et avec tellement de sincérité que j'en demeure troublé. H. de

Heutz pleure vraiment comme un père qui a de la peine, comme un homme accablé par la douleur et qui n'a plus la force d'affronter la vie. Mais je continue de me répéter que cet individu lamentable[158] est en train de me raconter un roman-feuilleton dans le seul but de se déprendre (mais comment?) du piège où je le tiens. C'est à moi de ne pas perdre pied dans cette compétition aberrante entre lui et moi, et de me rappeler qu'une seule intention le guide dans son improvisation : détourner mon attention, émousser mes réflexes, m'injecter juste assez de doute pour que je relâche ma vigilance, ne serait-ce qu'une fraction de seconde, et qu'il en profite. Je dois réfuter sans cesse le trouble que j'éprouve à le voir ainsi prostré devant moi, le visage défait par l'émotion et couvert de larmes. Cet homme est un imposteur : F.-M. de Saugy, von Ryndt ou H. de Heutz ne font qu'une seule et même personne. H. de Heutz est un ennemi ; et je l'ai emmené ici dans le seul but de l'abattre froidement. Rien au monde ne doit me faire déroger de mon projet. Rien ! surtout pas cette parade d'émotions qu'exécute ce cher africaniste[159]. En toute sincérité, je reconnais que H. de Heutz fait preuve d'un art consommé. Cet homme possède un don diabolique pour falsifier la vraisemblance ; si je n'étais pas sur mes gardes, il m'aurait à coup sûr et pourrait me convaincre qu'il est mon frère, que nous étions nés pour nous rencontrer et pour nous comprendre. J'ai vraiment affaire au diable.

— Ça va comme ça. La comédie a assez duré. Ne vous fatiguez pas pour rien. Je ne crois pas un traître mot de tout ce que vous me racontez...

— Je n'ai plus intérêt à vous raconter des histoires :

je sais bien que je suis fini et que dans quelques secondes
— à l'instant que vous aurez choisi — vous allez me tuer
comme un chien. De toute façon, je ne veux plus vivre, je
n'en ai plus la force...

Le voilà qui se remet à pleurer comme un désespéré. J'ai beau le considérer comme le dernier des
menteurs et comme un instrument méprisable de la contre-
révolution, je suis obligé de reconnaître qu'il pleure vraiment en ce moment; cela, je le vois bien.

— Mes enfants, je ne les reverrai plus jamais; je ne
veux plus les revoir, car j'en suis indigne... La dernière
fois que j'étais avec eux, j'ai pleuré. C'est l'image qu'ils
ont gardée de leur père. J'étais effondré. J'avais perdu
mon travail[160], mais je ne l'avais dit à personne encore. Et
j'étais incapable d'annoncer cela à ma femme. J'avais
déjà commencé de flâner autour des banques en attendant
je ne sais quoi, un miracle peut-être. Et j'avais commencé
de suivre des gens dans la rue, imaginant qu'à un moment
donné l'occasion se présenterait d'elle-même de frapper
ces inconnus et de m'emparer de leurs portefeuilles pleins
d'argent. Je ne pensais qu'à des actions folles, mais demeurais frappé de stupeur à l'instant de les entreprendre.
Tuez-moi! C'est encore ce qui peut m'arriver de mieux.
Je vous en supplie. Tirez. De grâce...

J'ai le doigt sur la gâchette : je n'ai qu'à presser et
j'exauce son vœu. Pourtant j'hésite encore. L'histoire
qu'il persiste à me raconter me pose une énigme. Pourquoi
a-t-il choisi de me réciter exactement la même invraisemblance que je lui ai servie sans conviction ce matin même,
alors qu'il me tenait en joue dans le grand salon du château d'Échandens? Son audace même me fascine et, ma

foi, me le rend presque sympathique. Quand il a commencé son baratin, il savait déjà que je ne pouvais pas tomber dans une trappe aussi grossière. Il a sûrement prévu que je ne serais pas dupe de son stratagème incroyable. Dans ce cas, s'il a brodé sur le schéma que j'ai moi-même développé ce matin, ce n'est pas par accident, ni par une combinaison fortuite due aux simples lois de la probabilité. H. de Heutz a donc obéi à un plan précis. Il avait une idée derrière la tête en m'entraînant dans cette charge d'invraisemblance et d'ironie. Laquelle ? Peut-être a-t-il voulu me transmettre un message chiffré. Mais non, je déraisonne puisque entre H. de Heutz et moi il ne saurait y avoir de chiffre, ni de code, ni aucune raison d'échanger quelque message que ce soit. C'est la rupture implacable et l'impossibilité de communiquer autrement que sous forme de coups de feu. Si j'en suis rendu à analyser les intentions profondes de son comportement avec moi, peut-être, au fond, suis-je sur le point de tomber dans le piège qu'il m'a tendu, et que je réagis très exactement comme il l'a voulu ? Ma fascination même — ainsi que son corollaire de doute méthodique et d'hésitation —, il l'a provoquée sciemment. Mais pourquoi ?

— Ne bougez pas ou je tire...

Il pleure encore. C'est gênant à la fin. Je ne sais plus où me mettre. J'ai peine à le regarder et à l'entendre. Cela me met à l'envers. Ce qui me mystifie le plus c'est son autobiographie incroyable qu'il n'a pas inventée dans le but de me duper, mais dans un but plus pervers : pour m'envoûter, me faire douter de la raison d'État qui nous confronte ici dans cet étroit enclos et me conditionne impérieusement à considérer cet interlocuteur de mauvaise foi comme un ennemi à tuer. Cet homme qui pleure devant moi, qui est-ce enfin ? Est-ce Carl von Ryndt, banquier pour la couverture mais surtout agent ennemi ; ou bien H. de Heutz, spécialiste wallon de Scipion l'Africain et de la contre-révolution ; ou encore, serait-il plus simplement le troisième homme[161], du nom de François-Marc de Saugy, en proie à une dépression nerveuse et à une crise suraiguë de dépossession ? En fin de compte, je suis sans doute en train de me fourvoyer dans le piège indéchiffrable de cette noire trinité, en tergiversant de la sorte sur la présence réelle d'un ennemi triple et à propos de l'étiologie hautement pathogène d'un homme qui, à quelques pas de moi, s'abîme dans la représentation de la douleur qui ne lui appartient pas plus que son nom propre. À vrai dire, la puissance de H. de Heutz m'envoûte encore plus qu'elle me terrifie. À qui ai-je affaire au juste ? À l'ombre métempsychée de Ferragus ? Cet inconnu que je regarde m'attire à l'instant même où je m'apprête à le tuer. Son mystère déconcerte ma préméditation et je reste pantelant devant lui, incapable de diriger mes pensées vers un autre objet et de combattre l'attirance morbide qu'il exerce sur moi[162].

Tout se ralentit. Mes pulsations mêmes semblent s'espacer. L'agilité supersonique de mon esprit s'affaisse soudainement sous le charme maléfique de H. de Heutz. Je m'immobilise, métamorphosé en statue de sel[163], et ne puis m'empêcher de me percevoir comme foudroyé. Un événement souverain est en train de se produire, en cet instant où j'occupe un espace réduit dans un bois charmeur qui surplombe Coppet, tandis que le temps qui me sépare de mon rendez-vous avec K sur la terrasse de l'Hôtel d'Angleterre se réduit de plus en plus et que je semble chercher encore, devant un homme impossible à identifier, la raison pure qui m'a fait le poursuivre désespérément et devrait, dès lors, m'incliner à presser la gâchette du Mauser et à faire feu sur lui pour rompre enfin la relation inquiétante qui s'est établie entre nous. Je continue de le regarder, j'entends ses sanglots, et une sorte de mystère me frappe d'une indécision sacrée. Un événement que j'ai cessé de contrôler s'accomplit solennellement en moi et me plonge dans une transe profonde.

10

Moins verbatile, ma tristesse court secrète dans mes veines. La musique hantée de *Desafinado* [164] chasse le soleil. Je le vois se coucher en flammes au milieu du lac Léman et incendier de sa lumière posthume les strates argileuses des Préalpes. Ville sept fois ensevelie[165], la mémoire écrite n'est plus effleurée par la flamme génératrice de la révolution. L'inspiration délinquante se noie dans la seiche qui fait frémir le lac devant Coppet.

Rien n'est libre ici : ni mon coup d'âme, ni la traction adipeuse de l'encre sur l'imaginaire, ni les mouvements pressentis de H. de Heutz, ni la liberté qui m'est dévolue de le tuer au bon moment. Rien n'est libre ici, rien : même pas cette évasion fougueuse que je téléguide du bout des doigts et que je crois conduire quand elle m'efface. Rien ! Pas même l'intrigue, ni l'ordre d'allumage de mes souvenirs, ni la mise au tombeau de mes nuits d'amour, ni le déhanchement galiléen[166] de mes femmes. Quelque chose me dit qu'un modèle antérieur plonge mon improvisation dans une forme atavique et qu'une alluvion ancienne étreint le fleuve instantané qui m'échappe[167]. Je n'écris pas, je suis écrit. Le geste futur me connaît depuis long-temps. Le roman incréé me dicte le mot à mot que je m'approprie, au fur et à mesure, selon la convention de Genève régissant la propriété littéraire[168]. Je crée ce qui me devance et pose devant moi l'empreinte de mes pas imprévisibles. L'imaginaire est une cicatrice. Ce que j'invente m'est vécu; mort d'avance ce que je tue. Les images que j'imprime sur ma rétine s'y trouvaient déjà. Je n'invente pas. Ce qui attend H. de Heutz dans ce bois romantique qui entoure le château de Coppet me sera bientôt communiqué quand ma main, engagée dans un processus d'accélération de l'histoire, se lancera sur des mots qui me précèdent. Tout m'attend. Tout m'antécède avec une précision que je dévoile dans le mouvement même que je fais pour m'en approcher. J'ai beau courir, on dirait que mon passé antérieur a tracé mon cheminement et proféré les paroles que je crois inventer[169].

J'ai longtemps rêvé d'inventer mon propre mouvement et mon rythme; de créer par mes foulées ardentes le chemin à parcourir. Oui, pendant toutes ces années, j'ai rêvé d'une coulée triomphale que, de seconde en seconde, je produirais. Mais je n'arrive pas à tracer autre chose que des mots frappés d'avance à l'effigie de la femme absolue rencontrée quelque part entre Acton Vale et Tingwick qu'on appelle maintenant Chénier, entre un certain 24 juin et ma nuit motile qui ne finit pas. Chaque fragment de ce roman inachevé me rappelle ce fragment de route dans les Cantons de l'Est et un fragment de nuit arraché à une fête nationale. Ce roman métissé n'est qu'une variante désor-donnée d'autres livres écrits par des écrivains inconnus.

Pris dans un lit de glaise, je suis le cours et ne l'invente jamais. Ceci vaut pour tout ce que j'écris : me voici donc au fond d'une impasse où je cesse de vouloir avancer. Cette constatation déprimante devrait me porter à m'en dégager à tout prix et à trouver une contrevérité compensatoire. Mais je ne trouve pas d'au-delà à mon évidence, d'autant plus que je résiste à la transposer en un système rigide. Je refuse toute systématisation qui m'enfoncerait plus encore dans la détresse de l'incréé. Le romancier pseudo-créateur ne fait que puiser, à même un vieux répertoire, le gestuaire de ses personnages et leur système relationnel. Si je dénonce en ce moment la vanité fondamentale de l'entreprise d'originalité, c'est peut-être dans cette noirceur désolante que je dois continuer et dans ce labyrinthe obscurci que je dois m'enfoncer. Nul dévergondage scripturaire ne peut plus me masquer le désespoir incisif que je ressens devant le nombre de variables qui peuvent entrer dans la composition d'une œuvre originale. Mais pourquoi suis-je à ce point sensible à ce problème de l'originalité absolue ? Je ne sais pas ; mais depuis que mon esprit annule son propre effort dans la solution de cette énigme, je suis affligé d'un ralentissement progressif, frappé de plus en plus d'une paralysie criblante. Ma main n'avance plus. J'hésite à commettre un acte de plus ; je ne sais plus comment agir soudain. Je sens bien que le prochain virage est dangereux et que je risque tout à m'avouer le sujet de mon hésitation. Ce n'est plus l'originalité opératoire de la littérature que je désamorce, c'est l'existence individuelle qui éclate soudain et me désenchante ! Mais alors si ce choc qui anéantit mon ambition d'originalité écrite me terrasse à ce point ; si je suis

subitement privé de ma raison d'écrire parce que je perçois mon livre à venir comme prédit et marqué d'avance,
selon la cotation Dewey[170], d'un coefficient infime d'indi-
viduation et que, dans un même temps, je n'en cesse pas
pour autant de vouloir écrire, c'est donc que l'écriture ne
devient pas inutile du seul fait que je la départis de sa
fonction d'originalité et que justement cette fonction
génétique ne la résume pas. Du moins, l'ambition d'originalité n'est pas seule à valoriser l'entreprise littéraire. On
peut donc entreprendre un roman d'espionnage dont
l'action se déroule comme une anomalie sur les bords du
lac Léman, avec un autre motif que d'en faire une œuvre
unique ! L'originalité à tout prix est un idéal de preux :
c'est le Graal esthétique qui fausse toute expédition.
Jérusalem seconde, cette unicité surmultipliée n'est rien
d'autre qu'une obsession de croisés. C'est la retrans-
position mythique du coup de fortune sur lequel s'est
édifié le grand capitalisme.

Le roman que j'écris, ce livre quotidien que je poursuis
déjà avec plus d'aise, j'y vois un autre sens que la nou-
veauté percutante de son format final. Je suis ce livre
d'heure en heure, au jour le jour ; et pas plus que je ne me
suicide, je n'ai tendance à y renoncer. Ce livre défait me
ressemble. Cet amas de feuilles est un produit de l'histoire, fragment inachevé de ce que je suis moi-même et
témoignage impur, par conséquent, de la révolution
chancelante que je continue d'exprimer, à ma façon, par
mon délire institutionnel. Ce livre est cursif et incertain
comme je le suis ; et sa signification véritable ne peut être
dissociée de la date de sa composition, ni des événements

qui se sont déroulés dans un laps de temps donné entre mon pays natal et mon exil, entre un 26 juillet et un 24 juin. Écrit par un prisonnier rançonné à dix mille guinées pour cure de désintoxication[171], ce livre est le fruit amer de cet incident anecdotique qui m'a fait glisser de prison en clinique et m'oblige, pendant des jours et des jours, à m'occuper systématiquement pour ne pas me décourager. Ce livre est le geste inlassablement recommencé d'un patriote[172] qui attend, dans le vide intemporel, l'occasion de reprendre les armes. De plus, il épouse la forme même de mon avenir : en lui et par lui, je prospecte mon indécision et mon futur improbable. Il est tourné globalement vers une conclusion qu'il ne contiendra pas puisqu'elle suivra, hors texte, le point final que j'apposerai au bas de la dernière page. Je ne me contrains plus à pourchasser le sceptre de l'originalité qui, d'ailleurs, me maintiendrait dans la sphère azotée de l'art inflationnaire. Le chef-d'œuvre qu'on attend n'est pas mon affaire. Je rêve plutôt d'un art totalitaire, en genèse continuelle. La seule forme que je poursuis confusément depuis le début de cet écrit, c'est la forme informe qu'a prise mon existence emprisonnée : cet élan sans cesse brisé par l'horaire parcellaire de la réclusion et sans cesse recommencé, oscillation binaire entre l'hypostase et l'agression. Ici, mon seul mouvement tente de nier mon isolement ; il se traduit en poussées désordonnées vers des existences antérieures où, au lieu d'être prisonnier, j'étais propulsé dans toutes les directions comme un missile débauché. De cette contradiction vient sans doute la mécanique ondulatoire de ce que j'écris : alternance maniaque de noyades et de remontées. Chaque fois que je reviens à ce papier naît un épisode.

Chaque session d'écriture engendre l'événement pur et ne
se rattache à un roman que dans la mesure illisible mais
vertigineuse où je me rattache à chaque instant de mon
existence décomposée. Événement nu, mon livre m'écrit
et n'est accessible à la compréhension qu'à condition de
n'être pas détaché de la trame historique dans laquelle il
s'insère tant bien que mal. Voilà soudain que je rêve que
mon épopée déréalisante s'inscrive au calendrier national
d'un peuple sans histoire! Quelle dérision, quelle pitié!
C'est vrai que nous n'avons pas d'histoire[173]. Nous n'aurons
d'histoire qu'à partir du moment incertain où commencera la guerre révolutionnaire. Notre histoire s'inaugurera
dans le sang d'une révolution qui me brise et que j'ai mal
servi: ce jour-là, veines ouvertes, nous ferons nos débuts
dans le monde. Ce jour-là une intrigue sanguinaire instau-
rera sur notre sable mouvant une pyramide éternelle qui
nous permettra de mesurer la taille de nos arbres morts.
L'histoire commencera de s'écrire quand nous donnerons
à notre mal le rythme et la fulguration de la guerre. Tout
prendra la couleur flamboyante de l'historique quand
nous marcherons au combat, mitraillette au poing. Quand
nos frères mourront dans les embuscades et que les
femmes seront seules à fêter le 24 juin, ce que nous écri-
vons cessera d'être un événement et sera devenu un écrit.
L'acte seul prévaudra. Seule l'action insaisissable et
meurtrière de la guérilla sera considérée comme historique; seul le désespoir agi sera reconnu comme révolutionnaire[174]. L'autre, l'écrit ou le chanté, émargera à la
période prérévolutionnaire.

La révolution viendra comme l'amour nous est
venu, un certain 24 juin, alors que tous les deux, nus et

glorieux, nous nous sommes entre-tués sur un lit d'ombre, au-dessus d'une vallée vaincue qui apprenait à marcher au pas[175]. Elle viendra à la manière de l'événement absolu et répété qui nous a consumés et dont la plénitude me hante ce soir. Ce livre innommé est indécis comme je le suis depuis la guerre de Sept Ans, anarchique aussi comme il faut accepter de l'être à l'aube d'une révolution. On ne peut vouloir la révolution dans la sobriété, ni l'expliquer comme un syllogisme, ni l'appeler comme on procède en justice. Le désordre inévitable me gagne déjà et pétrit mon âme : je suis envahi comme le champ d'une bataille que je prépare dans la fébrilité. C'est sur nous et en nous que le grand bouleversement commence ; dans nos existences vulnérables et nos rencontres amoureuses que les premiers coups sont portés. L'anarchie annonciatrice se manifeste par notre ministère et nous jette en prison, brisés, insatisfaits, malades. La révolution que j'appelle m'a blessé. Les hostilités n'ont pas encore commencé et mon combat est déjà fini. Hors combat prématurément, évacué vers l'intérieur loin de la ligne de feu, je suis ici un blessé de guerre ; mais quelle blessure cruelle, car il n'y a pas encore de guerre selon la lettre. C'est là ma blessure. Mon pays me fait mal. Son échec prolongé m'a jeté par terre. Blessé fantôme, je passe derrière des barreaux les premières secousses d'une histoire inédite, semblable à ce livre en cela seulement qu'elle est inédite et que j'ignore les noms de mes frères qui seront tués au combat, autant que j'ignore les titres des différents chapitres de mon roman. J'ignore même ce qu'il adviendra de mes personnages qui m'attendent dans le bois de Coppet. J'en viens à me demander si j'arriverai à temps à l'Hôtel d'Angleterre, car cela seul me préoccupe maintenant : le temps qui me sépare de notre rencontre fuit.

Le vague à l'âme s'infiltre en moi par toutes les
valves de la lecture et de l'ennui. Entre l'avant-dernière
phrase et celle-ci, j'ai laissé couler quatre ou cinq révolutions nationales, un nombre égal d'empires, de saintes
alliances et de joyeuses entrées[176]. Dans ce même interstice, j'ai vu une dizaine de révolutions tourner à l'échec, à
commencer par la révolution de Genève de 1781, celle des
Provinces-Unies des Pays-Bas en 1787, celle des Pays-
Bas autrichiens et de Liège. En moins de vingt-quatre
heures, j'ai vécu sans déroger de 1776 à 1870, du *Boston
Tea Party* au Camp de la Misère sur la Meuse non loin de
Sedan, cherchant à me nourrir de l'eau dure de mes souvenirs[177]. Depuis hier, quelque part entre H. de Heutz
et Toussaint Louverture, j'immerge dans l'eau séculaire
des révolutions. J'ai frémi aux mille suicides de Tchernychevski et au romantisme insurrectionnel de Mazzini. Ces
grands frères dans le désespoir et l'attentat sont à peine
moins présents en moi que les patriotes, mes frères inconnus, qui m'attendent dans le secret et l'impatience. Me
reconnaîtront-ils ?

Mes frères selon la guerre sont virtuels comme les
personnages improbables qui m'attendent plus loin au
cours de ce récit, qui me surprendront peut-être et, à
mesure que je les déterminerai à des actions précises,
m'obligeront à me souvenir d'eux au lieu de les attendre
comme en ce moment, fasciné par l'aire de disponibilité
dans laquelle ils se meuvent comme à l'intérieur d'une
préhistoire qu'il ne tient qu'à moi de faire cesser en écrivant ce qu'ils n'ont pas encore fait et qu'ils feront dans

l'exacte proportion où mon invention sans élan les actualise.

Les siècles défilent à longueur de nuit sous les fenêtres de notre amour. Mais je t'ai perdue, mon amour ; et toute cette musique a cessé de me griser. J'ai besoin de te revoir. Sans toi, je meurs. Le paysage immense de notre amour s'assombrit. Je ne vois ni le piédestal ravagé des Hautes-Alpes, ni les grandes coulées mortes des glaciers. Je ne vois plus rien : ni la voûte synclinale du lac, ni la masse renversée de l'Hôtel d'Angleterre, ni le Château d'Ouchy, ni la crête des grands hôtels de Lausanne, ni ce chalet invisible que j'ai rêvé d'acheter à Évolène dans la haute vallée d'Hérens, ni la forme vespérale du château de Coppet. Plus rien ne me sauve. Mon cercueil plombé coule au fond d'un lac inhabité. Les décades d'échecs et de batailles rangées ne me nourrissent plus, non plus que les siècles de ma vie amoureuse qui se réduisent à quelques dates sur une enveloppe.

J'ai besoin de toi ; j'ai besoin de retrouver le fil de notre histoire et l'ellipse qui me ramènera à la chaleur de nos deux corps consumés. Je ne sais où reprendre. Je me souviens de ce dialogue avec H. de Heutz dans le bois de Coppet. Mais il s'est passé tellement de choses depuis. Tout s'est déroulé à si vive allure et je me trouve à ce point engagé dans ce processus qui me bouscule, qu'il me presse moins de faire le récit de ce qui s'est passé entre Coppet et maintenant, que de me concentrer sur ce qui se passe et menace de se passer. Le temps m'entraîne. Cette longue attente ne m'a nullement conditionné à l'action. Quand celle-ci survient, je suis pris au dépourvu, contraint d'improviser lors même que je m'étais soigneusement préparé à toute éventualité. J'aurais dû deviner tout cela quand je me suis trouvé dans le château d'Échandens, face à H. de Heutz qui me tenait en joue.

II.

En fait, tout a commencé à se brouiller au moment de cette rencontre confuse pendant laquelle j'ai passé mon temps à agir en admettant implicitement que personne ne pouvait être témoin de la conversation entre H. de Heutz et moi. Je me suis dépris du piège, et je n'ai même pas pensé qu'à l'instant où je poussais H. de Heutz devant moi à la pointe du revolver, une autre personne se trouvait tout près et m'observait, réjouie sans aucun doute de me voir défoncer avec tant de forfanterie une porte grande ouverte. C'est dans cet intervalle entre ma séquestration et ma fuite, entre le moment où j'ai désarmé H. de Heutz et celui où je l'ai enchâssé dans le coffre-arrière de l'Opel, que j'ai manqué de logique. J'ai agi comme un fugitif impunissable, alors que je donnais à pieds joints dans une trappe béante. J'ai affiché d'ailleurs une assurance folle. Justement, j'aurais dû me méfier, car tout s'est déroulé comme au cinéma avec une facilité louche. Plus je repense à ces quelques minutes, plus je m'interroge sur la vraisemblance de cette séquence. Je me demande même si H. de Heutz n'a pas poliment ralenti son rythme de riposte quand j'ai fait ma grande passe pour le désarmer, histoire de m'aider un peu. Oui, j'en ai la certitude : il a triché insensiblement pour me laisser le temps d'entrer dans la peau du vainqueur et de me conformer sans heurt au scénario qui avait été prévu pour m'empiéger. H. de Heutz n'a opposé aucune résistance à mon injonction. Il s'est couché en chien de fusil dans le coffre de l'auto. À l'instant où j'ai fait claquer le couvercle sur sa tête, il a sans doute esquissé un sourire d'aise, car je ne faisais que lui obéir docilement sans même qu'il ait à préciser ses ordres. J'étais devenu son médium : H. de Heutz m'avait plongé, sans que je m'en aperçoive, en pleine catalepsie et continuait, depuis son poste hermétique, à me guider dans l'inconscience et le ravissement. Si j'avais eu juste la force de me retourner vivement, j'aurais aperçu deux yeux braqués sur moi, derrière une des fenêtres de la face nord du château.

En ce moment même, il se peut que la situation dans laquelle je me trouve m'incline à exagérer l'indice de préméditation du piège que m'a tendu ce cher H. de Heutz. Admettons qu'il ait prévu que j'allais tenter de lui échapper et que, entre autres éventualités, je sauterais dans la petite Opel pour m'enfuir. D'accord. Mais comment aurait-il pu imaginer précisément que j'allais l'inviter à se coucher dans le coffre de l'auto que je lui empruntais ? Il ne pouvait pas prévoir ma démarche, donc il prévoyait autre chose, soit : que je m'empare de l'Opel et que je fuie seul ! Selon la logique interne de cette modalité, H. de Heutz, après s'être réarmé, m'aurait pris en chasse avec l'autre auto que je n'ai pas vue mais qui, très certainement, devait se trouver dans le garage dont les

portes étaient fermées. Par surcroît, H. de Heutz avait la
certitude absolue de me rattraper : une seule route traverse
Échandens et, à partir du moment où il m'avait vu fuir
dans un sens ou dans l'autre, il avait amplement le temps
d'ouvrir calmement les portes du garage et d'en sortir
l'autre auto. De toute façon, je roulais forcément sur sa
route avec, tout au plus, quelques minutes d'avance sur
lui. Problème rigoureusement technique : je ne pouvais
pas lui échapper, à moins bien sûr que, dans sa hâte, il
perde le contrôle de son engin et se fracture le crâne sur
un arbre centenaire, probabilité hautement improbable
quand on connaît H. de Heutz.

Somme toute, à partir du moment où j'ai dérogé au plan
que H. de Heutz avait prévu, il s'est trouvé neutralisé du
coup et, sait-on jamais, désemparé. Du moins, l'espace de
quelques secondes. Car ce serait le sous-estimer que de ne
pas supposer qu'il avait prévu toute éventualité, même sa
mort ! Par conséquent, l'autre se tenait déjà dans mon dos,
voilé par les rideaux d'une fenêtre. Et l'autre m'a regardé
manœuvrer H. de Heutz selon un protocole un peu baroque[178] ; quand il m'a vu prendre la route qui traverse
Échandens en direction de Saint-Prex, il a eu le temps
d'enfiler sa veste, d'assujettir son gros calibre dans une
gaine en cuir repoussé, de se rendre par l'intérieur jusqu'au garage, de sortir une auto à grosse cylindrée et de
me prendre en filature, sans même que je m'en aperçoive
d'ailleurs, puisque je n'avais pas pris la précaution de
jeter un coup d'œil dans le garage pour voir la marque de
l'auto qui s'y trouvait. Forcément, comme je ne connaissais ni l'auto qui me suivait, ni l'identité de son chauffeur,

j'ai été escorté sans même m'en rendre compte, car, bien sûr, l'autre — l'ami de H. de Heutz — a pris les précautions nécessaires pour ne jamais attirer mon attention, variant sans cesse sa position sur la route, son angle de surveillance et la distance qui nous séparait. Il a sans doute pris la liberté, à un moment donné, de passer à un cheveu de l'Opel et de me regarder dans le blanc des yeux comme si de rien n'était. L'autoroute de Genève est assez large et assez encombrée pour camoufler les manœuvres expertes d'un espion. Quand il me doublait presque en me frôlant, comment aurais-je pu savoir que c'était lui ? Comment démasquer un ennemi quand, par un paradoxe aberrant, on l'a éliminé d'une façon incontestable et qu'il n'existe pas ?

Ainsi, j'ai roulé depuis Échandens jusqu'à la place Simon-Goulart à Genève, sans même penser, ne serait-ce que par réflexe de méfiance, que pendant tout ce voyage qui m'enchantait, l'autre était tout près de moi sur la route, roulant dans mon sillage ou moi dans le sien, me doublant sur la gauche et sur la droite, prenant une grande avance sur moi (tout en gardant mon reflet dans son rétroviseur) ou me laissant le dépasser fougueusement sans jamais me perdre de vue. En arrivant dans Genève, je me suis retrouvé rapidement à la place Simon-Goulart qui s'ouvre, dans la transparence du jour, sur toute une mesure de montagnes et de neiges éternelles. À l'instant où j'ai stationné l'auto tout près de la Banque Arabe, un inconnu parfaitement inoffensif stationnait son auto non loin de la mienne sans jamais me perdre de vue : l'autre ! Il m'a observé à loisir pendant que j'énumérais, une à une, toutes les raisons qui m'inclinaient à déguerpir de la place Simon-Goulart où m'attendait ma Volvo. Peut-être même s'est-il installé derrière la grande fenêtre à barreaux de la Banque Arabe, faisant mine de remplir un bordereau, tandis que, dans son champ visuel, j'hésitais sans grâce et me comportais avec maladresse, ne sachant trop que faire de l'Opel et de la Volvo, l'une pleine, l'autre vide, alors que le soleil du matin irradiait sur la grande ceinture des pics et des aiguilles, plongeant dans l'ombre les flancs dégradés du mont Maudit ? Cela ne fait aucun doute : je me suis fait avoir d'un bout à l'autre. Tout a commencé dans le grand salon du château d'Échandens quand j'étais assis face à H. de Heutz et aux trois grandes fenêtres qui me découvraient le parc élégant du château et l'espace incantatoire de la grande vallée au fond de laquelle le lac Léman s'illuminait sous les premiers rayons du soleil qui, à ce moment, se trouve à son apogée.

Je n'ai pratiquement pas dormi depuis vingt-quatre heures. À deux heures du matin je suivais encore une ombre qui me suivait et au lever du soleil, soit vers cinq heures trente, j'étais face à mon ennemi numéro un, découragé de mesurer les erreurs qui m'avaient conduit à cet échec, incapable d'imaginer autre chose, pour meubler les vides de la conversation, que cette histoire de dépression nerveuse : deux enfants, femme abandonnée, fuite, mes ambitions lamentables de vols de banque et ma résolution finale d'utiliser mon Colt spécial à bon escient en me flambant la cervelle dans un terrain vague de Carouge. Je n'ai pas eu le temps de récupérer depuis hier, sinon pendant les quelques heures où j'ai dormi d'un sommeil comateux. Et maintenant, je me trouve en quelque sorte dans cet entracte infinitésimal pendant lequel j'ai tout juste le temps de comprendre ce qui m'est arrivé et de me préparer à ce qui m'attend, marge insondable d'obstacles et de temps qui me sépare de notre rendez-vous à la terrasse de l'Hôtel d'Angleterre. Les derniers événements m'ont surpris à tel point que j'ai peine à rétablir leur ordre de succession. Je me souviens de H. de Heutz appuyé sur le coffre de l'auto, prostré dans sa douleur et continuant d'évoquer les dernières heures qu'il a passées avec sa femme et ses deux enfants en Belgique, quelque part dans les anciens Pays-Bas autrichiens[179]. Au dernier moment, m'a-t-il dit, il a hésité entre le suicide dans la Meuse et son projet de fuite. Il m'a dit aussi que ce qui le faisait le plus souffrir, c'était de se souvenir indistinctement de ses deux petits garçons, de ne pouvoir imaginer nettement les traits de leurs visages ou le timbre de leurs voix. H. de Heutz pleurait abondamment en me racontant son abominable vie.

C'est à ce moment précis que j'ai perçu un signe! Dès lors, tout s'est précipité avec une rapidité foudroyante; j'ai d'abord couru dans le bois de Coppet en me dirigeant vers ce que j'ai cru le centre même de cette forêt. Au bout de quelques minutes de cette course effrénée, je suis arrivé sur un promontoire qui domine le village de Coppet. Là, dans ce paysage éblouissant, jusqu'au-dessus de l'eau turquoise et face au Roc d'Enfer qui se tient debout en avant du groupe enchevêtré des grands massifs, j'ai prêté l'oreille: aucun bruit ne m'a paru suspect, du moins parmi ceux que je percevais. En tâtant ma poche-revolver, je constatai que j'avais gardé avec moi le jeu de clés de l'Opel. De toute façon, H. de Heutz n'en avait plus besoin : il était monté tout simplement dans l'auto de l'autre. Il m'a semblé un moment (me suis-je trompé ?) que l'autre était une femme : sans doute, celle qui marchait au bras de H. de Heutz dans les rues de Genève et qui a disparu soudain comme par enchantement. Comment en être certain ? Je n'ai fait qu'apercevoir l'auto : je l'ai devinée plus encore que je ne l'ai vue. Elle a presque jailli derrière moi silencieusement, sur la petite route. C'est au sourire de H. de Heutz que j'ai pressenti l'événement ; c'est son regard qui m'a fait réagir plus encore que le glissement des pneus sur l'asphalte et le vrombissement imperceptible du moteur. J'ai soudain compris que j'étais cerné. Et dès lors, je n'avais pas le choix : cette intrusion soudaine m'obligeait à exécuter H. de Heutz devant un témoin et, au pire, m'exposait au tir imprévisible de l'intrus. Je me suis retourné, j'ai vu l'auto glisser derrière les feuilles, et l'autre au volant : une femme. J'ai d'abord vu des cheveux blonds. Mais comment se fier à une vision si fugace, taxée d'avance par tant de circonstances hallucinogènes ? Les cheveux blonds étaient sans doute un effet secondaire de l'éclat du soleil et de mon éblouissement, à telle enseigne d'ailleurs que je ne saurais affirmer que l'autre est une femme et que cette femme, improbable, a une chevelure blonde. Vision fugace déformée par le danger, ce qu'il m'en souvient est vague et incertain, à moins que la peur ne rende le regard suraigu ! Enfin... Quand j'ai entendu le claquement d'une porte d'auto, j'ai vite compris que je ne pouvais prendre la fuite dans l'Opel sans surgir au beau milieu du champ de vision de

l'inconnue et lui servir de cible mouvante. J'ai gardé H.
de Heutz en joue, tout en contournant l'auto par le côté
opposé. Une fois rendu devant la grille du moteur, je me
trouvais déjà en meilleure position. H. de Heutz se tenait
devant moi, au beau milieu de l'espace historique[180] où
allait apparaître incessamment la silhouette de l'autre. Les
secondes galopaient plus vite que mes idées. Je suis venu
à un cheveu de presser la gâchette et d'en finir avec H. de
Heutz. Mais que serait-il arrivé l'instant d'après ? L'autre,
cette femme blonde, se trouvait postée tout près de moi,
mais je ne savais pas exactement où : je la sentais seulement. Si j'avais tué H. de Heutz à la hâte, l'autre m'aurait
vidé son chargeur dans la tête et je me serais effondré
à contretemps. Avant de perdre ma direction dans ce
courant précipité de possibles et d'impondérables, j'ai
esquissé un mouvement de retraite, sur la pointe des pieds
tout d'abord, en tenant mon arme pointée sur H. de Heutz
qui me regardait ; puis, m'étant dégagé suffisamment pour
amortir le bruit de mes pas, je me suis mis à courir vers
ce que j'ai cru être le cœur de la forêt pour me trouver
enfin, après quelques minutes d'un sprint épuisant, dans
cet observatoire naturel qui surplombe le village de Coppet,
face au temple éventré des Dents du Midi, seul enfin,
absolument seul et ne sachant trop encore si j'étais menacé ou impuni, mais conscient à coup sûr que H. de
Heutz ne se trouvait plus à portée de tir de mon arme et
que, après avoir évité de justesse un second piège, je me
trouvais avoir doublement échoué dans ma mission. H. de
Heutz n'était pas mort. Et l'échéance maintenant plus
rapprochée de ma rencontre avec K me hantait.

Une heure sonnait à la mairie de Coppet. Un bien-être insensé m'inondait quand même en cet instant et je respirais à pleins poumons l'air frais qu'un vent léger transportait vers les vignobles de l'arrière-pays. Un calme profond régnait partout autour de moi. Ce plein midi vaporeux inclinait à la douceur et au repos. Une lumière diffuse baignait la vallée du Rhône et l'architecture déchaînée du paysage qui se déroule autour de Coppet en autant de styles qu'il y a d'époques qui se superposent, depuis les cultures récentes de la vallée méridionale jusqu'aux têtes de plis de la haute antiquité glaciaire. Posté sur ce promontoire, capable d'un seul regard de saisir la trouée sauvage qui, de la Furka jusqu'à Viège, de Viège à Martigny en passant par le couloir escarpé du Haut-Valais a sculpté impétueusement les versants, les crêtes et les murs de granit qui n'en finissent plus de se déchiqueter en hauteur et de s'entremêler dans une étreinte calcaire depuis le Haut de Cry jusqu'à la Dent de Morcles, je contemplais l'incomparable écriture de ce chef-d'œuvre anonyme fait de débris, d'avalanches, de zébrures morainiques et des éclats mal taillés d'une genèse impitoyable. J'ai regardé longuement ce paysage interrompu qui se déploie en un cirque évasé depuis les contreforts des Alpes bernoises jusqu'aux cimes glorieuses des massifs valaisans et des Alpes pennines. Puis j'ai fait quelques pas sur le promontoire et j'ai dévalé un petit sentier qui m'a conduit à Coppet, sur une petite place bornée au sud par la fuite grandiose de l'eau du Rhône et celle, imperceptible, des montagnes flottantes. Autour de cette place minuscule, des boutiques s'offraient au passant. Repris par mon appétit à la vue d'une devanture de charcutier, je pris la décision de prendre un bon déjeuner. L'horloge de la mairie marquait une heure dix. Et je mis quelques minutes à peine, en suivant la Grand-Rue, à rejoindre le centre de Coppet.

Je me suis arrêté finalement à l'Auberge des Émigrés[181] dont l'arrière donne sur le lac et la façade sur la Grand-Rue. J'ai choisi une table à deux tout près de la fenêtre, si bien que je me trouvais assis à contre-courant du Rhône, face au gouffre alluvionnaire encastré dans ses parois d'aiguilles et de massifs cristallins. Réjoui de m'attabler enfin après tant d'heures de chasse et de contrechasse, je me suis senti exempté soudain de toute inquiétude au sujet de H. de Heutz. J'aurai tout le temps d'y repenser efficacement, me suis-je dit, quand j'aurai quelque chose dans l'estomac. J'ai d'abord commandé des crêpes fourrées au jambon avec un gratin d'emmenthal et une bouteille de Réserve du Vidôme. J'étais en bonne voie. L'Auberge des Émigrés est un endroit fort sympathique ; je m'y trouvais presque seul. Un couple au fond parlait anglais. La saveur fruitée de ce vin blanc des coteaux d'Yvorne acheva de me convaincre que j'avais pris une bonne décision en venant m'attabler au restaurant ; de toute façon, il fallait que je mange car je n'aurais pu maintenir beaucoup plus longtemps le rythme affolant de cette course à relais avec l'hagiographe de Scipion l'Africain. Oubliant pour un moment que l'apparition magique d'une femme blonde au volant d'une auto m'avait empêché d'en finir avec H. de Heutz, je me suis attaqué aux crêpes fourrées avec fébrilité, m'interrompant de temps en temps pour avaler une gorgée de ce vin blanc fruité que j'avais eu le bonne idée de me faire servir. L'esprit ne manquerait pas de me revenir après un bon repas. Et c'était tout à fait succulent! Après les crêpes, ce fut un poulet sauté du Mont Noir arrosé d'une sauce épaisse, avec quoi j'ai commandé un Château Puidoux du meilleur cru. Le temps cessant de me comprimer, je me laissais aller au plaisir de manger et de boire, et à celui, non moins grisant, de me trouver sur un balcon au-dessus du lac, dans ce paysage antique qu'il me plaisait d'habiter en transit et de parcourir follement dans ses moindres plissements. Ce collège de montagnes et cette vallée grandiose, depuis plus de quarante-huit heures, je m'y étais perdu mille fois sans jamais m'en détacher. L'axe seul avait changé depuis l'instant où j'avais retrouvé la femme que j'aime près de la place de la Riponne.

Et c'est ce même lac immobile, aperçu à l'aube suivante, qui a coulé en nous après douze mois de séparation et que nous avons retrouvé hier, au sortir de notre caresse, à l'heure où le soleil incline vers la Dent du Chat et la Grande Chartreuse. En deux jours d'une course lente de la place de la Riponne à l'Hôtel d'Angleterre, du Château d'Ouchy à la Tour-de-Peilz, de Clarens à Yvorne et à Aigle, d'Aigle à Château-d'Œx, en passant par le col des Mosses, de Château-d'Œx à Carouge, puis d'Échandens à Genève et de Genève à Coppet, je n'ai fait que circonscrire la même voûte renversée, tournant ainsi autour du grand lit fluviatile qui me subjugue en ce moment même, alors que je m'abandonne à la course effusive des mots...

12.

Quand j'ai attaqué la tomme de Savoie et la petite pointe de vacherin, tout en buvant un Côtes-du-Rhône, il était déjà une heure quarante-cinq ; et près de deux heures cinq, quand j'ai avalé d'un trait un verre de Williamine[182] pour me remettre d'aplomb avant de quitter ce restaurant que je ne suis pas près d'oublier. Dans la Grand-Rue de Coppet, tout était paisible. J'ai fait quelques pas sur le trottoir, en bon touriste. Dégagé de toute obsession et immunisé par l'effet des vins et de la Williamine, contre le dénommé H. de Heutz, j'ai goûté le pur plaisir de flâner doucement sans presser le pas, comme j'aimais le faire chaque matin à Leysin pour aller acheter *La Gazette de Lausanne* chez Trumpler, après quoi je montais jusqu'à la gare de la crémaillère d'où je pouvais contempler, accoudé à la balustrade, le réseau des grandes Alpes depuis le Pic Chaussy jusqu'au grand Muveran, puis, à l'arrière-plan juste devant moi, le Tour Noir, les Chardonnets, l'Aiguille du Druz et les Dents du Midi, et, sur ma droite, dans une enfilade fuyant vers le sud, la Crête de Linges, les Cornettes de Bise, les Jumelles et une sorte d'écran brumeux qui, par sa condensation, me permettait de situer le lac Léman. Cette même cordillère violentée me cernait encore alors

107

que je flânais dans la Grand-Rue de Coppet, insouciant et heureux.

Je me suis arrêté à la devanture d'un libraire : une photo de Charles-Ferdinand Ramuz s'y trouvait exposée au milieu d'exemplaires de *Derborence* et de *la Beauté sur la terre*[183]. Je suis entré dans la librairie, par curiosité, et sans doute parce que je voulais retarder le moment de n'avoir plus rien d'autre à faire que de penser à H. de Heutz. L'intérieur de la boutique donnait une impression de sérénité. Les livres couvraient les murs : disposés proprement et classés par collections, ils formaient ainsi des taches géométriques de couleurs et de formats différents. Je pris soin de prévenir le libraire que je ne cherchais rien de précis ; et il ne manqua pas de m'inviter aimablement à bouquiner à mon gré. J'ai d'abord tiré d'un rayon le *Guide bleu de la Suisse* et me suis empressé de l'ouvrir à Coppet. Je croyais y trouver un diagramme à petite échelle de Coppet, à l'aide duquel j'aurais pu situer ma position, celle de l'Opel demeurée à l'orée du bois, et aussi reconstituer le trajet que j'avais parcouru dans la petite forêt pour déboucher enfin sur le promontoire. Rien de cela ; mais une foule de renseignements au sujet de la famille Necker et de Madame de Staël qui fut mise en résidence surveillée dans son propre château[184]. Je remis le *Guide bleu* sur son rayon, comme si j'avais décidé entre-temps de ne plus circuler en Suisse. Conscient que le temps s'en allait et que je faisais mine de ne pas m'en apercevoir, je ne m'intéressais pas vraiment aux titres que je faisais défiler sous mes yeux. Soudain, je me suis adressé au libraire :

— Pardon, monsieur... Je cherche un ouvrage historique sur César et les Helvètes, par un auteur qui se nomme H. de Heutz...

— H. de Heutz... Il me semble que j'ai vu ce nom-là quelque part.

Le libraire se mit à chercher dans ses rayons avec une application systématique.

— Vous connaissez peut-être la maison d'édition ?

— Non, je regrette.

— Ce nom de Heutz me dit quelque chose...

Il était déjà deux heures et demie lorsque j'ai conçu mon plan d'action. J'ai mis la main dans ma poche, tout en feignant de prospecter les ouvrages historiques, et j'ai dénombré les clés sans les exhiber. Ma décision était prise. Puis comme je voyais bien que le libraire avait encore plus de difficulté que moi à trouver les œuvres de H. de Heutz, je l'ai remercié de ses efforts. Par politesse, j'ai pris le premier livre qui m'est tombé sous la main, *Notre agent à La Havane* de Greene[185], que j'ai payé sur-le-champ, pressé déjà de me trouver dehors et de passer à l'action. Une fois sur le trottoir de la Grand-Rue, j'ai cherché en vain un taxi. Puis je me suis engagé résolument en direction de la gare. Avant même d'y arriver, j'ai hélé un taxi qui stoppa.

— Au château !

C'est en donnant cet ordre que je repris instantanément possession de toutes mes forces. Affalé sur la banquette, je songeais avec une certitude bienfaisante que j'allais enfin arriver à un résultat positif et, par un coup de maître, estourbir H. de Heutz, après quoi, libre comme l'air, j'irais rejoindre K à la terrasse de l'Hôtel d'Angleterre. Après quelques minutes, le taxi s'arrêta à la grille du parc des Necker[186]. Pour laisser le temps au chauffeur de faire volte-face et de reprendre la direction du village, je fis semblant d'examiner la façade vétuste du château et la grille en fer forgé qui en interdit l'entrée. Aussitôt que le taxi fut sorti de mon champ de vision, je me suis mis à marcher comme un promeneur solitaire[187] sur l'étroit chemin qui forme un coude et longe la lisière de la forêt. Personne autour. Le bruissement des feuilles, le chant des oiseaux et celui du vent de moraine emplissaient le silence pastoral de la nature. La petite forme bleue de l'Opel m'est apparue soudain à travers un bouquet d'arbres. Je me suis immobilisé quelques secondes à l'affût d'un froissement insolite qui m'aurait averti d'une présence ennemie. Mais rien ne sonnait faux dans le murmure égal de cette belle journée d'été. J'ai fait quelques pas, prudemment, dans la forêt et me suis retrouvé à l'endroit même d'où je m'étais enfui quelques heures plus tôt. Le coffre-arrière de l'auto était resté ouvert : son volet à ressort oscillait faiblement dans le vent. Je le fermai, sans pouvoir éviter de faire un grand bruit. Je n'eus aucune difficulté à repérer la clé, modèle GM[188], que je glissai dans la bobine de contact pour lancer la petite Opel sur la route.

Le trousseau à chaînette contenait quatre clés en tout : je n'aurais donc qu'à faire jouer les trois autres clés dans la serrure du château d'Échandens. Une des trois, à coup sûr, devait donner accès au château où j'avais décidé de

retourner. Une fouille, même hâtive, me révélerait sûrement quelque chose et je finirais peut-être par y faire des
découvertes qui nous seraient utiles pour démasquer nos
ennemis. De plus, en m'introduisant dans ce château, je
déjouais toutes les prévisions de H. de Heutz qui finirait
bien par surgir dans mon aire visuelle comme une cible
parfaite et figée de stupeur. Une seule précaution à prendre en pénétrant dans le parc du château : masquer parfaitement l'Opel bleue, dans le garage, de préférence, puisque l'autre en avait retiré l'auto qui m'a escorté jusqu'à
Genève et qui est passée dans mon dos à l'instant même
où j'allais tuer H. de Heutz. Depuis, H. de Heutz et son
associée à la chevelure blonde doivent me chercher non
sans une pointe de rage. De guerre lasse, ils finiront bien
par revenir à leur château sans se douter que c'est précisément là, dans leur redoute, que je me suis réfugié. Ma
stratégie ne peut que les déconcerter : dans le genre, c'est
un petit chef-d'œuvre. Le cabriolet Opel bleu prussien me
servira de cheval de Troie pour investir la citadelle ennemie. Moi, agent révolutionnaire par deux fois pris au
dépourvu, j'étais en quelque sorte déguisé en H. de Heutz,
revêtu de sa cuirasse bleue, muni de ses fausses identités
et porteur de ses clés héraldiques. Et j'allais m'introduire,
sous son espèce, dans le grand salon et tourner le dos, à
mon tour, aux Dents du Midi qui, ce matin, s'illuminaient
au-delà des grandes portes-fenêtres. Chose certaine, mon
projet tient du défi en cela même qu'il peut sembler, selon
la logique courante de notre métier, l'initiative contre-
indiquée par excellence. Dans cette allure illogique réside
toutefois sa qualité redoutable : c'est le contre-déguise-
ment ! Oui, j'innove. Je ne me déguise plus en branche

d'arbre, ni en promeneur inoffensif, ni en touriste bardé
de caméras chargées ; je me déguise en victime du meurtre foudroyant que je vais commettre. Je prends sa place
au volant d'une Opel bleue, je serai bientôt dans ses
meubles : c'est tout juste si je ne me mets pas dans sa
peau...

Pendant que je discourais ainsi sur certaines modalités
pratiques de l'exécution de H. de Heutz alias Carl von
Ryndt alias François-Marc de Saugy, la route de Coppet
à Rolle me donnait une perception fugace de l'autre
rive du lac, véritable archipel de rochers et de banquises
noires. De l'autre côté, la France immobile courait vers
l'embouchure d'un fleuve que je remontais à vive allure.
Aussitôt que la route se dégageait un peu, je poussais le
moteur à fond et je faisais hurler ses révolutions internes.
De Rolle à Aubonne, d'Aubonne à Renens, j'ai roulé
comme un grand. Puis, peu de temps après avoir quitté
Renens en direction d'Échandens, j'ai aperçu, à travers les
champs, la forme dentelée du château, camouflée à demi
par un bouquet d'arbres : masse sombre, disproportionnée
au petit village d'Échandens tout blotti autour de ce
monstre énigmatique. J'ai rangé l'auto en douce sur l'ac-
cotement de la route ; j'ai même coupé le contact. En fait,
j'avais le trac. Avant d'entrer en scène, j'étais soudain la
proie d'une agitation incontrôlable. Une sainte frousse me
retenait dans l'habitacle de l'Opel, alors même que je me
trouvais dans une zone dangereuse, en un point où les
gens de la région, n'importe qui, identifieraient la petite
Opel bleue et se surprendraient de ne pas reconnaître son
propriétaire au volant. Le cheval de Troie[189] a galopé de

nuit ; et moi, je rêvais de réaliser le même exploit en plein jour et par ce beau soleil. Pure folie ! Échandens c'est petit : tout le village serait au courant de la présence d'un inconnu dans son enceinte. Mon stratagème ressemblait singulièrement à la roulette russe.

Je me suis attardé interminablement à cet endroit, non loin du château, plus près encore des premières maisons du village. Une émotion indéfinissable — à moins que ce ne soit la peur — me retenait là, à deux pas du danger, dans un état de somnolence : celle-ci, bien sûr, était un effet de la chaleur et de ma fatigue, plus encore que le symptôme de mon trac. Je restais là, inapte à brusquer l'événement, privé de la certitude aveuglante qui pousse à l'action. Je coulais dans une asthénie oblitérante comme dans un lit moelleux, sans opposer la moindre résistance à cette béatitude générale. Posté ainsi à la périphérie d'un champ de bataille, je ne surveillais rien d'autre que la progression de mon engourdissement et que ma dérive dans le fluide hypnotique du temps mort. Je demeurais immobile sous le toit surchauffé par le soleil, le regard perdu dans cette plaine soulevée dont on ne sait plus si elle est le versant du Jura ou celui des Préalpes. Je n'étais plus résolu à avancer sur cette route qui s'engouffre en coude dans Échandens ; j'étais incapable d'accommoder mon esprit sur un autre objet que la paralysie qui le gagnait.

Je n'avance plus. La commotion, à vrai dire, ne me frappe pas : son impact même se décompose en une infinité de césures dont l'amplitude grandit en même temps qu'augmente leur fréquence. La lenteur s'installe solennellement en moi avec des gestes surmultipliés et sous la forme d'une chute extasiée. Encerclé dans une coque d'acier, je suis immobile comme un prêtre védique ; et je m'attarde religieusement sur ma route, à deux pas de la scène où je dois apparaître. Je n'hésite pas, j'agonise plutôt comme si j'étais piqué par une noire cantharide. Rien ne survient plus à l'horizon : ni les Alpes fribourgeoises, ni les dômes du Jura, ni l'espoir de sortir indemne de toute cette affaire. Rien, pas même la certitude que dans un certain nombre de jours je pourrai circuler librement, marcher dans la foule au hasard entre les vitrines de chez Morgan et celles de la rue Peel. Non, je ne sais même pas si je pourrai flâner, à mon gré, pendant quelques heures ou pendant des jours, ne rien faire et improviser ma propre inaction, en choisir moi-même les modalités et le lieu : hésiter entre le Café Martin et le Beaver Club, prendre mon temps au bar du Holiday Inn entre un Cutty Sark[190] et les yeux cernés de la femme que j'aime. L'hésitation même serait mouvement. Mais je ne bouge plus, je plane immobile, gorgé de souvenirs et d'incertitudes, dans une eau venimeuse. Rien ne défile plus comme au jour de notre fête nationale : mon pare-brise m'ouvre toujours la même tranche du plateau vaudois où se trouve un château où je ne vais pas. Et je garde entre lui et moi une distance égale à celle qui me sépare de notre chambre du 24 juin. Il fait aussi chaud en moi ce soir que dans la campagne étouffante d'Échandens et sur ce lit encombré de coussins où nous avons inauguré une saison tragique. Il fait aussi chaud en moi que ce soir-là, alors qu'un séisme secret faisait frissonner toute la ville dans nos deux corps convulsés. Je regarde immobile mon propre néant qui défile au passé ; immobile, je le suis comme le château d'Échandens que j'aperçois de ma place, immobile comme la neige qui ensevelissait notre premier baiser. Le réel autour de moi, en moi, me distance : mille cristaux éblouis se substituent à la fuite du temps. Je suis arrêté dans ma course. Rien n'avance, sinon ma main hypocrite sur le papier. Et de ce mouvement résiduaire qui s'éternise, j'induis l'oscillation cervicale qui le commande, onde larvaire qui survit imperceptiblement pendant le coma et le contredit, puisqu'elle contient le principe même de son contraire. Mon écriture courbée témoigne d'une genèse seconde qui, réduite à zéro, ne l'est pas tout à fait pour la seule raison que ma main ne s'arrête pas de courir. Donc, ma torpeur n'est rien qu'une mort subite et passagère. À partir du trajet vibratoire de ma main, je déduis qu'un fleuve démentiel se décharge dans ma veine céphalique et charrie, dans son tumulte, mes noms, toutes mes enfances, mes échecs et ce qui reste des nuits d'amour. Ce filet impur qui jaillit sur le papier me transporte tout entier, dans le désordre d'une fuite. Nil incertain qui cherche sa bouche, ce courant d'impulsion m'écrit sur le sable le long des pages qui me séparent encore du delta funèbre[191]. En avant de moi m'attendent les actes inédits : des châteaux, des femmes, des heures et des siècles ; m'attendent aussi des chapitres entiers sur la guérilla en plein Montréal et la chronique, suicide par suicide, de notre révolution hésitante.

Arrêté ici en bordure d'une route cantonale, dans cette campagne ruisselante de soleil et de sérénité, face à mes avenirs, couvert de honte et de passé défini, mais mû encore ne serait-ce que par le flot d'inconscience qui déferle, je décide, par décret révolutionnaire unilatéral, de mettre fin à l'ataraxie qui m'a cloué tout ce temps sur la banquette avant de la petite Opel bleue. Et si je ne distingue pas encore mon trajet futur, sinon peut-être dans l'image que m'en offre cette route qui s'incurve en direction du village d'Échandens et du château, je comprends qu'il me suffit de me remettre en mouvement et de suivre les courbes manuscrites pour réinventer mon récit. En fait, rien ne m'empêche désormais d'avoir déjà franchi la courte distance qui me séparait tantôt du château d'Échandens et de me poster à une fenêtre de cette chère prison d'époque (puisque, de toute façon, j'y suis), après avoir traversé le village sans voir un chat et mis l'auto dans le garage. Je viens aussi de faire le tour du propriétaire, Mauser en main, pour m'assurer qu'il n'y avait aucun fondé de pouvoir caché dans une des nombreuses pièces du château. Tout est désert ; et je n'ai détecté, pendant cette visite, un peu rapide il est vrai, aucun objet mystérieux : poste émetteur, micro ou système d'interphone. En redescendant l'escalier à vis en pierres de taille, j'ai pris la précaution d'ouvrir la porte intérieure qui conduit du hall d'entrée au garage. C'est en quelque sorte ma sortie de secours. Il me suffira donc, pour m'échapper en beauté, de passer par la porte étroite, d'aller actionner le levier de la porte à glissière du garage, de sauter prestement dans la petite Opel bleue et d'en tourner la clé de contact que j'ai laissée, à cet escient, engagée dans la bobine Neiman[192].

13

Cela me fait drôle de me trouver seul dans cette grande demeure. Dans chaque pièce que j'ai parcourue au galop, je n'ai pu m'empêcher de découvrir des objets d'art, plus ou moins mis en évidence. Je me trouve en ce moment dans le grand salon où, ce matin même, j'ai passé un mauvais moment avec H. de Heutz. Plus apte à regarder paisiblement ce qui m'entoure, je ne cesse d'admirer le buffet à deux corps Louis XIII[193]. C'est une pièce vraiment remarquable: le corps supérieur, beaucoup plus étroit que son suppôt, s'ouvre par une seule porte à médaillon sur lequel figure un guerrier nu. Bois de cercueil ambré, cette surface ridée de bas-reliefs et de frises me séduit comme la peau d'une inconnue. J'ouvre la porte à médaillon qui grince en tournant sur sa queue-de-rat. Mais un bruit second se surimpressionne soudain à ce grincement. J'interromps mon geste: j'écoute. Car si l'autre bruit témoigne d'une présence ennemie dans les murs du château, il doit forcément être accompagné de bruits consécutifs dont la somme devrait m'indiquer la provenance; à moins toutefois qu'on réponde à mon attente silencieuse par un effort de silence et qu'on cherche, d'autre part, à identifier le bruit strident que j'ai produit en faisant pivoter la porte à médaillon du buffet Louis XIII. Rien n'arrive. Et je m'empresse de mettre sur le compte d'une juste nervosité ma brève hallucination sonore. Je continue de faire tourner la porte : à l'intérieur du corps supérieur du buffet, il n'y a absolument rien. Étrange. J'ausculte le corps du guerrier nu : très beau ! J'admire sa forme élancée en équilibre instable et le port majestueux de sa tête. Contre qui se jette-t-il ainsi en brandissant, comme arme unique, sa lance à outrance ? Tout autour du médaillon, une frise sculptée tient lieu d'arc de triomphe au guerrier. Deux cariatides encadrent la porte à médaillon et donnent au corps supérieur du buffet l'aspect d'un tabernacle profane posé sur son autel. Le guerrier solitaire y est dieu. Oui, ce buffet est vraiment remarquable. Je demeure en extase devant sa masse close qui se tient à l'entrée du salon et que je n'avais même pas vue ce matin, car je lui tournais le dos pour faire face à H. de Heutz. Je laisse mes doigts frôler les bulbes lisses des cariatides et je caresse les vêtements sculptés de ce buffet vide. C'est ici vraiment que j'aimerais habiter. Cette profusion de meubles et d'objets, cet ensemble habité m'apparaît maintenant dans toute sa luminosité. Dire que H. de Heutz demeure ici ! Son histoire d'enfants abandonnés à Liège n'est qu'une imposture d'occasion, une sorte de monologue pris au hasard à partir de la première trame donnée (la mienne, en l'occurrence) et poussée jusqu'au bout de l'invraisemblance par mesure de vraisemblance, car, une fois engagé dans son inextricable épopée, comment pouvait-il changer d'intrigue ou de personnage sans m'armer résolument contre lui ?

Comme il doit faire bon habiter ici et disposer de cette grande pièce éclairée par la vallée du Rhône, pour se reposer de l'affreuse promiscuité urbaine. Ici, la vie ne doit plus être toujours le même acte répété avec lassitude et fatigue : c'est sûrement autre chose ! Voilà la grande armoire italienne que j'avais remarquée ce matin : quel chef-d'œuvre ! Ces anges en marqueterie m'enchantent : je les aime d'amour. Dehors, le plein après-midi emplit tout d'une lumière aveuglante qui rend l'alpe diffuse, quand je la regarde par les portes-fenêtres tendues d'un mince rideau de mousseline. Je m'assois dans un fauteuil à l'officier, bas sur pattes, très confortable. Ainsi, de ce point de vue en contre-plongée à grand angulaire, le salon où je me complais me semble encore plus séduisant. J'ai peine à ne pas me conformer à cet intérieur qui invite au repos. La furie qui m'a propulsé depuis Ouchy jusqu'à Château-d'Œx, du col des Mosses sur le pont Jean-Jacques-Rousseau[194], des rues étroites de Carouge dans ce salon, puis d'Échandens à Genève et à Coppet, semble pour le moins inappropriée à ce décor charmeur que je regarde paresseusement. Je me laisse aller, sans danger d'ailleurs, puisqu'au moindre cliquetis de serrure, je n'ai que quelques pas à faire pour me retrouver à la porte du garage qui se trouve dans le hall, vis-à-vis de la porte de sortie. Je fais feu sur H. de Heutz et je bondis dans l'auto. Ce n'est qu'une question de rapidité et de précision, et là-dessus, je suis sûr de moi.

Je peux donc me laisser aller un peu, à condition toutefois de ne jamais quitter le rez-de-chaussée. D'ailleurs depuis

que j'ai inventorié les deux étages du dessus et que j'y ai
obtenu la certitude qu'il n'y a personne au château, je
peux donc, dans la paix de l'esprit, me poster dans ce
grand salon que je continue d'habiter avec un plaisir in-
lassable. J'attends. C'est une simple question de temps.
H. de Heutz et la femme blonde qui est venue le sauver ont
dû d'abord encercler les alentours du château de la ba-
ronne de Staël, sûrs que je ne pouvais pas me rendre bien
loin à pied. Après quelques patrouilles dans les parages,
ils ont sans doute agrandi leur rayon de surveillance,
sillonnant sans répit le village de Coppet ; du moins, un
des deux l'a fait, pendant que l'autre était posté à la gare
des Chemins de Fer Fédéraux. Avant même qu'ils arri-
vent à rajuster leurs méthodes de police, j'avais déjà eu le
temps de traverser le bois voisin du château, de prendre
quelques instants de répit sur le promontoire, avant de
rejoindre la Grand-Rue et de m'asseoir à une table avec
vue imprenable à l'Auberge des Émigrés. Au moment où
H. de Heutz et cette femme opéraient un quadrillage in-
tensif dans les alentours de Coppet, j'attaquais les crêpes
fourrées avec un gratin d'emmenthal et je vidais un
deuxième verre de Réserve du Vidôme. En choisissant de
me restaurer dans un moment si peu indiqué pour la détente, j'ai déjoué les calculs de mon adversaire ; j'ai
littéralement pulvérisé les théories les plus savantes qu'on
peut édifier pour empiéger un fugitif qui se meut à l'intérieur d'une circonférence réduite. Le temps que j'ai pris
pour savourer mon déjeuner à l'Auberge des Émigrés n'a
fait qu'accroître leur mystification, tellement d'ailleurs
qu'à la longue et de guerre lasse, H. de Heutz et son amie
se sont sans doute rendus à l'évidence que j'étais rigou-

reusement insaisissable et sont retournés, sans échanger un mot, pour m'attendre à Genève, à la place Simon-Goulart, croyant que j'atterrirais forcément là pour rentrer en possession de ma Volvo. Erreur ! Simon Goulart[195] lui-même a le temps de ressusciter et la Banque Arabe de sauter en l'air avant que je retourne sur ce petit square encombré d'Alpes. Moi, j'attends H. de Heutz assis dans ce fauteuil Louis XV qui me place juste au-dessus de la surface du lac que je vois briller au loin, à travers les rideaux-nuages. H. de Heutz me cherche, moi, je l'attends. J'ai plus de chances de le rencontrer ici que lui de m'apercevoir sur un banc de la place Simon-Goulart. Je savoure ma position.

Plus je la regarde, plus je m'éprends de la commode en laque revêtue de dalmatiques et sur laquelle se déroule un combat entre deux soldats en armure, dans une fulgurance de bleus dégradés et de vermeil. Sur la commode, un livre relié en peau de chagrin : *Histoire de Jules César. Guerre civile*, par le colonel Stoffel, Casimir Delavigne éditeur, Paris 1876[196]. Je prends le précieux exemplaire dans ma main et viens me rasseoir dans mon fauteuil, mais au lieu d'ouvrir le livre du colonel Stoffel, je détaille la somptueuse commode laquée, fasciné que je suis par ce combat violent et pourtant paisible qui orne ce meuble raffiné. Les deux guerriers, tendus l'un vers l'autre en des postures complémentaires, sont immobilisés par une sorte d'étreinte cruelle, duel à mort qui sert de revêtement lumineux au meuble sombre. Tout ici m'étonne. Chaque objet que H. de Heutz a choisi me séduit. Je remarque qu'il a accroché, juste au-dessus de la commode, une reproduction gravée, très rare, de *la Mort du général Wolfe* par Benjamin West, dont l'original se trouve à la Grosvenor Gallery chez le marquis de Westminster. Cette gravure vaut maintenant plus cher que le grand tableau qui appartient au marquis de Westminster. C'est un véritable chef-d'œuvre que le peintre a tiré lui-même de son tableau : il en existe très peu d'exemplaires, dont celui du palais de Buckingham, celui du Musée de Québec et un autre qui appartient au prince Esterhazy. H. de Heutz est un de ces êtres incroyables, millionnaire ou connaisseur, qui ne se trompe jamais. Cette réplique géniale de *la Mort du général Wolfe* que George III a déjà achetée quelques siècles avant que H. de Heutz ne fasse de même, me transporte [197] ! D'ailleurs le luxe remarquable et le bon goût de ce château me hissent à un niveau de hantise qui m'était inconnu : le plaisir d'habiter une maison peut donc ressembler à la complaisance ébahie que j'éprouve dans ce salon ample et majestueux. H. de Heutz vit dans un univers second qui ne m'a jamais été accessible, tandis que je poursuis mon exil chaotique dans des hôtels que je n'habite jamais. À travers la croisée de la porte-fenêtre, le paysage surabondant s'étale jusqu'aux parois brumeuses de la France, de l'autre côté du lac. Ah ! vraiment, je veux vivre ici, dans cette retraite empreinte de douceur et où s'exprime un vouloir-vivre antique qui ne s'est pas perdu. Une puissance sûre d'elle-même se cache derrrière ces signes immobiliers. Drapé dans ses époques et ses styles, ce salon se manifeste à moi de façon occulte. Oui, dans ces dorures effeuillées, dans la texture sombre de l'œuvre de Benjamin West et les lambris qui bordent le plancher à points de Hongrie, éclate une énigme troublante. Je cherche, entre la Régence et Henri II, parmi cette flambée de moulures festonnées et d'évocations, les composantes d'un homme que j'ai juré de tuer. Je déchiffre en vain la crypte lumineuse où il habite, mais la beauté de ce lieu m'emplit d'émotion.

H. de Heutz ne m'a jamais paru aussi mystérieux qu'en ce moment même, dans ce château qu'il hante élégamment. Mais l'homme que j'attends est-il bien l'agent ennemi que je dois faire disparaître froidement ? Cela me paraît incroyable, car l'homme qui demeure ici transcende avec éclat l'image que je me suis faite de ma victime. Autre chose que sa mission contre-révolutionnaire définit cet homme. Sa double identité est disproportionnée avec le rôle qu'il remplit : sa couverture a quelque chose d'exagéré qui inquiète à juste titre. Je suis aux prises avec un homme qui me dépasse. Celui qui a acheté ce buffet à deux corps, ce fauteuil à l'officier, la console aux deux guerriers, et qui a accroché au mur du salon *la Mort du général Wolfe* de Benjamin West, est-il bien le faux spécialiste de Scipion l'Africain que je tenais en joue non loin du château de Coppet ? Mais si ce n'est pas H. de Heutz qui demeure ici (lui ou Carl von Ryndt ou même ce lamentable François-Marc de Saugy, qu'importe !) et qui couvre son espace vital de tous ces ornements, qui donc est l'autre ? Son partenaire, son chef peut-être ou bien la femme aux cheveux blonds — mais sont-ils vraiment blonds ? — que j'ai aperçue tout près de moi ? Comment savoir ? Chose certaine, K m'a mis sur une piste absolument étonnante : les indications qu'elle m'a données se révèlent troublantes, en tout cas. Je brûle maintenant de lui raconter tout ce qui m'est arrivé depuis hier et de lui décrire l'inoubliable secret de ce château perdu dans la campagne vaudoise. Mais avant tout, je dois tuer H. de Heutz proprement, sans hésiter et, aussitôt fait, dégager l'Opel bleue du garage, prendre à droite sur la route qui traverse le village, presser l'accélérateur à fond et me diriger vers Lausanne en prenant à gauche une fois rendu à la fourche de Bussigny.

Tandis que je contemple la commode en laque sur laquelle agonisent en couleurs fauves deux guerriers enlacés, je feuillette machinalement le livre du colonel Stoffel que je tenais dans ma main. Ce livre relié avec art porte en page de garde un ex-libris anonyme, ce que je n'ai jamais vu sauf, bien sûr, dans les papeteries où l'on vend des ex-libris où le nom du propriétaire est laissé en blanc. Mais ce n'est pas le cas de celui-ci, plus indéchiffrable qu'anonyme à vrai dire. À la place du nom du propriétaire se trouve un dessin chargé qui s'enroule sur lui-même dans une série de boucles et de spires qui forment un nœud gordien, véritable agglomérat de plusieurs initiales surimprimées les unes sur les autres et selon tous les agencements graphiques possibles. Plus je plonge dans cette pieuvre emmêlée qui tient dans l'espace d'un timbre, plus me frappe le caractère prémédité de ce chef-d'œuvre de confusion. J'y dénombre une quantité incommensurable d'articulations ; et à mesure que je reconstitue les multiples agencements de ces lignes, je crois discerner des lettres de l'alphabet arabique. Il me semble reconnaître, dans ce nid d'entrelacs, les volutes et les empattements spiraloïdes des majuscules enluminées qui débutent[198] les sourates dans certains exemplaires persans du Coran. Pourtant, à force de scruter ce chiffre hermétique, je vois bien que, contre toutes les apparences, ce ne sont pas là des lettres de l'écriture arabe, mais les initiales mêmes de l'homme qui s'intéresse à l'*Histoire de Jules César, Guerre civile*, du colonel Stoffel. Entre cet ouvrage d'histoire militaire et la conférence que H. de Heutz a donnée hier soir à Genève sur la bataille de Genaba qui a opposé César aux braves Helvètes, il y a un lien incontestable, de même qu'il existe une corrélation probante entre l'homme qui habite ce château impossible et cet ex-libris faussement anonyme au fond duquel je cherche la clé d'une énigme. Il en est ainsi du château tout entier qui me mystifie non pas tellement en tant qu'habitacle, mais en tant que chiffre. Car ces coffres ciselés qui ne contiennent rien, ces médaillons qui reflètent des images de guerre et ce livre apparemment oublié qui raconte les combats de César, voilà autant d'initiales nouées inextricablement dans un fouillis hautain et fascinant. Tout cela porte une signature, celle de l'homme que j'attends.

Le plein après-midi s'écoule dans la campagne engourdie. J'en perçois l'éclat tamisé dans les portes-fenêtres à travers lesquelles je vois au loin les Alpes qui se désintègrent doucement dans les eaux bleuâtres du lac Léman. Immobile et vigilant, je fais le guet dans le camp ennemi. Revêtu des attributs ornementaires de H. de Heutz, entouré par les meubles qu'il a lui-même choisis et assis dans son fauteuil à l'officier non loin de *la Mort du général Wolfe*, je me suis constitué prisonnier de cet homme pour mieux l'approcher et enfin le tuer.

Je me demande bien dans quel repli a pu se dissimuler la femme blonde qui a été témoin de ma conversation de ce matin avec H. de Heutz. Dans le grand salon, c'est impraticable. Le seul endroit que je peux imaginer, c'est le hall d'entrée qui donne d'un côté sur l'entrée principale et de l'autre sur la porte du garage et l'escalier à vis qui conduit au premier. Quand je suis sorti du salon avec H. de Heutz à bout portant, c'est lui, de toute évidence, qui conduisait. Il m'a, ni plus ni moins, manœuvré en m'entraînant tout naturellement vers la porte principale. Et je n'ai même pas eu le flair de douter de sa probité comme guide, ni l'idée de jeter un coup d'œil vers l'autre extrémité du hall d'entrée ; mais l'aurais-je fait furtivement, de toute façon je n'aurais pas aperçu cette femme qui, par un simple mouvement de retrait, pouvait se rendre invisible, par exemple en se cachant derrière cette crédence massive qui se tient là. Elle a pu aisément se camoufler en se plaçant entre la crédence et l'ébrasement de la porte du garage. Je n'ai rien vu et je n'aurais pu rien voir. C'est à ce même endroit d'ailleurs, dans cette guérite de hasard, entre le meuble mithridatisé et la porte du garage, que je me posterai tout à l'heure à l'arrivée de H. de Heutz. Et si je veux devancer les événements, je n'ai qu'à surveiller l'entrée du parc, en me plaçant derrière ce larmier qui donne sur la façade du château et permet de voir entrer ou sortir une voiture. Entre le jour du larmier et la crédence, il n'y a que la largeur du hall, soit deux enjambées. Quand j'aurai vu l'auto de H. de Heutz s'arrêter tout près de l'entrée du château, je n'aurai qu'à franchir la largeur du hall pour me trouver derrière la crédence, prêt à ouvrir le feu sur l'ennemi. D'ici là, je n'ai pas grand-chose à faire, encore que ma liberté de mouvement se trouve réduite au rez-de-chaussée, plus précisément à l'intérieur d'une aire de vigie constituée par le triangle isocèle que je trace mentalement en tirant une ligne entre le larmier et la commode en laque aux guerriers enlacés, puis de la commode à la crédence et enfin de la crédence au larmier. Je peux donc évoluer très à l'aise dans cet espace euclidien, sans craindre d'être pris par surprise puisque de tous les points imaginables situés en dedans du triangle, je peux, en une fraction de seconde, rejoindre mon poste de tir, sur le flanc droit de la crédence. Je n'ai qu'à me prélasser en attendant H. de Heutz, alors même qu'il doit arpenter la place Simon-Goulart dans tous les sens, à telle enseigne même qu'il a pu attirer sur sa personne la suspicion d'un policier en faction, peut-être, ou encore la curiosité d'un caissier de la Banque Arabe. À force de flâner inconsidérément devant une banque, on risque bien de se faire inculper pour conspiration.

Mais j'ai mieux à faire que d'imaginer ce que H. de Heutz peut faire à Genève pendant que je l'attends dans son château d'Échandens, en arpentant le hall d'entrée et la zone prédéterminée du grand salon ; d'autant qu'à force d'imaginer mon adversaire dans une autre ville, je me prépare assez mal à son irruption subite. Je me suis suffisamment leurré au sujet de ses agissements jusqu'à présent. Avec lui, on ne sait jamais. Par conséquent, je dois me persuader de la totale imprévisibilité de H. de Heutz ; cela me tiendra plus en forme pour l'accueillir comme il convient que de passer mon temps, rêveusement, à le faire passer dans la grille assez défectueuse de mes intuitions.

Ce que je perçois de lui ne sera toujours qu'une infime portion de sa puissance. Ses épiphanies me déconcertent et me prennent invariablement au dépourvu. L'impression qu'il produit sur moi neutralise ma capacité de riposter. Pétri d'invraisemblance, H. de Heutz se meut dans la sorcellerie et le mystère. Son arme engainée sur sa poitrine n'est qu'une formalité : il puise sa force dans une arme secrète qui n'est peut-être, en dernière analyse, qu'une contre-feinte. Le guerrier enchâssé dans le médaillon du buffet Louis XIII n'a d'autre armure que sa beauté ; et sa plus grande force est peut-être de se présenter nu devant l'ennemi. La relation qui s'est établie entre H. de Heutz et moi me laisse songeur, depuis que je me suis introduit de plein gré dans ce beau repaire qu'il habite.

Je m'interdis pour le moment de prospecter les deux étages supérieurs. Mais quelque chose me dit que si j'y procédais à une fouille scientifique, au lieu d'un examen hâtif comme je l'ai fait en entrant, j'y trouverais sûrement tout un arsenal de documents, peut-être même les photos de sa femme et de ses deux garçons, des ouvrages d'histoire romaine aussi, des débris de correspondances avec des inconnues qui ne signent jamais leurs lettres d'amour que d'une initiale. Mais à vrai dire, je ne trouverais rien d'autre. Car les preuves de ses activités contre-révolutionnaires, les témoignages probants de sa collusion avec la R.C.M.P. et de ses activités bancaires secrètes en Suisse, ces pièces à conviction, je ne les trouverais sûrement pas. Je connais trop H. de Heutz. Chez lui, tout document révélateur doit être chiffré avec la grille de Villerège[199] et un contre-chiffre qui, par leur combinaison, confèrent une

illisibilité à toute épreuve. Ni les initiales de la gendarmerie royale, ni le sigle de la C.I.A., ni l'ombre d'un bordereau des comptes en banques où s'entassent les armes
virtuelles de notre révolution, je ne trouverais absolument
rien de cela ! En revanche, je perdrais une énergie inutile
à décoder le plan des fortifications romaines de la bataille
de Lérida[200] ou l'inventaire du mobilier funéraire du grand
pontife. Cette exhumation de dates et de noms ne m'ap-
porterait rien, mais ajouterait à l'impression de non-sens
que m'inflige tout ce qui entoure cet homme.

Ma montre s'est arrêtée à trois heures quinze. Je suis sûr
pourtant qu'il est beaucoup plus tard, ne serait-ce qu'en
me fiant au déclin du jour que je vois par les portes-
fenêtres. Il n'y a pas d'horloge ici et je suis au cœur de
la Suisse ! Comment savoir l'heure ? Cela m'importe, car
je ne veux pas manquer mon rendez-vous à la terrasse de
l'Hôtel d'Angleterre. Bah ! je n'ai qu'à utiliser le téléphone qui se trouve dans le hall et la demander au central.
Pourtant non ; il vaut mieux pas. Sait-on jamais ? L'appareil se trouve peut-être branché sur un standard spécial
situé Dieu sait où. Ce serait donner l'alerte au quartier
général de H. de Heutz. On n'est jamais trop prudent,
surtout que, de nos jours, le téléphone est devenu une
vraie place publique.

Je ne sais pas ce qui se passe en moi. Soudain j'ai des
sueurs. Il me prend une envie folle d'éclater, de hurler aux
loups et de donner des coups de pieds sur les murs lam-
brissés. Une angoisse intolérable s'empare de moi : le
temps qui me sépare de ma sentence m'épuise et me met

hors de moi. Toute ma force coule de ma bouche en une hémorragie de blasphèmes et de cris[201]. Enfin pourquoi dois-je éprouver de telles secousses devant le vide insensé que je ne suis plus capable d'affronter ? Je suis prisonnier ici ! Pourtant, je me suis librement glissé dans cette splendeur murée : je suis entré ici en tueur masqué. Mais soudain j'ai peur de ne jamais en sortir et que toutes les portes soient fermées à jamais. Mon propre avenir m'élance. Ce n'est plus une mélancolie passive qui me hante, mais la colère : rage folle, absolue, subite, presque sans objet ! J'ai envie de frapper au hasard, de trouer le guerrier nu d'une balle de revolver et de vider le restant du barillet dans le corps inférieur du buffet Louis XIII. La violence m'apaiserait un peu, il me semble : toute violence, n'importe quelle décharge de feu, toute forme d'éclat suivi d'un mouvement dans l'âme ! Tuer ! Tuer sans discernement et sans hésitation. Je suis hors de moi. Il me semble que je ne pourrai jamais plus sortir d'ici. Et tandis que l'après-midi lumineux oblique vers la Barre des Écrins, je suis enfermé avec mon mobilier funéraire. H. de Heutz n'arrive toujours pas, mais le temps passe, lui ! Bientôt — mais quand exactement ? — il sera l'heure d'aller rejoindre K. Je ne peux absolument pas manquer ce rendez-vous, car je n'ai pas la force d'affronter le vide qui m'attend si je ne revois pas K. Toute ma vie chancelle soudain sur la grande aiguille d'une horloge, et je n'ai pas l'heure ! Je sens seulement que je vais m'effondrer, si je ne suis pas en vue de la façade de l'Hôtel d'Angleterre à six heures et demie.

Peut-être suis-je emmuré ici pour tout le week-end[202], vraiment empiégé dans un cachot festonné, incapable de m'en évader ? Ce n'est pas possible pourtant ! Je refuse de continuer à vivre en subissant de tels accès de fureur. J'ai peur. Je trouve mille raisons de me calmer, pourtant cela ne m'apaise pas. J'ai peur parce que je suis seul et abandonné. Personne ne vient à moi, personne ne peut me rejoindre. Et qui, d'ailleurs, sait que je suis dans ce château, armé et mandaté pour abattre un homme et pour l'attendre indéfiniment. Des murailles se dressent autour de mon corps, des fers captent mon élan et cernent mon cœur : je suis devenu ce révolutionnaire voué à la tristesse et à l'inutile éclatement de sa rage d'enfant. Mon destin, enrobé d'un tissu de Damas et couvert de meubles imaginaires, se referme sur moi impitoyablement. C'est affreux de se retrouver aussi dépourvu, dans un château sonore et après seulement quelques heures de vertige, mais combien de minutes et de siècles à venir ? Je n'ai plus de force. J'avais donc édifié toute mon existence sur ce peu d'âme. Je me désintègre en éclats désordonnés. L'écoulement désastreux du temps et de ma puissance me fait frémir. Je suis sans ressource au milieu de cette galerie d'emblèmes oniriques. Rien ne m'accroche plus à celui qui hante cette maison. J'attends. Ah ! je vendrais mon âme pour savoir quand cessera cette attente, à quelle heure précise je pourrai m'évader d'ici dans une poussière triomphale, et engager l'Opel bleue sur la route en direction de l'Hôtel d'Angleterre. Le vide qui m'entoure semble émaner de mon existence démantelée. La révolution m'a mangé. Rien ne subsiste en moi hors de mon attente et de ma lassitude. Que l'événement se produise ! Qu'il ne m'abandonne pas aussi longtemps à moi-même dans ce château insaisissable ! Oui, que l'événement m'emplisse à nouveau et se substitue à ma fatigue... Je veux vivre foudroyé, sans répit et sans une seule minute de silence ! Enfanter le tumulte, m'emplir de guerre et de conjuration, me consumer dans les préparatifs interminables d'un combat, tel sera mon avenir !

Dans cet espace encombré des souvenirs de H. de Heutz, je suis la proie d'un courant d'impulsion qui m'emplit de terreur et d'enfance. Sous l'assaut de cette décharge ténébreuse, je cesse d'être un homme. Les larmes anciennes vont couler de mes yeux. Trois jours de réclusion dans un motel totémique[203] n'ont pas vidé toutes les larmes de mon corps. Mes échecs ne m'ont pas durci. Seule la progression impétueuse de la révolution m'engendre à nouveau. Tout à l'heure, à six heures trente, dans le fond de la vallée alpestre, c'est la révolution qui m'emportera vers la femme que j'aime. C'est la révolution qui nous a unis dans un lit géant juste au-dessus du fleuve natal, comme elle nous a réunis, après douze mois de séparation, dans une chambre de l'Hôtel d'Angleterre... Ah ! je n'en peux plus de ce musée obscur où je m'éternise, guerrier nu et désemparé. J'attends H. de Heutz la mort dans l'âme. La mémoire bancaire se fêle et fond dans la noirceur des larmes. L'acte tant attendu finit par sembler impossible. La violence m'a brisé avant que j'aie le temps de la ré- pandre. Je n'ai plus d'énergie ; ma propre désolation m'écrase. J'agonise sans style, comme mes frères anciens de Saint-Eustache. Je suis un peuple défait qui marche en désordre dans les rues qui passent en dessous de notre couche...

Comment s'emparer[204] du vent froid qui m'engourdit et nommer le mal indéfini qui me fait chanceler ? Mon amour, à moi ! J'ai peur de ne pas me rendre jusqu'au bout ; je fléchis. Tu me détesteras si tu apprends ma faiblesse, la voici quand même, l'inévitable face de ma lâcheté ! Le cœur me manque. Incertaine, la révolution me flétrit : ce n'est pas moi qui suis indigne, c'est elle qui me trahit et m'abandonne ! Ah ! que l'événement survienne enfin et engendre ce chaos qui m'est vie ! Éclate événement, fais mentir ma lâcheté, détrompe-moi ! Vite, car je suis sur le point de céder à la fatigue historique[205]... Je me tiens ici, sans ennemi et sans raison, loin de la violence matricielle, loin de la rive éblouissante du fleuve. J'ai besoin de H. de Heutz. S'il n'arrive pas, que vais-je devenir ? Quand il n'est pas devant moi, en personne, j'oublie que je veux le tuer et je ne ressens plus la nécessité aveuglante de notre entreprise. Cet intervalle dans un château finira par avoir raison de moi. L'acte solitaire s'embrume avec la progression invérifiable de cet après-midi perdu. Nul projet ne résiste à l'obscuration[206] implacable de l'attente. Quelle heure est-il ? Je ne sais toujours pas.

H.

Un chaînon manque au protocole meurtrier qui doit me ramener à la terrasse de l'Hôtel d'Angleterre : le cadavre de H. de Heutz. Sans lui, je reste échoué dans son château qui m'est détresse. Tout doit survenir dans cet espace encombré de meubles, que j'explore sans cesse. La porte s'ouvrira : je l'aurai pressenti au déclic de la serrure. H. de Heutz mettra le pied sans le savoir sur notre champ de bataille, dans cette zone étroite qui sépare mon point de tir du seuil de la grande porte.

Et si H. de Heutz ne revenait pas ? Et si la révolution ne venait jamais bouleverser nos existences ? Qu'adviendrait-il de nous, alors ? Et qu'aurions-nous à nous raconter ce soir à six heures et demie quand nous nous reverrons à la terrasse de l'Hôtel d'Angleterre ?

Je me demande si j'ai bien fait de partir le premier dans le bois de Coppet, alors que je tenais H. de Heutz devant moi. J'aurais mieux fait de l'obliger à marcher devant moi vers le milieu de l'espace boisé. De cette façon, il n'aurait pas tenté de m'échapper : un seul geste de sa part et je

135

tirais. Et après, j'aurais pu fuir à travers le bois jusqu'au promontoire et dévaler le sentier qui m'a conduit à cette petite place, enfiler la Grand-Rue jusqu'à l'Auberge des Émigrés[207] où je me serais offert l'excellent déjeuner arrosé des vins blancs des cantons de Vaud et du Valais : et même, pour fêter ma victoire, j'aurais sûrement prolongé ce repas par deux ou trois rasades de Williamine des coteaux d'Hérémence, tout près d'Évolène et de ce chalet valaisan que je rêve d'acheter un jour pour y abriter notre amour. J'ai fait une erreur certaine en me sauvant à l'apparition de la femme blonde qui venait au secours de H. de Heutz et qui n'a pas cessé de me suivre tout au long de mon trajet d'Échandens à Genève et de la place Simon-Goulart jusqu'à cette petite route qui tourne en coude après le château de Coppet. Cela ne fait aucun doute : j'ai perdu l'initiative à ce moment et, dès lors, le temps que j'avais gagné auparavant a commencé de se tourner contre moi. Les coordonnées de l'intrigue se sont emmêlées. J'ai perdu le fil de mon histoire, et me voici rendu au milieu d'un chapitre que je ne sais plus comment finir.

Dehors, la saison pleine décroît. En un seul après-midi, c'est tout l'été qui m'échappe et se tourne majestueusement vers l'occident. La tristesse du temps en allé se mêle à mon indécision et m'alanguit. Ce n'est pas seulement la belle saison qui court vers les Grandes Jorasses, mais ma jeunesse et notre histoire qui a commencé un printemps sur la route d'Acton Vale à Richmond, quand nous allions à ce rendez-vous clandestin et alors que le soleil décadent effleurait d'une lueur tragique les derniers vestiges de la neige qui était tombée doucement, en même temps que nous, dans le premier lit où nous nous sommes aimés. L'histoire de la révolution de notre pays s'emmêle dans celle de nos étreintes éperdues et de nos nuits d'amour. Les premiers éclats du F.L.Q.[208] ont lié nos vies. Partout ensemble, nus mais secrets, unis à nos frères dans la ré-volution et le silence, c'est dans l'odeur de la poudre que nous avons appris les gestes exaltés de la volupté et le cri. Champ de tir démesuré, le sol enneigé de notre pays nous raconte notre amour. Les noms impurs de nos villes redi-sent l'infinie conquête que j'ai réapprise en te conquérant, mon amour, par mes caresses imprécises, délirantes et des jeux de mort. Ton pays natal m'engendre révolutionnaire : sur ton étendue lyrique, je me couche et je vis. Au fond de ton ventre de nuit, je frappe en m'évanouissant de joie, et je trouve la terre meurtrie et chaude de notre invention nationale. Mon amour, tu m'es sol natal[209] que je prends à pleines mains, sol obscur fuyant que je féconde et où je me bats à mourir, inventeur orgueilleux d'une guérilla infinie. Sur cette route des Cantons de l'Est, entre Acton Vale et Richmond, tout près de Durham-Sud, et partout où nous sommes allés, à Saint-Zotique-de-Kostka[210], aux Éboulements, à Rimouski, à Sherbrooke, à La Malbaie pendant trois jours et trois nuits, à Saint-Eustache et à Saint-Denis[211], nous n'avons jamais cessé de préparer la guerre de notre libération, mêlant notre intimité délivrée au secret terrible de la nation qui éclate, la violence armée à celle des heures que nous avons passées à nous aimer. Enlacés, éblouis dans un pays en détresse, nous avons roulé en un seul baiser, d'un bout à l'autre de notre lit enneigé. Ce n'est pas l'évasion que nous avons cherchée de ville en ville, mais la fraternité absolue de la révolution. Ce n'est pas la solitude qui a nourri notre passion, mais de sentir un fleuve de frères marcher tout près de nous et se préparer maladroitement au combat. Le bruit de leurs pas martelait nos fureurs, et leur tristesse gonflait nos corps. Pendant que mes doigts froissaient ta robe, nous avons écouté leurs respirations nombreuses. Notre amour décalque, en son déroulement, le calendrier noir de la révolution que j'attends follement, que j'appelle de ton nom ! Notre amour prépare une insurrection, nos nuits de baisers et de délire sont des étapes fulgurantes d'événements à venir. En même temps que nous cédons au spasme de la nuit, nos frères sont terrassés par le même événement sacrilège qui fond nos deux corps en une synthèse lyrique.

15.

Pendant que le soleil incline vers mon échéance et que la lumière diminue dans la vallée, je m'épuise, entouré de meubles vides et de silence, inquiet, presque enclin au spleen, car je suis loin des vallonnements de Durham-Sud et des méandres de la rivière Saint-François, exilé de la Nation[212] et de ma vie. Je circule dans l'ample musée de ma clandestinité, loin de la proclamation d'indépendance du Bas-Canada[213] et de la plaine fertile qui s'étend entre Saint-Charles et Saint-Ours[214], loin, trop loin de la route 22 que nous avons parcourue de nuit sous la pluie battante. Je n'entends pas d'ici les bouzoukia de la rue Prince-Arthur, ni l'orchestre antillais de Pointe-Claire[215]. Et je ne vois plus la neige qui n'a pas fini de tomber sur notre enfance, comme elle enveloppe éternellement les Aiguilles Rouges et les Dents sombres du Midi.

Le duel à mort entre les deux guerriers de laque a pris soudain les teintes fauves de la peur. La surface qu'ils occupent se couvre de reflets funèbres. Le double de Ferragus[216] habite ici. Ces meubles ciselés avec art, ces cercueils sculptés ou recouverts de marqueterie et *la Mort du général Wolfe* indiquent l'identité redoutable du maître des lieux. Celui qui se meut dans la splendeur sarcophale de cette demeure et qui connaît le chiffre de l'ex-libris de l'*Histoire de César* et l'énigme dans laquelle je m'enroule, cet homme m'échappe infiniment! L'auteur de ce cryptogramme de fausses rencontres et d'ambiguïtés me cherche plus encore que je ne l'ai poursuivi. Une obsession trouble m'incorpore à sa fugacité. Pendant qu'il me cherche, je glisse mon arme sous son armure : je découvre son flanc nu et sa chair étale de guerrier. C'est sa peau même que je touche de mes doigts fébriles quand j'effleure le velours de Gênes qui revêt la texture indécente de sa présence réelle[217] qui m'est révélée par la surface voilée du guerrier nu. Notre rencontre évitée tant de fois progresse selon des mensurations inédites. Plus il m'échappe, plus je me rapproche de lui. Et si la plaine où nous nous déplaçons semble s'agrandir entre l'Arve et la Sarine, le lieu de notre prochain rendez-vous s'est concentré entre la crédence Henri II et la porte à deux vantaux, champ de bataille réel bordé au sud par la grande armoire italienne et la commode de laque, et au nord par la cimaise qui longe le hall depuis la porte d'entrée jusqu'à la retombée de plafond sous laquelle se trouve la porte déjà ouverte qui communique avec le garage, et par où je partirai. Depuis hier soir je poursuis H. de Heutz. Je sens enfin que je suis sur le point de me trouver de nouveau face à lui. Je demeure assis dans son fauteuil à l'officier, au centre même de son existence; secrètement je suis entré en lui, me mêlant indistinctement aux guerriers qui revêtent ses meubles et au général Wolfe[218] qui agonise devant Québec.

C'est lui ! Le vrombissement sourd d'une auto, un froissement de gravier dans l'entrée ; c'est lui ! De mon point de
surveillance derrière le larmier, j'aperçois le train arrière
d'une auto grise à indicatif du canton de Zurich. En fait,
je suis arrivé trop tard pour voir l'auto entrer dans la cour
du château, tant pis ! Ce n'est pas le moment de me poser
des questions à propos de tout et de rien. Je passe à l'action ; je traverse le hall pour rejoindre mon point d'attaque. Je presse de ma main la crosse du revolver que j'ai
gardé dans ma ceinture. Et je m'adosse au mur froid du
château, mon épaule à la hauteur d'une grappe de raisins
sculptée, en haut-relief, sur la crédence qui me cache
entièrement. H. de Heutz va bientôt ouvrir la porte à deux
vantaux. À ma droite, je vois le garage par où je gagnerai
instantanément l'instrument de ma fuite. Le temps est
venu. Aucun bruit ne témoigne encore que H. de Heutz
est rendu sous le porche. Je n'entends strictement rien, et
cela n'est pas sans m'inquiéter. J'aurais mieux fait
d'ouvrir le jour du larmier, ce qui m'aurait permis d'entendre ce qui se passe dehors ; peut-être même aurais-je
pu incliner le volet supérieur de la porte pour percevoir
clairement les bruits prémonitoires de l'irruption de l'ennemi dans mon champ de tir. Mais je ne bouge plus. Les
extrémités de mes doigts sont glacées par la poussée effrénée du sang à mes tempes. Pas un geste, pas de bruit
non plus, même pas celui de ma respiration. Tout est silence. L'attente me tient dans une verticalité frissonnante.
Très doucement, je sors le 45 de sa gaine improvisée.
Avec des gestes précis, je le place à la hauteur de ma
poitrine, canon pointé vers la grappe de raisins en vieux

bois. Je dégage le cran d'arrêt, et voilà, je n'ai plus qu'à
attendre quelques secondes. Je n'essaierai nullement de
rester caché pour tirer sur H. de Heutz, car ma position
derrière la crédence n'offre pas assez de garanties d'efficacité. Je sortirai d'un bond hors de mon repli, et je pro-
fiterai de l'effet de surprise produit sur H. de Heutz pour
stabiliser ma position d'attaque, équilibrer ma main armée
par mon poing gauche tendu et rigoureusement parallèle
au bras de lance. Somme toute, je dois me concentrer sur
la mire du canon et ne penser qu'à ma cible, sans me
préoccuper de parer un tir de riposte que H. de Heutz
n'aura pas le temps d'ouvrir.

Mais qu'est-ce qu'il peut bien faire? Le temps qu'il faut
pour se rendre de l'auto grise à la porte s'est écoulé;
pourtant je n'entends rien. Il est trop tard pour traverser le
hall à nouveau et jeter un coup d'œil par le larmier. S'il
me surprenait ainsi, je me trouverais déséquilibré au départ et ayant perdu les quelques fractions de seconde qui
assurent mon avantage et sans lesquelles je serais moins
certain de bien viser H. de Heutz. Je n'ai pas de second
choix à faire, depuis que j'ai délimité ce champ de bataille
après avoir analysé la conformation de l'espace. Quelle
heure peut-il bien être? L'air se déplace d'un coup! Il est
entré, mais n'a pas encore refermé la porte. Il fait deux
pas. Il n'a toujours pas refermé la porte; peut-être attend-
il que l'autre le rejoigne. Mais pourquoi s'arrête-t-il? Le
bruit cristallin du téléphone me rassure. Rien ne s'est
encore passé entre nous. H. de Heutz ne bougera pas aussi
longtemps que durera sa conversation téléphonique. Si

son correspondant ne répond pas à l'autre bout, j'inter-
viens tout de suite.

— Allô! c'est toi, mon amour? J'arrive seulement. J'ai
passé une journée incroyable... Tu ne peux pas savoir; je
te raconterai tout ça plus tard. De ton côté, est-ce qu'il y
a du neuf?... Tu crois que je peux me fier à lui?... Mais
non, je ne l'ai jamais vu, j'en suis sûr. Sais-tu, j'aimerais
te rencontrer pour mettre toute cette affaire au point, tu
me comprends?... Ce soir, enfin tout à l'heure: le temps
qu'il me faut pour me rendre. Disons à six heures trente
à la terrasse de l'Hôtel d'Angleterre... Mais il faut absolument que je te voie: c'est urgent. L'autre, tu peux sûrement le remettre ou régler cela en quelques minutes...
Écoute: je m'installerai à une table tout près de l'orchestre, de toute façon il ne me connaît pas. Quand tu en auras
fini avec lui, tu viendras me rejoindre... Il faut que tu
comprennes. Je n'en peux plus, mon amour. Toute cette
histoire tourne très mal pour moi. J'ai peur; oui, je redoute le pire... Il faut absolument que je te voie tout à
l'heure... Écoute: n'oublie surtout pas la couleur du
papier et le code, tu comprends? Tu trouveras cela dans
le récit de la bataille d'Uxellodunum par Stoffel, page
218 [219]... Maintenant, dis-moi: où sont les enfants [220]?

16

Je n'entends plus rien. Sa voix s'aggrave dans mon souvenir, tandis que le vaudaire souffle dans mes cheveux et
que j'erre seul autour du Château d'Ouchy. Sous l'eau
assombrie du lac, mon proche orient coule vers la prison
de Montréal. Je m'attarde sur la rive enchantée. Je regarde
la gradation étagée des rues de Lausanne, qu'une nuit
nous avons parcourues de haut en bas depuis la place de
la Riponne jusqu'au quai d'Ouchy, en descendant la rue
des Escaliers-du-Marché qui serpente, pavée, sur un des
bras séchés de la Thièle. La ville maintenant est tout illuminée ; l'autre nuit elle s'éteignait dans l'aube augurale
qui coulait de notre lit. Le château d'Échandens s'oblitère
dans l'eau sombre, tandis que je me promène et que je
longe, pour la millième fois, la terrasse de l'Hôtel d'Angleterre. Il s'est passé peu de temps entre le moment où
j'ai quitté le château de H. de Heutz et celui où je suis
arrivé à la terrasse de l'Hôtel d'Angleterre, mais en retard,
pour y rencontrer K. Elle était partie. Il commence déjà à
faire nuit ; un orchestre, installé à l'extrémité de la terrasse, attaque les premiers accords de *Desafinado* [221]. Des
passants sont groupés sur le trottoir pour écouter. Il faut

dire aussi que la terrasse est pleine de clients, débordante. Encore une fois, je m'approche des tables et je regarde tous ces visages qui ne me disent rien. K n'est pas là, mais je reviens quand même — sait-on jamais ? — car elle pourrait revenir. *Desafinado* me fait chavirer dans l'évidence cruelle : j'ai perdu mon amour ! Et je ne sais même pas comment la retracer en Suisse : elle devait peut-être, dès ce soir, repartir pour Berne ou Zurich. Comment la rejoindre ? Je ne connais pas sa couverture ni celle de son bureau. Je reste là hébété, dévisageant avec tristesse toute cette foule insouciante, et tous ces amoureux dont les genoux se frôlent sous les tables et qui se sont rejoints, eux. Ils sont nombreux. Je ne puis m'empêcher de leur reconnaître une beauté merveilleuse du seul fait qu'ils sont réunis, tandis que j'arrive ici trop tard pour rejoindre la femme que j'ai tenue dans mes bras hier, à l'approche du jour, derrière ces volets clos qui surplombent l'orchestre et toute la vallée du Rhône. Oui, c'est juste là, dans cette chambre que je regarde fixement, que nous nous sommes aimés. Que c'était merveilleux ! K, nue et chaude, s'est étendue près de moi... Vraiment nous étions beaux, enchaînés l'un à l'autre, réunis enfin après tant de malentendus et de mois perdus. Déjà, en d'autres temps, j'ai aimé des femmes, j'ai cru les aimer, mais tous mes souvenirs se sont fondus dans le ventre brûlant de K.

Je me tiens debout, près de la terrasse, tournant le dos aux Alpes de Savoie qui se déplacent dans l'ombre, et je sais que j'ai perdu la femme que j'aime. J'ai vécu pour la rencontrer et je meurs inutilement d'amour. Où es-tu, mon amour ? Pourquoi nous sommes-nous quittés après l'aube

incandescente qui a jailli de notre étreinte ? Pourquoi, sur
le bord du lac ajourné, avons-nous réinventé cette révolution qui nous a brisés, puis réunis, et qui me paraît impossible, ce soir même, alors que je fais le guet dans cette
foule hantée et que l'orchestre joue *Desafinado* ? La révolution souterraine nous brise une fois de plus, au fond de
notre exil, sur la terrasse de cet Hôtel d'Angleterre que
j'aime et où je loge infiniment comme le poète mort à
Missolonghi. Mon amour, tu es belle, plus belle vraiment
que toutes ces femmes que je dévisage avec méthode. Ta
beauté éclate de puissance et de joie. Ton corps nu me
redit que je suis né à la vraie vie et que je désire follement
ce que j'aime. Tes cheveux blonds ressemblent au fleuve
noir[222] qui coule dans mon dos et me cerne. Je t'aime telle
que tu m'es apparue l'autre nuit, quand je marchais vers
la place de la Riponne, pleine et invincible ; et je t'aime
tumultueuse quand tu cries nos plaisirs. Je t'aime drapée
de noir ou d'écarlate, enrobée de safran, couverte d'un
voile blanc, vêtue de paroles et transfigurée par le choc
sombre de nos deux corps. Le vaudaire qui emmêle tendrement tes cheveux blonds m'apporte l'odeur de ta chair,
mais où es-tu ? Ce vent secret vient-il du lac ou bien de
la plaine chaude d'Échandens d'où j'arrive, moi aussi,
mais trop tard ? Ah ! je délire maintenant que je t'ai perdue. J'ai le sentiment de frôler ta peau moite et de m'eni-
vrer de ton odeur secrète. Je me souviens aussi d'un appel
interurbain que j'ai fait du Lord Simcoe, à Toronto[223] ; et
je me sens de nouveau menacé dans cette chambre funèbre où je suis emprisonné par la nausée et la terreur.
Quelque chose vient de se briser : l'interruption vient de
se produire et je ne sais plus comment te parler. Je voudrais

te dire : viens, suis-moi, nous vivrons ensemble, mais j'ai quarante-huit dollars dans mon porte-monnaie, même pas de quoi te payer un aller sur le prochain vol pour Malton[224]. Les événements ont raison de nous et me brisent en mille morceaux disjoints. Je deviens bègue dans ce lit du Lord Simcoe. Toronto s'engloutit dans l'amnésie adriatique[225]. Tu t'éclipses et personne ne m'a dit qu'un jour à Lausanne... Combien se passera-t-il de mois avant que je te retrouve, mon amour, et au fond de quelle ville que je ne connais pas encore où nous aura exilés le futur incertain ? La prochaine fois, mais après combien d'angoisses nouvelles et de nuits perdues ? Je te rencontrerai peut-être à Babylone, le long de *Rashid Avenue* [226] ou bien au pays de ce cher Hamidou (de qui j'ai perdu trace), dans la médina de Dakar, à moins que ce ne soit sous une moustiquaire de l'Hôtel N'Gor ; dans Alger peut-être ou encore à Carthage, près du palais présidentiel de Bourguiba[227]... Il se peut aussi que je ne te rencontre jamais plus.

Je me tiens immobile au milieu de cette foule hagarde qui attend notre apparition fulgurante à la fenêtre de la chambre. Mais tu n'es pas là... Ce soir même, je commence ma vie sans toi. Depuis que je sais que je t'ai perdue, je vieillis vertigineusement. Ma jeunesse s'enfuit avec toi : des siècles et des siècles sont gravés sur mon corps inerte. Les gens me regardent, sans doute à cause de cette érosion soudaine qui s'imprime sur mon visage, et peut-être aussi parce que je pleure. Notre histoire finit mal en moi. Il fait noir. Tout meurt si je t'ai perdue, mon amour. Je marche parmi cette foule heureuse qui m'exaspère. Ce n'est pas toi qui m'abandonnes, c'est la vie. Ce n'est sûrement pas toi, n'est-ce pas ? On ne voit rien sur le lac : une nuit absolue m'abrite et s'installe entre nous définitivement.

Je marche en pays étranger comme un homme qui vient de te perdre après t'avoir retrouvée par hasard et dans la joie, dans une rue de Lausanne et au fond d'un lit romantique à l'Hôtel d'Angleterre. J'entends au loin les accords de *Desafinado* [228], pendant que je m'éloigne de la terrasse d'Angleterre sans même me retourner. Je n'ai plus de pays, on m'a oublié [229]. Les Alpes déchirées, dont j'aperçois la crénelure sombre de l'autre côté du lac, ne m'ensorcellent plus. Ce que nous avons aimé ensemble n'a plus de sens, même la vie. Même la guerre hélas ! depuis que j'ai perdu contact avec ta chair souveraine, toi mon seul pays ! J'habite désormais la nuit glaciaire. Je ne possède rien, sinon une arme devenue dérisoire et des souvenirs qui me désamorcent. Où es-tu, mon amour ? Les arbres gonflés de noirceur se dressent autour du Château d'Ouchy et le long du quai où nous avons flâné tous les deux, à la tombée du jour. C'était hier soir. Au loin, je perçois un bruit confus de musique désaccordée et de foule rieuse. Je n'ai pas tué H. de Heutz. Je me demande même par quelle coïncidence bouleversante il voulait lui aussi se rendre à la terrasse de l'Hôtel d'Angleterre à six heures trente pour y rencontrer une femme — la blonde, peut-être ? à qui il a parlé au téléphone. Mais il ne se rendra jamais à son rendez-vous. À moins peut-être qu'il n'arrive en retard, comme moi. Car si j'ai logé une balle dans son épaule, il a peut-être trouvé le moyen de se faire panser, puis de prendre l'auto grise à indicatif du canton de Zurich en la conduisant d'un seul bras, pour se rendre à Ouchy. À l'instant même, il arrrive peut-être devant la terrasse bruyante que je viens de quitter.

Cette supposition me dérange. Je reviens sur mes pas. S'il est là, je veux le revoir, mais surtout je veux voir la blonde inconnue à qui il a donné rendez-vous par téléphone, juste avant notre échange de coups de feu. Je presse le pas. Je retourne sûrement en vain, car cette femme blonde s'est lassée d'attendre H. de Heutz. Elle est partie. Et H. de Heutz sera seul et désemparé, lui aussi. L'animation est toujours aussi grande sur la terrasse; les passants s'arrêtent pour écouter une musique qui ne me dit rien. Je reviens une fois de plus vers l'Hôtel d'Angleterre, avec l'espoir immotivé d'y retrouver K qui, elle aussi peut-être et par désespoir, est revenue à la terrasse en espérant que mon absence n'ait été qu'un retard. Des couples d'amoureux enlacés par la taille se promènent nonchalamment tout près de la rive du lac, projetant leur émotion dans le paysage insondable qui m'emplit de désolation. Me voici sur le trottoir, du côté des hôtels riverains qui regardent le lac. Je m'approche de la terrasse de l'Hôtel d'Angleterre, le cœur battant. Je bouscule les gens qui m'empêchent de voir. Je regarde tous les visages. Je scrute le fond de la terrasse. Tout près de l'orchestre, j'aperçois une chevelure blonde. Qui est-ce? Son visage m'est dérobé. Elle parle à un homme, mais ce n'est pas H. de Heutz. Je balaie du regard ce quadrilatère surpeuplé : toutes les femmes blondes arrêtent mon attention, mais ce n'est jamais toi! On pourrait croire que Lausanne n'enfante que des blondes. Je n'en ai jamais vu un si grand nombre. Mais décidément, K est absente. J'espère en vain ; je meurs mille fois à mesure que mon regard découvre une tête blonde. Ah ! j'ai toujours vécu, comme en ce moment, à la limite de l'intolérable... Ce soir, toutes ces chevelures blondes me font mal, car toi, tu n'es pas là et je te cherche désespérément. Je constate que c'est peine perdue : il n'y a plus aucun signe de ma vie antérieure sur la terrasse enchantée de cet hôtel. C'est à croire que je n'y suis jamais venu avec K, que je cède à l'empire d'une belle hallucination et que l'Hôtel d'Angleterre n'existe que dans mon cerveau consumé, à la manière du château vaudois où j'ai passé ma vie à attendre un certain banquier qui s'occupe des guerres africaines de César et abandonne ses deux fils à Liège pour dévaliser toutes les banques de Suisse ! Je délire silencieusement au milieu du vacarme de cette terrasse emplie de gens qui m'observent comme un intrus. Je décide de me rendre au bureau de l'hôtel. J'ai de la difficulté à naviguer entre les tables, j'accroche tout le monde, je bute partout.

Immédiatement, le commis à la réception me reconnaît et me gratifie d'un large sourire.

— Tenez, monsieur (et il se souvient de mon nom), j'ai un message pour vous. Madame m'a prié de vous le remettre ; elle m'a dit que vous passeriez ici, de toute façon.

Le commis stylé me tend un pli cacheté, en papier bleu, adressé à personne.

— Si vous désirez une chambre pour cette nuit, je puis vous en offrir une avec vue sur le lac, celle-là même que vous avez occupée hier. Elle se trouve libre encore.

— Non, merci...

— Au revoir, monsieur...

De mes mains tremblantes, je décachette ce papier bleu, alors que je suis encore dans le hall. Je reconnais la belle écriture de K et je lis son dernier message : « Le patron a reçu un visiteur imprévu cet après-midi. Une affaire incroyable que je te raconterai bientôt. Opérations bancaires subitement bouleversées. Je pars ce soir pour le nord ; le patron, lui, va visiter des amis sur la Côte d'Azur. Quels que soient les résultats de ta démarche auprès du président de la banque, j'imagine que tu rentreras à Montréal pour voir à nos intérêts là-bas. Reviens. K. » En post-scriptum, elle a ajouté deux lignes : « Hamidou D. te fait ses amitiés. Le monde est petit... »

17.

Il s'est passé bien peu de temps entre ma promenade solitaire sur le bord du Léman et mon arrestation en plein été dans Montréal[230]. Après la lecture du message de K, tout s'est précipité en une succession désordonnée : mon départ de Lausanne, la mise à feu des quatre moteurs Rolls Royce du DC 8 de Swissair, le survol en boucle de la chaîne du Jura, le néant céleste interminable puis le passage des douanes fédérales à l'aéroport de Dorval[231]. Somme toute, il ne s'est rien passé entre ce départ et mon atterrissage forcé, sinon le temps que cela prend pour passer d'une ville à l'autre en super-réacté. À Montréal, je suis d'abord retourné au 267 ouest, rue Sherbrooke[232]. J'y ai retrouvé quelques chemises Hathaway à col échancré, des livres disposés çà et là et un sentiment aigu d'être de retour. Pendant ce temps, K se trouvait quelque part dans la brume hanséatique à Anvers ou Brême. Elle n'était pas avec moi ; j'étais redevenu un homme seul et privé d'amour. J'ai parcouru les journaux ; je n'y ai rien trouvé au sujet de nos « intérêts ». D'une cabine téléphonique, j'ai tenté de rejoindre mon contact : la téléphoniste (enregistrée) m'a dit et redit que le service était interrompu à

ce numéro. Bon. Quoi faire ? En y réfléchissant et pour
me réadapter plus vite, j'ai marché interminablement.
Bien sûr, je pouvais risquer de procéder irrégulièrement,
étant donné que je n'avais plus le moyen de téléphoner à
mon contact. C'était un risque à prendre ; après tout, il
fallait bien que j'établisse une liaison avec un des membres du réseau. J'ai décidé de m'adresser à M[233] en personne par téléphone. À ce moment-là, je flânais sur l'avenue des Pins à la hauteur du Mayfair Hospital[234] : je suis
redescendu par l'escalier de la rue Drummond[235], puis je
me suis rendu au Piccadilly pour prendre un King's
Ransom[236]. Après quoi, je me suis dirigé vers les cabines
qui se trouvent face au bureau de Québecair[237], dans le
hall de l'hôtel, et j'ai composé le numéro de M. Nous
avons tenu des propos abracadabrants pour les policiers
de la R.C.M.P.[238] qui sont affectés aux tables d'écoute,
mais qui avaient un sens pour nous deux : c'est ainsi que
j'ai appris, par ce langage hypercodé, que notre réseau
avait été court-circuité par l'escouade anti-terroriste et que
plusieurs agents en étaient à leur vingtième jour de détention à la prison de Montréal et, jamais deux sans trois, que
l'argent recueilli par nos spécialistes du prélèvement
fiscal faisait maintenant partie du budget consolidé du
gouvernement central[239]. Désastre, en conclusion, auquel
M avait échappé par miracle. Troublé par ces révélations
amphibologiques, j'ai bu un autre King's Ransom au bar
du Piccadilly. Le lendemain, j'ai vidé mon compte d'épar-
gne à la Toronto-Dominion Bank, 500 ouest rue Saint-
Jacques. J'ai empoché cent vingt-trois dollars en tout, de
quoi vivre huit jours sans luxe. De la cabine téléphonique
extérieure, en face de Nesbitt Thomson[240], j'ai fait un

autre appel à M, tel que convenu. Nous avons pris rendez-vous à midi juste dans la nef latérale de l'église Notre-Dame, tout près du tombeau de Jean-Jacques Olier ; bien sûr, nous n'avons évoqué ni le nom de cet illustre abbé, ni proféré celui de l'ancienne église dont le presbytère est contigu à la Bourse de Montréal[241].

Il était exactement onze heures quand je suis sorti de la cabine vitrée. Et comme j'avais une heure à tuer, je suis descendu, par la rue Saint-François-Xavier, jusqu'à la rue Craig, et je suis entré chez Menndellsohn[242]. J'adore cet endroit ; quand j'y pénètre, j'ai toujours le pressentiment que je vais découvrir la montre de poche du général Colborne ou le revolver avec lequel Papineau aurait mieux fait de se suicider[243]. J'ai d'abord admiré, sur ma gauche en entrant, la collection d'épées et de sabres, dont un cimeterre turc que j'aurais aimé pendre au-dessus de mon lit. Mais je savais, d'expérience, que le prix de leurs armes blanches est en général surélevé ; d'ailleurs, je connais le commis, il est intraitable. Il n'y a pas d'aubaine à faire avec lui. Je suis allé regarder les casques ; j'ai été tout particulièrement frappé par un armet Henri II, objet vétuste et d'un galbe vraiment impressionnant. On en demandait quarante dollars ; bien sûr, en marchandant un peu, je l'aurais eu à un prix moindre. Mais cela aurait quand même été une extravagance de ma part, étant donné ce qui me restait en poche. D'ailleurs, qu'est-ce que j'aurais fait de ce casque ? À côté, tout près, il y avait un bras d'armure au complet : gantelet, cubitière et brassard. C'était une pièce du XVIᵉ siècle, assez difficile à identifier, mais d'un gabarit étonnant. Ce bras disjoint, trempé dans le fer noir, avait une présence tragique et ressemblait au membre amputé d'un héros. Si je l'avais accroché au mur de l'appartement, je n'aurais pu le regarder sans éprouver un frisson. Pour fuir l'empressement du commis préposé aux armures, je suis revenu à l'avant de la boutique où se trouvent alignées, en vitrine, un nombre incroyable de montres de poche et de pièces d'horlogerie. Ces vieilles montres de poche m'ont toujours fasciné : j'aime aussi leurs boîtiers dorés à double volet, couverts d'arabesques et des initiales gravées de leurs anciens propriétaires. J'en ai regardé plusieurs, histoire de passer le temps. Finalement, j'ai avisé une montre de poche, en or terni mais finement ciselé au chiffre d'un mort anonyme. Ma décision était prise : j'ai sorti un billet de dix dollars. Mais le commis m'a rappelé qu'il fallait ajouter à cela le prix de la chaîne, ce qui faisait en tout douze dollars soixante-quinze. Bah ! ce n'était pas exorbitant ; et j'avais vraiment envie de posséder une montre de poche pour mesurer le temps perdu. Le boîtier, fait en Angleterre, contenait un mouvement suisse qui tournait avec une régularité éternelle. Je disposai les aiguilles à l'heure juste : il était exactement onze heures quarante-cinq. Mon temps était venu[244].

J'ai retrouvé la rue Craig, à nouveau, puis j'ai enfilé la pente raide de la rue Saint-Urbain en direction de la place d'Armes[245] que j'ai traversée en diagonale. Avant d'entrer à l'église, j'ai acheté un journal. Comme d'habitude, j'ai pris soin de revenir sur mes pas, en zigzaguant un peu, pour conjurer toute possibilité d'être filé. Je suis entré dans l'édifice Aldred, au 707[246], pour en ressortir aussitôt par la porte de la rue Notre-Dame. J'ai traversé la rue Notre-Dame en courant et je me suis trouvé, après quelques enjambées sportives, dans l'obscurité de l'église[247].

Le silence à l'intérieur avait quelque chose de terrifiant : j'étais soudain pris à la gorge par le mystère de cette forêt obscure[248] qui m'envoûtait. Mes pas résonnaient de tous côtés. Je me suis rendu jusqu'au croisillon, sans apercevoir personne dans ce temple désert, et sans entendre un seul autre bruit que l'écho multiplié de ma procession. Une pureté frémissante habitait ce lieu sacré. J'avais quelques secondes d'avance sur M ; en l'attendant, je me suis assis tout près de l'absidiole, abîmé dans le recueillement et la prière. Je me suis bien gardé de déplier mon journal, dans un excès de ferveur, alors même que je brûlais de l'éplucher rapidement pour voir si on y parlait des enquêtes préliminaires[249]. Quand M a fait son apparition en venant de l'autel vers moi (Dieu sait comment !), j'ai réprimé un mouvement d'émotion. Tout s'est passé tellement vite. J'ai perçu un bruit sur ma droite : la porte d'un confessionnal s'est ouverte. J'ai aperçu un homme vêtu correctement qui s'est empressé vers moi. Un autre individu, à ce moment-là, a semblé surgir de la croisée du transept. Il avait aussi une allure respectable. M et moi nous avons eu le temps d'échanger un regard désespéré, mais pas un seul mot. Ils nous ont entraînés vers le porche. Nous sommes sortis par l'escalier de la rue Saint-Sulpice, les menottes aux poignets. Une voiture non identifiée attendait ; nous sommes montés derrière, selon les directives des policiers. Le reste m'est connu : événement informel qui n'a cessé de s'inaccomplir depuis trois mois, suite ininterrom-pue de flétrissures et d'humiliations qui m'emporte dans la densité mortuaire de l'écrit.

Prisonnier mis au secret, transféré sournoisement dans un institut, presque oublié, je suis seul. Le temps a fui et continue de s'en aller, tandis que je coule ici dans un plasma de mots. J'attends un procès[250] dont je n'attends plus rien et une révolution qui me rendra tout... Ah! comme j'ai hâte de courir à nouveau dans l'immensité désœuvrée de mon pays pour te voir en chair, toi, mon amour, autrement que je te vois disparaître dans la frêle opacité du papier. Où es-tu? À Lausanne ou dans ton appartement de Tottenham Court Road[251]?...

Le temps interminable de l'emprisonnement me défait. Comment croire que je peux m'évader? J'ai essayé mille fois d'en sortir: il n'y a rien à faire. Un joint manque infailliblement à ma séquence d'évasion. De fait, une fin logique manquera toujours à ce livre. À ma vie, c'est la violence armée qui manque et notre triomphe éperdu. Et je brûle d'ajouter ce chapitre final à mon histoire privée. J'étouffe ici, dans la contre-grille de la névrose[252], tandis que je m'enduis d'encre et que, par la vitre imperméable, je frôle tes jambes qui m'emprisonnent. Mes souvenirs humectés me hantent. Je marche à nouveau sur le quai d'Ouchy, entre le château fantôme et l'Hôtel d'Angleterre. L'échec me revient avec le courant de décharge des actes inachevés et des lambeaux d'Alpes inertes. Quand je suis sorti en trombe du château d'Échandens, j'avais déjà tout gâché[253].

— … je m'installerai à une table tout près de l'orchestre, de toute façon il ne me connaît pas. Quand tu auras fini avec lui, tu viendras me rejoindre... Il faut que tu comprennes. Je n'en peux plus, mon amour. Toute cette histoire tourne très mal pour moi. J'ai peur ; oui, je redoute le pire. Il faut absolument que je te voie tout à l'heure...

Les mots d'ordre s'arrêtent dans sa bouche et m'emplissent d'un flot d'imprécision et de peur. Tout s'emmêle ; mon temps remémoré fuit défectueusement. Les gestes se désarticulent. Sur le point de bondir, j'attends interminablement le bon moment, le doigt appuyé sur la gâchette. D'un instant à l'autre, je vais sûrement trouver le mot qui me manque pour tirer sur H. de Heutz. Tout est mouvement ; pourtant je reste figé et j'attends, l'espace de quelques secondes, pour frapper juste.

— … j'ai peur ; oui, je redoute le pire. Il faut absolument que je te voie tout à l'heure... Écoute : n'oublie surtout pas la couleur du papier et le code, tu comprends ? Tu trouveras cela dans le récit de la bataille d'Uxellodunum[254] par Stoffel, page 218... Maintenant, dis-moi : où sont les enfants ?

À ces mots, j'ai bougé. Et au lieu de continuer à fond, j'ai brisé mon élan synergique : quelque chose a flanché en moi, mais H. de Heutz s'est aperçu de ma présence. Deux balles ont effleuré les moulures de la crédence Henri II, avant même que je me sois rétabli pour contre-attaquer. La fusillade intermittente qui s'est alors déroulée a rompu le rituel sacré de ma mise en scène : notre combat s'est accompli dans le désordre le plus honteux. J'ai la certitude d'avoir touché H. de Heutz au moins d'une balle ; mais je ne saurais affirmer que je l'ai tué. En vérité, je suis même certain de ne pas l'avoir tué ; d'ailleurs j'ignore même dans quelle partie du corps je l'ai blessé, car je me suis lancé vers la porte du garage sans me retourner. C'est alors que j'ai entendu l'autre détonation. Il s'est probablement écroulé par terre quand il a été frappé et c'est dans cette position qu'il a désespérément tenté de m'atteindre. À moins qu'il se soit accroupi derrière un meuble dans le seul but de se protéger et, par une telle feinte, m'obliger à me découvrir ? Chose certaine, j'ai franchi l'enceinte du château au volant de l'Opel bleue dans une finale enlevée et sans même protéger mes arrières. Après avoir raté tous mes effets, sauf ma fuite, je me suis retrouvé, au terme d'une course effrénée, devant la terrasse de l'Hôtel d'Angleterre. J'ai compris alors que ce n'est pas H. de Heutz que j'avais manqué, mais qu'en le manquant de peu, je venais de manquer mon rendez-vous et ma vie[255] tout entière.

K était repartie et je ne disposais d'aucun moyen d'entrer en contact avec elle. Désemparé par son absence, j'étais brisé, désespéré comme il n'est pas permis de l'être quand on entreprend une révolution. Longtemps j'ai erré dans les alentours de la terrasse de l'Hôtel d'Angleterre, avec le sentiment d'avoir tout gâché. Au mieux, j'avais blessé H. de Heutz à l'épaule, mais à quel prix ! Me voici, défait comme un peuple[256], plus inutile que tous mes frères : je suis cet homme anéanti qui tourne en rond sur les rivages du lac Léman. Je m'étends sur la page abrahame et je me couche à plat ventre pour agoniser dans le sang des mots... À tous les événements qui se sont déroulés, je cherche une fin logique, sans la trouver ! Je brûle d'en finir et d'apposer un point final à mon passé indéfini.

18.

La femme blonde qui gravitait autour de H. de Heutz me poursuit comme un cauchemar. Je ne l'ai pas vue de face ; à aucun moment je n'ai pu la regarder, si bien qu'il me serait impossible de l'identifier aujourd'hui. Le pouvoir qu'elle détient sur moi est aussi incertain qu'infini : je ne pourrai jamais la reconnaître. Elle m'est totalement inconnue. Et si je me mets à imaginer (mais cela ne tient pas debout !) que l'homme que j'ai tenté d'abattre dans un château seigneurial du canton de Vaud n'est pas H. de Heutz, je ne saurai jamais jusqu'où je me suis trompé, ni pourquoi cet homme m'a traité comme un ennemi. Non, cette hypothèse me conduit à l'inconnaissable pur, car je ne suis plus en mesure d'authentifier H. de Heutz...

Si K était avec moi, si je l'avais retrouvée comme convenu à six heures trente à la terrasse, si je lui avais fait une description de cet homme incroyable que j'ai troué d'une balle — près du cœur, je le souhaite ! —, elle me confirmerait que cet individu est bel et bien l'agent ennemi à triple identité[257], qui, à lui seul, pouvait faire échouer toutes nos opérations bancaires en Suisse. C'est

163

sûr : K me dirait que c'est bien H. de Heutz que j'ai attendu trop longtemps à Échandens. Maintenant, je pourris entre quatre murs qui ne me rappellent ni le château vaudois de H. de Heutz, ni la chambre que nous avons habitée passionnément à l'Hôtel d'Angleterre.

Si je n'avais pas épuisé mes forces à attendre H. de Heutz, je l'aurais tué avec précision et, une fois revenu à Lausanne, j'aurais fait une proposition de travail à K ; je lui aurais demandé de me mettre en contact avec le patron de son organisation, Pierre, effectuant ainsi une conjonction profitable entre nos deux réseaux. J'aurais exposé clairement ma position à Pierre (que je n'ai jamais rencontré, d'ailleurs) ; et il ne fait aucun doute que nous serions arrivés à nous entendre sur le plan tactique. Avec son accord, j'aurais été à même de travailler continuellement en liaison avec K, ce qui veut dire qu'à Lausanne ou Genève ou Karlsruhe, partout ! nous aurions fait l'amour à l'aube dans des chambres que Byron a occupées avant de s'engager dans la révolution nationale des Grecs[258]...

Mon retard à notre rendez-vous a été un désastre : dès cet instant, ma vie s'est fracturée. Je n'ai retrouvé, une fois revenu, qu'un message sibyllin que le commis à la réception m'a remis avec un sourire décourageant de greffier qui tend un *subpœna*. C'est curieux : je ne me suis même pas demandé si ce billet bleu n'était pas une machination ennemie dont le seul but était de précipiter mon retour à Montréal et, par voie de conséquence, ma capture dans une église. À aucun moment, je n'ai mis en doute l'authenticité de ce message ; et je ne me souviens pas de

m'être préoccupé d'identifier le graphisme de K, tellement j'étais accablé. D'ailleurs, qui aurait pu me laisser
un message cacheté à la réception de l'Hôtel d'Angleterre? Personne ne savait que nous devions nous rencontrer à six heures trente à la terrasse. Absolument personne.
Évidemment, l'allusion à Hamidou[259] me laisse songeur:
K le connaissait donc, mais comment pouvait-elle savoir
que je le connaissais? Et puis... plutôt que de céder à la
démoralisation comme je le fais en ce moment, je préfère
surseoir à l'analyse d'une suite d'événements dont je n'ai
pas le pouvoir, maintenant, de reconstituer la logique cau-
sale. Je verrai clair dans tout cela plus tard, quand j'aurai
retrouvé la femme que j'aime. D'ici là, je n'ai pas le droit
de me questionner à propos de tout et de rien, car, ce
faisant, j'obéis encore à H. de Heutz qui, tout au cours de
cette affaire, a utilisé tous les moyens imaginables pour
me faire douter. Je sens que chaque fois que je cède au
désenchantement, je continue de lui obéir et de me conformer au plan démoniaque qu'il a ourdi contre moi.

Mais tout n'est pas dit. En tout cas, je dois demeurer
invulnérable au doute et tenir bon au nom de ce qui est
sacré, car je porte en moi le germe de la révolution. Je
suis son tabernacle impur. Je suis une arche d'alliance et
de désespoir[260], hélas, car j'ai perdu! Je me sens fini;
mais tout ne finit pas en moi. Mon récit est interrompu[261],
parce que je ne connais pas le premier mot du prochain
épisode. Mais tout se résoudra en beauté. J'ai confiance
aveuglément, même si je ne connais rien du chapitre suivant, mais rien, sinon qu'il m'attend et qu'il m'emportera
dans un tourbillon. Tous les mots de la suite me prendront

à la gorge ; l'antique sérénité de notre langue éclatera sous le choc du récit. Oui, l'invariance de ce qui se raconte subira la terreur impie ; des sigles révolutionnaires seront peinturés au fusil à longueur de pages. Depuis le 26 juillet des Cubains[262], j'agonise dans des draps stérilisés, tandis que s'estompent en moi, chaque jour un peu plus, les contreforts des Alpes qui cernaient nos baisers. Mais une certitude me vient de ce qui viendra. Déjà, je pressens les secousses intenables du prochain épisode. Ce que je n'ai pas écrit me fait trembler. Incertain de tout, je sais au moins que lorsque je me lèverai enfin de ce régime ina-chevé et de mon lit de prison, il ne me restera pas de temps pour m'égarer à nouveau dans mon récit, ni pour enchaîner la suite des événements dans un écrin de logique. Il sera déjà bien tard ; et je ne gaspillerai pas mon énergie à attendre le moment propice ou l'instant favorable. Il sera grand temps de frapper à bout portant, dans le dos si possible. Le temps sera venu de tuer et celui, délai plus impérieux encore, d'organiser la destruction selon les doctrines antiques de la discorde et les canons de la gué-rilla sans nom ! Il faudra remplacer les luttes parlemen-taires par la guerre à mort. Après deux siècles d'agonie, nous ferons éclater la violence déréglée, série ininterrom-pue d'attentats et d'ondes de choc, noire épellation d'un projet d'amour total...

Non, je ne finirai pas ce livre inédit : le dernier chapitre manque qui ne me laissera même pas le temps de l'écrire quand il surviendra. Ce jour-là, je n'aurai pas à prendre les minutes du temps perdu. Les pages s'écriront d'elles-mêmes à la mitraillette : les mots siffleront au-dessus de nos têtes, les phrases se fracasseront dans l'air...

Quand les combats seront terminés, la révolution continuera de s'opérer ; alors seulement, je trouverai peut-être le temps de mettre un point final à ce livre et de tuer H. de Heutz une fois pour toutes. L'événement se déroulera comme je l'avais prévu. H. de Heutz reviendra au château funèbre où j'ai perdu ma jeunesse[263]. Mais, cette fois, je serai bien préparé à sa résurgence. Je ferai le guet accoudé au larmier. Lorsque la 300 SL gris fer, à indicatif du canton de Zurich, fera son apparition, elle me frappera comme une évidence et me conditionnera à l'action. D'abord je franchirai, sur la pointe des pieds, la distance entre le jour et la crédence Henri II, tout en dégageant le cran d'arrêt du revolver. Et aussitôt que j'aurai perçu le mouvement du pêne dans la serrure, H. de Heutz entrera en scène et se placera, sans le savoir, en plein dans ma mire. Je l'abattrai avant même qu'il atteigne le téléphone ; il mourra dans l'intuition fulgurante de son empiègement. Je me pencherai sur son cadavre pour savoir l'heure exacte à sa montre-bracelet et apprendre, du coup, qu'il me reste assez de temps pour me rendre d'Échandens à Ouchy. Voilà comment j'arriverai à ma conclusion. Oui, je sortirai vainqueur de mon intrigue, tuant H. de Heutz avec placidité pour me précipiter vers toi, mon amour, et clore mon récit par une apothéose. Tout finira dans la splendeur secrète de ton ventre peuplé d'Alpes muqueuses et de neiges éternelles[264]. Oui, voilà le dénouement de l'histoire : puisque tout a une fin, j'irai retrouver la femme

qui m'attend toujours à la terrasse de l'Hôtel d'Angleterre. C'est ce que je dirai dans la dernière phrase du
roman. Et, quelques lignes plus bas, j'inscrirai en lettres
majuscules le mot:

F I N

1. C'est plutôt à la page 51 que l'on retrouvera ces lignes de Musset, extraites de sa lettre du 19 avril 1834. Dans la première édition de *Prochain épisode*, l'épigraphe apparaissait curieusement à l'endos de la page du faux-titre. Dans une dédicace de 1975 (Fonds Aquin, «À Martine Perriau»), Hubert Aquin parle de ce roman «dont l'explication réside dans l'exergue». Voir la présentation.

2. Sur le thème du lac **Léman** (dont le profil rappelle celui de l'île cubaine, p. 68) et celui de la descente (dont le développement doit beaucoup à Charles-Ferdinand Ramuz et à Gilbert Durand), voir la présentation. Sur le rôle de l'*incipit*, voir le *Journal* (26 octobre 1962, p. 249), où Aquin note, après sa découverte de *Pale Fire* (Nabokov, 1962): «Ce n'est pas seulement le langage que je veux rendre inflationnaire, mais la structure même du roman qui, d'abord perçue comme solide et fascinante, doit révéler progressivement la complexité qu'elle dissimulait dans les premières phases. [...]» On trouvait déjà dans *L'Invention de la mort* (1959 ; Leméac, 1991, p. 49): «[...] tandis que le soleil de midi flambe, je descends à nouveau dans cette nuit totale, sans astre et sans aurore, enfermé dans un ventre blanc».

3. Sur la vue en contre-plongée, voir *L'Invention de la mort*: «Verrai-je [...], en descendant le Saint-Laurent, les Laurentides sombres derrière Pointe-au-Pic et Tadoussac [...]» (p. 132). Dans *Trou de mémoire* (p. 204), on trouve: «... j'écris sur une table surmontée d'un miroir qui me renvoie mes mots à l'envers». Dans *Neige noire* (p. 183), Nicolas regarde la télévision la tête renversée.

Prochain épisode

4. L'**anniversaire de la révolution cubaine** rappelle le 26 juillet 1953, quand Fidel Castro inaugura sa lutte contre le dictateur Fulgencio Batista par une attaque vaine des quartiers de l'armée à Santiago. Le **procès** renvoie à la comparution prévue de l'auteur, le 22 septembre 1964 (pour la remise en liberté sous cautionnement), alors que le choix d'un procès «devant juge sans jury» sera fait à la comparution du 30 octobre suivant. L'**échéance** du 22 septembre, fixée lors de l'enquête préliminaire du 15 juillet (pour vol de voiture et port illégal d'arme offensive), allait permettre la mise en liberté provisoire, assurée par une caution de 10 000 $ fournie par le dentiste J.-Edgar Larouche, beau-père d'Aquin. La cour était, ce 15 juillet 1964, présidée par Claude Wagner, juge **royal** par allusion à la tradition britannique de la justice canadienne, dont la sévérité à l'égard des terroristes était connue. Il dira plus tard (dans le film de Jacques Godbout, *Deux épisodes dans la vie d'Aquin*, Montréal, Office National du Film, 1978) qu'il était visible que le prévenu n'était pas un criminel ordinaire. Certains aspects du séjour à la clinique sont ici gommés, dont ses promenades dans «les admirables jardins clos de l'Institut Prévost» (*L'Invention de la mort*, p. 57), faites avec son médecin Pierre Lefebvre, qui l'avait fait échapper à la prison en lui obtenant du juge l'hospitalisation. Le témoignage du médecin contredit en partie la représentation fictive et les souvenirs d'un auteur mécontent («il râlait, il n'aimait pas être là, il se plaignait des gens qu'il y avait autour de lui»), tenant à distance le personnel soignant, refusant la médication prescrite («pour l'aider à dormir tout en essayant de le calmer»), «[n'acceptant] pas d'être un malade», tout en «[ne causant] pas d'histoires». «Il n'a pas été martyrisé, il a été très bien traité», de conclure Pierre Lefebvre qui lui avait procuré une chambre, lui permettant de dormir hors de la salle commune (accueillant jusqu'à dix-huit personnes), où se trouvaient aussi un jeu de ping-pong, un téléviseur, beaucoup de tables et un éclairage plus propice à l'écriture. L'auteur avait aussi reçu «du papier, quelques cartes [géographiques], des petites choses, une table pour écrire» (DESA, p. 237-239), mais vivait dans une institution «à sécurité maximale» (appendice IV). Pour d'autres précisions sur les conditions de l'écriture à l'Institut (maintenant le

Pavillon Albert-Prévost de l'Hôpital Sacré-Cœur), se reporter à la présentation. **Copies conformes** est aussi le titre d'un projet romanesque de 1973 (projetant une nouvelle version de *Prochain épisode*) qui servira à *Neige noire*.

5. Selon Jacques Languirand, la position d'Aquin sur l'originalité remonte aux années parisiennes (1951-1954) où les deux écrivains, alors débutants, avaient conclu que l'invention ne pouvait se faire qu'à partir d'archétypes : «Œdipe-Hamlet, le Rédempteur, Julien Sorel qui est l'envers de Cendrillon, Icare et Dédale, Thésée et Ariane» (DESA, p. 147). Côté espionnage, Aquin écrira *Faux bond*, en 1966, d'après un scénario de Jean-Charles Tachella, y tenant le premier rôle d'un personnage frère du narrateur de *Prochain épisode*, tout en faisant jouer, au théâtre, *Ne ratez pas l'espion* (comédie musicale écrite en collaboration avec Louis-Georges Carrier). Dans sa bibliothèque (que reconstitue Aquin à partir de 1965) se trouvent : Éric FELDT, *Espions-suicide* (1964 ; lu après *Prochain épisode*) ; RÉMY, *Comment devenir agent secret* (1963) ; *Rapport de la Gendarmerie royale du Canada* (1961).

6. L'idée du personnage africain viendrait-elle des *Thibault* de Roger Martin du Gard (lu depuis 1952) ? Dans *La belle saison* («Antoine et Rachel au cinéma ; le film africain», tome I des œuvres complètes, p. 981-1000), Rachel, la maîtresse d'Antoine Thibault, se souvient de Mamadou Dieng, le boy de son premier amant. Voir la présentation et aussi «La fatigue culturelle du Canada français» (1962, BE, p. 82) : «De fait, il n'y a plus de nation canadienne-française, mais un groupe culturel-linguistique homogène par sa langue. Il en ira ainsi des Wolofs [...] du Sénégal [...]».

7. L'Union Africaine et Malgache (UAM) a été instituée le 12 septembre 1960 par des chefs d'États francophones désireux de maintenir entre eux des liens diplomatiques et militaires.

8. Le patronyme rappelle diverses personnalités sénégalaises, militants de la négritude et de la décolonisation, dont au premier chef l'écrivain Cheik Hamidou Kane (avec qui Aquin a tourné une entrevue pour le film *La France revisitée*, le 4 juillet 1962) et Cheikh Anta Diop, cité dans «La fatigue culturelle du Canada français» (BE, p. 76).

9. Police secrète soviétique, ensuite appelée KGB. L'appellation MVD (abréviation de Ministerstvo Vnutrennik Diel, Ministère des affaires intérieures de l'URSS) remplaça, en 1946, le NKVD.

10. Hôtel de luxe situé rue du Grand-Chêne à Lausanne. Aquin y était descendu en juillet 1962 (JO, p. 238), au moment du tournage, avec Guy Borremans, d'une entrevue avec Simenon, qui se déroula au château d'Échandens les 27 et 29 juin, puis les 2 et 4 juillet 1962 (selon Mme Aitken, secrétaire de feu Georges Simenon). Ni le Centre d'Études Georges-Simenon (Université de Liège), ni l'Office national du film du Canada ne disposent de ce film dont parle une lettre d'Aquin à Simenon (appendice V).

11. La banque a son siège place Saint-François (centre des affaires), à proximité du Lausanne-Palace. (Nos données topographiques, commerciales et autres touchant la Suisse ont été relevées en 1990.)

12. «Envoyé spécial» se dit habituellement d'un journaliste envoyé en mission. Dans la vie diplomatique, on parle plutôt d'«envoyé extraordinaire». La qualification «spécial (mais faux)» pourrait évoquer l'«Organisation spéciale», groupe clandestin dont le fondateur et «commandant» était Aquin (nom de code: Jean Dubé; ITIN, p. 151-152). Selon Louis Fournier (*F.L.Q., Histoire d'un mouvement clandestin*, Montréal, Québec/Amérique, 1982, p. 82), Aquin avait «établi des contacts auprès de certains militants, notamment au sein du réseau de *La Cognée* [organe du Front de Libération du Québec]. Pour sa part, Andrée Bertrand-Ferretti dit que se seraient retrouvées, autour d'Aquin, «quelques personnes, au grand maximum cinq ou six, des jeunes d'environ dix-neuf ans qu'il dominait du haut de ses trente-quatre ans» (DESA, p. 225). Baptisé par Aquin, sur le modèle du premier mouvement clandestin créé en Algérie en 1947 et ancêtre du FLN [Front de Libération Nationale]», le groupe aurait ensuite commencé à s'équiper en armes et en matériel. Dans la bibliothèque d'Aquin se trouve l'ouvrage de Robert Buchard, *Organisation armée secrète* (1963).

13. M.I.5: Military Intelligence Number 5, service de contre-espionnage qui relève de l'armée britannique. Y est rattaché James Bond, le personnage de Ian Fleming (1908-1964), auteur de

romans d'espionnage ayant inspiré de nombreux films auxquels on peut penser dans ce passage, particulièrement à cause de l'allusion faite plus loin aux Chinois (dans *You only live twice*).

14. Première apparition d'un mot contenu dans la liste du 7 août («périhélies d'orbite», appendice I) dont la plupart proviennent du *Fond des océans* de Jacques Bourcart, comme en témoigne, plus bas, la «fosse liquide». Une quinzaine d'autres serviront aussi. Pour éviter une surcharge de l'annotation, nous avons signalé en présentation leurs occurrences dans le roman. Sur le thème en développement de la trajectoire astrale (ou courbe), voir aussi *Confession d'un héros* (1961; BE, p. 225): «Platon [...] m'a communiqué le secret du chiffre d'or [...] C'est ma main qui doit dessiner les courbes, tracer d'un trait génial les ellipses et les spirales.» En 1963, dans «Profession écrivain» (*Point de fuite*, p. 58): «L'ancienne œuvre, prévisible, sereine et agencée selon le chiffre d'or, devient la proie des pires syncopes...» Dans le projet romanesque *Papineau inédit*, (1er mai 1961): «Il est la victime oubliée, le héros inconnu [...] dont la courbe coïncide, en ce jour, avec la trajectoire du monde.» (MEL I, p. 289)

15. «Stellazin»: voir le Glossaire, à la fin du livre. Les termes non expliqués en note y sont brièvement précisés. Aquin était un habitué des médicaments (en particulier des amphétamines), expérimentés librement depuis sa jeunesse (Louis-Georges Carrier, DESA, p. 95, 98 et JO, p. 235), pour maintenir son «dynamisme» (Jacques Languirand, DESA, p. 96). Voir note 4.

16. Nom d'un quartier et d'une artère de Montréal, au nord-ouest du mont Royal.

17. Deux endroits rappellent ici des événements reliés aux rébellions de 1837-1838. **Durham**: ville des Cantons de l'Est (où des affrontements armés eurent lieu en 1838), baptisée en l'honneur de Lord John George Lambton Durham (1792-1840), auteur du fameux rapport (1839) qui, après les rébellions, devait inspirer «l'Acte d'union» (du Bas et du Haut-Canada en 1840). La ville de **Chénier** a été rebaptisée en l'honneur de Jean-Olivier Chénier, chef de la rébellion de 1837, qui laissa sa vie (avec soixante-neuf autres) quand il fut défait par les troupes anglaises dirigées par John

Colborne, à Saint-Eustache, le 14 décembre 1837. Dans sa conférence de Drummondville (5 mars 1970), l'auteur dit qu'en raison de son ignorance de la région il a, à l'époque de la rédaction, «utilisé [...] une carte géographique tronquée pour reproduire avec acuité le tracé des routes et [se] reconnaître dans les directions diverses prises par les personnages du roman». Et pour lui, ces «réminiscences imaginaires [...] constituent un des leitmotive dont l'apparition et la récurrence tracent une sorte de configuration fondamentale d'un réseau complexe de trajectoires qui se coupent et se recoupent à plusieurs moments» (MEL I, «Le rôle de l'écrivain dans la société», p. 213).

18. Le thème du suicide est fréquent dans le *Journal* (exemple: p. 231). Pour le narrateur du roman, il remonte à l'âge de quinze ans: voir p. 21 (note 57).

19. Dans *Confession d'un héros* (1961; BE, p. 227): «Je suis ce qui fuit. Mon essence est fuite, c'est-à-dire existence [...]». Dans «Profession: écrivain» (1963; *Point de fuite*, p. 54): «...ma fuite cartésienne». Dans *L'Invention de la mort* (1959, p. 121): «...il est trop tard. Je fuis ce qui me fuit. Le temps s'en va, moi aussi, je m'en vais». Dans le *Journal* de l'écriture (22 août 1964): «La révolution est une action et sans doute ce que j'ai renié dans la littérature, c'est qu'elle ne soit [...] qu'une pseudo-révolution. [...] ce qui doit m'inspirer à l'avenir: [...] ce souci profond de transformer la vie et cette volonté de l'assumer sans la fuir...» Dans *Trou de mémoire* (TM, p. 161-162): «...suis-je capable de reconstituer l'équivalent d'un prospectographe à l'aide duquel je retrouverais le point de fuite vers lequel convergent toutes les lignes de ce texte...»

20. Voir dans *L'Invention de la mort* (1959, p. 122): «...je serais descendu jusqu'au fond du lac, mon père m'avait déjà dit que le lac Simon est très profond, et j'y serais resté.» **Cimbrique**: rappel des Cimbres, peuple germanique qui suivit la route fluviale pour envahir la Gaule avant d'être vaincu, par le général romain Marius, à Verceil en l'an 101 (av. J.-C.). Dans le guide Michelin de la Suisse (7e édition, 1964): «La Suisse se présente dans son ensemble comme une dépression» (p. 16).

21. Le café est situé au centre de Vevey, sur la route qui longe le Léman.

22. Probablement celle de Vevey, mais Lausanne a aussi eu sa *Feuille d'Avis* (devenue le quotidien *24 heures*).

23. Le 1ᵉʳ août est le jour de la fête nationale suisse. La Société d'Histoire de la Suisse romande (fondée en 1837) a son siège place de la Riponne, au Palais de Rumine dont l'Université de Lausanne (maintenant à Dorigny) occupait à l'époque quelques locaux.

24. La passion de l'auteur pour l'histoire romaine remonte au temps de ses études, au moins à 1946 (DESA, p. 69-71). Voir « Jules César, Projet TV » (1960) et « La mort de César » (1962) dans *Point de fuite* (p. 75-82) et les lectures nombreuses déjà indexées (JO et ITIN).

25. Coquille ? Pour le latiniste que fut Aquin, « balistes » est plus vraisemblable. *La Balistique* (A. et J. TAILLE, Delachet, 1951) se trouve dans sa bibliothèque.

26. S'il est évident qu'elles ont été autorisées, rien n'indique que certaines lectures de l'Institut aient été interdites.

27. Aquin relit Balzac à l'Institut : voir la présentation et son *Journal* (p. 264, 266, 268-269). La phrase ouvrant la préface de l'*Histoire des Treize* est ici amputée. Elle devrait se lire comme suit (les passages omis sont en italiques) :

> Il s'est rencontré, sous l'empire et dans Paris, treize hommes également frappés du même sentiment, tous doués d'une assez grande énergie pour être fidèles à la même pensée, *assez probes entre eux pour ne point se trahir, alors même que leurs intérêts se trouvaient opposés,* assez *profondément* politiques pour dissimuler les liens sacrés qui les unissaient [...].

> (*Histoire des Treize*, dans *La Comédie humaine. Études de mœurs : scènes de la vie parisienne*, I, tome V, texte établi par Marcel Bouteron, Paris, Gallimard, « Bibliothèque de la Pléiade », 1948, p. 11. L'édition utilisée par le narrateur n'a pas été identifiée.)

L'*Histoire des Treize* comprend trois romans : *Ferragus, La duchesse de Langeais* et *La fille aux yeux d'or.* La référence à Ferragus, père malheureux et « chef des dévorants », renvoie bien à celui qui fonde son OS (note 12) avant d'entrer dans la clandestinité le 18 juin 1964. Les membres de la cellule, selon un témoignage privé, devaient prêter serment de fidélité sur leur vie. Voir aussi le dossier CC (Fonds Hubert-Aquin) pour des notes de cours (de 1973) sur Balzac.

28. Dans le *Journal* (Lausanne, le 30 juin 1962, p. 238): «La lucidité dont je me blesse au moindre temps mort, ne me quitte plus.» Sur l'écriture «automatique» et la dictée de l'inconscient, voir, d'André Breton, les *Manifestes du surréalisme* (1924-1930), présents dans la bibliothèque d'Aquin.

29. Voir la présentation. Et *L'Invention de la mort* (1959, p. 25): «Te souviens-tu, Madeleine, d'avoir comparé le conférencier à Stendhal? Ce soir-là, j'aurais même sacrifié Balzac à ce jeu...»

30. Voir *L'Invention de la mort* (p. 76): «Rambouillet est une ville morte engloutie sous plusieurs couches de cimetières, une ville plus somptueuse que Suse ou Babylone.»

31. Renvoi à *L'Adieu aux armes,* titre français du roman *A Farewell to Arms* (1929) d'Ernest Hemingway (qui s'est suicidé en 1961). Dans les phrases suivantes, une allusion historique: le 30 janvier 1964, l'ALQ (Armée de libération du Québec), section militaire du Front de libération du Québec, fait une razzia à la caserne du Régiment des Fusiliers Mont-Royal (armée canadienne), située avenue des Pins, au cœur de Montréal. Les journaux de l'époque parlent d'une camionnette rouge ayant servi au vol d'armes (mitraillettes, mortiers antichars, grenades, etc.). Même référence à ladite camionnette, lors d'une opération similaire à Shawinigan le 21 février 1964.

32. Au nord-ouest de l'île de Montréal. La rivière des Prairies baigne cette île où se trouve maintenant la ville de Laval. La salle commune des patients du Pavillon Albert-Prévost a des fenêtres côté ouest. Voir le *Journal* (10 mars 1949, p. 62): «J'ai de profondes visions de notre crépuscule inévitable.»

33. Voir *L'Invention de la mort* (1959, p. 23): «Le temps coule, dit-on, oui il coule comme un sang artériel qui n'a jamais le même plasma ni la même fluidité. On ne se baigne jamais deux fois dans le même sang, ni deux fois dans la même extase.»

34. Selon le Dr Pierre Lefebvre, Aquin aurait bien voulu, « après coup », avoir été retenu en prison, n'admettant pas avoir été malade, trouvant humiliant cet épisode. « Vous voyez dans *Prochain épisode* à quel point il dénigre la psychiatrie [...]. Il vit comme une espèce de prison le séjour qu'il a fait à Prévost. » (DESA, p. 237)

35. Ferragus possède, comme H. de Heutz, une triple identité : il s'appelle encore Bourignard et M. de Funcal. Il a aussi ses « yeux » partout dans Paris. Il en va de même pour Horn, personnage de Nabokov dans *Chambre obscure* (1934), lu en 1959. Voir aussi dans *L'Invention de la mort* (1959, p. 15) : « J'aurais voulu naître comédien au Japon et vivre maquillé du berceau à la tombe, protégé par une armure de mascara. » Dans *Trou de mémoire* (p. 132) : « Je fuis, je tue masqué, j'attaque sournoisement. »

36. En fait, les cellules municipales (note 4). Voir le témoignage du Dr Pierre Lefebvre devant la cour, le 15 juillet 1964 (appendice IV).

37. *Trou de mémoire* (p. 137) : « Je suis frappé de stupeur, investi d'un pouvoir magique qui ressemble étonnamment au "délire hallucinatoire" qui confère aux écrits désamorcés de P. X. Magnant leur qualité si mystifiante... ».

38. « Calice » est aussi un juron québécois.

39. **Le 4 août 1792** : erreur ou fusion des significations du 4 août 1789 (abolition de tous les privilèges de l'Ancien régime) et du 9 août 1792 (la fameuse nuit de l'incarcération de Louis XVI et l'abolition des derniers droits féodaux) ?

40. La rue de l'hôtel débouche sur la place Saint-François. Dans *Trou de mémoire* (p. 182), Ghezzo Quenum s'y promène aussi, cherchant la mystérieuse RR. La **300 SL** est un coupé sport de la firme allemande Mercedes. Lors du passage d'Aquin à Échandens (note 10), Simenon en possédait l'un des douze exemplaires, gris fer. *(Mémoires intimes, suivis du livre de Marie-Jo*, Montréal, Presses de la Cité, 1982, p. 386) La voiture poursuivie par le narrateur sera, plus loin, de type et de teinte identiques.

41. La rue de Bourg conduit à la rue Saint-Pierre où se trouve le cinéma *Atlantic* (et non *Benjamin-Constant*, comme il est dit plus bas), en bordure de la place Benjamin-Constant. *Orfeu*

negro (Marcel Camus, 1959), transpose dans le carnaval de Rio de Janeiro le mythe d'Orphée et Eurydice. Felicidade est le nouveau nom d'Eurydice aussi bien que le titre de la chanson qu'elle y interprète. Son premier thème: «Soleil s'est levé, bon matin...» Musique d'Antonio Carlos Jobim et paroles de Vinicius de Moraes. Voir le *Journal* (3 juillet 1962, p. 239): «Aujourd'hui, j'ai erré dans Genève, j'ai lu le roman de Colette L., je suis entré voir une demi-heure d'*Orfeu negro*...»

42. La référence à la nuit du 24 juin (la Saint-Jean-Baptiste, fête nationale des Québécois) reviendra à une dizaine de reprises, évoquant en fait, pour les condenser, les éléments de deux nuits: celles des 23 et 24 juin 1964. En ce début de vie «clandestine», Hubert Aquin, rebaptisé *Jean* Dubé (note 12), habite (jusqu'au 1er juillet) chez son ami Louis-Georges Carrier (DESA, p. 226-228), avenue des Pins, sur les flancs du mont Royal. Dominant de ces hauteurs la plaine montréalaise, une bonne partie de ses rues, le Saint-Laurent et la rive sud, il pouvait apprécier la «communion du feu» suscitée par un animateur de la radio de Radio-Canada, pour le soir du 23. Tout le Québec devait, à la suggestion de Raymond Laplante, allumer, à 21 h 30, les traditionnels feux «qui servaient de lien jadis entre les colonies», comme l'avait annoncé le quotidien *Montréal-Matin* (le 20 juin 1964, p. 10). En ce «soir d'amour et de solidarité», «le Mont-Royal a flamboyé» et «de gigantesques brasiers ont été allumés tout au long du Saint-Laurent», confirmait ensuite le même journal du 25 (p. 3), insistant sur les succès de l'événement dont le feu d'artifice et les brasiers, sur le mont Royal et dans les rues environnantes; les trois cent mille personnes du 23, le million du défilé du 24, avec ses «centaines de jeunes gens» et ses «trois cents membres de la police militaire». Le Précurseur géant (plutôt que le berger enfant et son mouton) promené au milieu de vingt-quatre chars allégoriques illuminés, représentant les forces nouvelles du Québec (dont l'hydro-électricité), le tout encadré par des centaines de porteurs du drapeau fleurdelisé et accompagné d'une cinquantaine de fanfares. Le journal signalait ainsi «le nouvel enthousiasme de la nation canadienne-française et l'unité qu'elle

semble désormais arborer durant ses fêtes nationales» (le 25 juin 1964, p. 3). Selon Andrée Bertrand-Ferretti, avec qui Aquin se trouvait alors, tous deux virent le spectacle par la fenêtre, sans participer aux activités de la rue.

43. Voir la lettre du 10 mars 1952 (à Louis-Georges Carrier): «J'attends tout d'une rencontre, d'un événement, mais je ne pressens rien: si tout d'un coup rien n'allait se passer, si c'était soudain notre lot de rester devant les plaines stériles de la lucidité et du "désespoir indifférent" [célèbre formule de Camus dans *L'Étranger*]. Il se pourrait qu'Eurydice, nous ne rencontrions jamais Orphée, que nous errions toujours avec notre attente et nos espoirs précis, comme ces navires égarés qui se brisent finalement dans les tempêtes.» (*Point de fuite*, p. 121-122)

44. L'Hôtel de la Paix (au 5, avenue Benjamin-Constant, à l'angle de la rue de la Paix) aurait effectivement servi de quartiers généraux au FLN (note 12), devenu parti politique après l'indépendance algérienne de 1962.

45. L'«illumination» insistante de certains passages semble renvoyer aux effets transformateurs du temps sur la mémoire qu'Edmund Husserl illustre par l'exemple du «théâtre illuminé» (*Leçons pour une phénoménologie de la conscience intime du temps*, 1964, BIB). Voir *Neige noire* (1974, CLF, p. 125): «Le temps déporte tout selon un diagramme toujours pareil, connu de tous et pourtant difficile à réinventer par le seul jeu de la mémoire. [...] L'étrangeté de cette séquence [...] neutralise paradoxalement son expressionnisme; le temps, par cette opération caligariste, se réduit à la conscience du contretemps. [...] Nicolas se souvient d'un théâtre illuminé, mais cette dimension réflexive demeure intraduisible en images.»

46. Pour la source de ce message maléfique, voir la présentation et l'appendice III. Il est aussi question d'une lettre chiffrée dans *Ferragus* (p. 114). Dans le *Journal* (26 juillet 1961), Aquin notait, à propos d'un projet de téléthéâtre: «Je veux que mon héros se meure et meure par envoûtement magique, conformément au récit de Marcel Mauss [*Sociologie et anthropologie*] sur l'idée de mort».

Plus tard (25 octobre, p. 232), il parle de son envoûtement pour une certaine G. puis écrit, l'année suivante (26 novembre 1962, p. 252) : «Je m'invente un cercueil unique, seule chambre que j'habiterai vraiment et qui sera, à l'image de ma vie, couvert de dessins maladifs et incohérents.»

47. L'édition Laffont a corrigé le décompte ici erroné du narrateur : voir la reprise du cryptogramme (p. 59) et ci-après le relevé des variantes.

48. Dans *Vita romana, la vie quotidienne dans la Rome antique*, Paoli (voir la présentation) dit ignorer le sens exact de ces «mystérieuses paroles» (p. 417).

49. *L'Invention de la mort* fait état de ces «hiéroglyphes dont on a couvert tant de sarcophages d'amants incompris» (p. 72). La suite du paragraphe s'articule sur la pensée, les images et les termes mêmes (descente, fil, système, constellation, barque) des *Structures anthropologiques de l'imaginaire* (p. 35-46) que lit Aquin dès le début de la rédaction (voir la présentation et le *Journal*, p. 258-263). Sur l'«ophélisation» qui suit, voir aussi Gaston BACHELARD, *L'Eau et les Rêves*, lu par Aquin en novembre 1959 (ITIN, p. 59).

50. Ici commence un long passage transcrit du *Journal* (voir la présentation). La bibliothèque d'Aquin comprend le célèbre ouvrage de Thomas de Quincey, *De l'assassinat considéré comme un des beaux-arts* (1963). Se reporter aussi à *Trou de mémoire* (p. 50-51) sur le thème du crime parfait. Dans *Papineau inédit* (1er mai 1961, MEL I, p. 291), la «vie amoureuse» du héros «sera à l'image de son peuple : exaltée et désespérée, noire...»

51. Selon le rapport de police, Aquin a été arrêté le dimanche 5 juillet 1964, vers dix heures quarante-cinq, au volant d'une voiture volée dont le moteur était en marche, dans un stationnement, derrière l'Oratoire Saint-Joseph. Voir l'extrait de la déclaration des policiers devant le juge Wagner, le 15 juillet 1964 (appendice IV). Aquin avait quitté le domicile conjugal, le 18 juin 1964, au moment de son entrée dans la «clandestinité» (note 27). Selon son avocat, Bernard Carisse : «c'[était] assez bizarre, Hubert avait peur lorsqu'il

a été arrêté, ce que confirme une note de mon dossier qui souligne son soulagement de voir son aventure se terminer à l'hôpital» (DESA, p. 236).

52. La regrettée Suzanne Lamy, qui lui avait prêté *Critique de la raison dialectique*, confirme l'influence de Sartre (DESA, p. 193). L'arrestation est un événement anti-dialectique parce que négation même de l'action (note 19), de la *praxis* révolutionnaire (*cf. Critique de la raison dialectique*, 1960, tome I, BIB, p. 195-196).

53. Selon Louis-Georges Carrier (DESA, p. 299-302): «C'est la violence qu'il n'a jamais pu assumer dans sa vie. Il a voulu tuer beaucoup de monde: des ennemis, des gens qui lui ont fait des crasses... Cette violence est surtout une sorte de vengeance vis-à-vis de la société qui ne lui a pas permis d'être ce qu'il voulait être.»

54. Allusion probable à l'Anglais Roger Bannister qui réussit l'exploit (longtemps indépassable) le 6 mai 1954, à Oxford.

55. Le thème du surhomme renvoie au modèle nietzschéen (*Zarathoustra*) que l'auteur connaissait bien (ITIN p. 87, 156). La quête de l'écrivain passe finalement par celle de Teilhard de Chardin dont le point Omega (perfection christique de la fin des temps) s'illustre érotiquement dans *Neige noire* (p. 254). Sur l'intérêt d'Aquin pour Nietzsche, son ancien professeur du collège Sainte-Marie, le R. P. Vigneault, s.j., a déclaré: «Nous discutions de philosophie traditionnelle. Maritain était très populaire à ce moment-là. Hubert, lui, était en plus un grand lecteur de Nietzsche et d'études faites sur Nietzsche.» (DESA, p. 76) Son confrère, le politologue Louis Balthazar, le confirme (DESA, p. 201).

56. «La mort dans l'âme» est le titre de la troisième partie des *Chemins de la liberté* (1949) de Jean-Paul Sartre.

57. C'est à **quinze ans** que des personnages de *L'Invention de la mort* (note 20), du *Choix des armes* et de *Trou de mémoire* font remonter leur première dépression (ou envie suicidaire). En fut-il de même pour Aquin? Pierre Lefebvre a signalé que «chez lui, l'idée du suicide était certainement quelque chose de très ancien

[...] » (DESA, p. 244). Il a aussi déclaré : « Hubert Aquin était pour moi un déprimé classique qui tentait frénétiquement de lutter contre sa dépression dans l'excitation, dans des fantaisies de vie hyperactive et dangereuse, des fantaisies de violence aussi. » (DESA, p. 237-238) De son côté, Louis-Georges Carrier a rappelé un pacte suicidaire du collégien, au temps de ses premières amours, et deux tentatives (*id.*, p. 93 et 186) : l'une en voiture, intervenue en 1963, qui vient d'être évoquée plus haut (**l'auto broyée**) et le sera plus loin (**l'impact de la monocoque**), et une autre, en 1971 (à l'hôtel Reine-Élisabeth). Dans le *Journal* (17 août 1961, p. 219), on trouve : « Tous les jours je pense au suicide. » Aquin connaissait déjà, en 1952 (JO, p. 93), *La Signification métaphysique du suicide* (Camille SCHUWER, 1949), ne lisant (selon Andrée Yanacopoulo) qu'après *Prochain épisode Les Tentatives de suicide* (Pierre B. SCHNEIDER, 1954). Le célèbre **hôtel Windsor**, situé rue Peel, au centre-ville de Montréal, est devenu un centre commercial. Dans *L'Invention de la mort* (1959, p. 117), le narrateur dit : « J'ai commencé à vivre, un soir à l'hôtel Windsor. » Plus loin (p. 137), il précise y avoir rencontré là sa « noire sulamite ». La mention **CG19** désigne-t-elle le côté gauche de l'aile et le numéro 19, la cellule occupée par Aquin à la Sûreté municipale (750, rue Bonsecours) ? Le service policier de la Communauté urbaine de Montréal déclare ne plus le savoir maintenant que les lieux ont été transformés. Bernard Carisse, avocat du prévenu, précise, pour sa part : « Il a été amené aux cellules municipales, 750 [, rue] Bonsecours, chambre [*sic*] 222 » (DESA, p. 235). Le **Totem** est un hôtel-motel situé à Piedmont (Laurentides).

     58. Aquin reprend à sa manière le « choc noir » de la psychologie. Voir Gilbert DURAND : « Les psycho-diagnosticiens qui utilisent le [test] Rorschach connaissent bien le "choc noir" provoqué par la présentation de la planche IV : "perturbation soudaine des processus rationnels" [comme disait Bohm] qui produit une impression disphorique générale. Le sujet se sent accablé par la noirceur de la planche [...] le ralentissement dépressif des interprétations accompagne ce sentiment d'abattement. » (*Les Structures anthropologiques de l'imaginaire*, p. 97)

59. Les manuels d'histoire du Québec ont l'habitude de parler de la Conquête (anglaise) de 1760 et non de la Défaite (française). Dans «L'art de la défaite» (1965, BE, p. 113): «La rébellion de 1837-1838 est la preuve irréfutable que les Canadiens français sont capables de tout, voire même de fomenter leur propre défaite...».

60. Propos qui recoupent le *Journal* du 3 août 1964. Sur la médication, voir note 15.

61. Le nombre (dix) des fenêtres de la salle commune de l'Institut Albert-Prévost est rapproché de celui des provinces canadiennes.

62. Selon son avocat de l'époque, Bernard Carisse: «C'est avec l'accord de Hubert qu'on avait pris la décision de plaider la dépression suicidaire. Quand il m'avait téléphoné la première fois [le 5 juillet?], c'est lui qui m'avait demandé de communiquer avec Pierre Lefebvre en me disant que ce dernier le traitait.» (Voir appendice IV.)

63. Repris une dizaine de fois, ce terme n'est pas sans évoquer *Le Désespéré* (1886) de Léon BLOY, lu en 1949 (ITIN, p. 41, 43, 67) et le témoignage de Pierre Bourgault (DESA, p. 291): «Il était toujours désespéré, Hubert, tout le temps [...] on le voyait des journées très enthousiaste, le lendemain, il était complètement découragé.» (DESA, p. 291)

64. Voir «L'équilibre professionnel» (1950; MEL I, p. 40): «...l'homme "entouré de livres" est un abstrait, un prisonnier enfermé dans un cachot réduit: il est éloigné de l'aventure magnifiquement mouvante de la vie, il la frôle hautainement sans y être présent». Et le *Journal* (21 février 1961, p. 193): «Mon roman: Le sujet se trouve isolé au cœur de Montréal, de son univers. De sa cellule, il voit et revit. Il est en situation de schizophrénie, d'aliénation — dépossédé au centre de l'univers. La chambre — *Un vase bien clos*». À ce propos, Bernard Beugnot relève (p. 293, note 175) la nature pascalienne et baudelairienne du cachot aquinien.

65. Sur la mort ou l'impuissance comme génératrices d'écriture, voir le «Cahier noir» de P. X. Magnant, au centre de *Trou de mémoire* (p. 125-135), où est cité *L'Éloge de la folie* (ÉRASME,

1509; inclus dans la bibliothèque d'Aquin). Quant à la surveillance des patients de l'Institut, voir la déposition de Pierre Lefebvre (appendice IV).

66. Voir notes 4 et 39.

67. De la Riponne, on arrive rapidement à l'hôtel de ville, situé place de la Palud, où se trouvait encore récemment une pizzeria.

68. Voir notes 41, 144 et 154.

69. *Desafinado* : mélodie (*bossa nova*) très populaire à l'époque, écrite par Carlos Jobim et dont le titre signifie «désaccordé», «faux» (en portugais) ou séparé (en espagnol). La pièce compte trois parties : autour d'un centre d'«improvisation» se donnent, en première et dernière parties, trois variations sur un même thème. Voir *Neige noire* (p. 188) : «La double série de plans se déroule comme une chanson désaccordée [...]». Selon le musicologue Jean-Jacques Nattiez, Aquin lui aurait confié que le roman avait été écrit comme une fugue (voir «Récit musical et récit littéraire», *Études françaises,* XIV, 1-2, avril 1978, p. 93-121). *Joue, Frédéric, joue* (projet de roman, 1975 ; MEL I, p. 313-315), ultérieurement *Obombre*, aurait porté, selon René Lapierre (*Liberté*, n° 135, mai-juin 1981, p. 15), le titre original de «L'Art de la fugue», à l'instar de l'œuvre célèbre de Jean-Sébastien Bach. En janvier 1973, Aquin confirme que «[Prochain épisode] C'est un peu comme une fugue en musique, avec le contrepoint.» («Hubert Aquin et le jeu de l'écriture», *Voix et images*, vol. I, n° 1, 1975, p. 8). Il reprenait plus tard, en 1974, avec Yvon Boucher : «C'est un processus de retombée, mais c'est construit comme un motif musical : il y a véritablement deux partitions, la partition froide, lucide, qui est le contrepoint de la partition affabulatrice.» («Aquin par Aquin», *Le Québec littéraire 2*, Montréal, Éditions Guérin, 1976, p. 133). Nabokov, dans *La vraie vie de Sebastian Knight* (acheté en 1959) fait dire à son narrateur : «...il me faut à présent suivre le même rythme de contrepoint» (p. 204). Il y est aussi question d'un cahier noir (voir *Trou de mémoire*, p. 206) où se trouvent des vers (*La vraie vie...*, p. 206).

70. Constituée par un escalier couvert assez étroit et datant

du Moyen Âge, cette rue monte de la place de la Palud (note 67), passe sous la rue Pierre-Viret et débouche sur un portail de la Cathédrale.

71. Sur l'origine de cette désignation du personnage, voir la présentation.

72. Le Grand-Pont : artère surélevée reliant les places Bel-Air et Saint-François. Les bureaux du journal cité se trouvent plutôt sous le pont Chaudron relié au Grand-Pont.

73. En fait : le Palais de Justice (ou tribunal cantonal), situé avenue de Montbenon.

74. Dans le *Journal* (24 mars 1949, p. 65), l'auteur cite *L'Amour fou* (Breton, 1937), où, dans la rencontre amoureuse, l'attente, le hasard et la magie sont au rendez-vous.

75. Où se trouvent les nécropoles (Vallée des Rois et Vallée des Reines).

76. **Le chemin de la Reine-Marie** : artère de l'ouest montréalais. Le **cimetière** des Juifs portugais longe le boulevard du Mont-Royal (à Outremont). **L'École polytechnique**, rattachée à l'Université de Montréal, était située, jusqu'en 1958, au 1430 de la rue Saint-Denis, dans l'actuel pavillon Athanase-David de l'Université du Québec à Montréal. **Pointe-Claire** est une ville de la banlieue ouest de l'île de Montréal, sise au bord du lac Saint-Louis.

77. Le parc montréalais de l'île Sainte-Hélène où l'on se trouve maintenant comprend, outre le Vieux fort (aujourd'hui musée), la caserne de la compagnie Franche de la Marine, l'arsenal des « Fraser Highlanders » et une poudrière.

78. Les six eaux-fortes vénitiennes (1905-1906) du peintre québécois Clarence Gagnon (1881-1942) sont au Musée des beaux-arts du Canada (*cf.* René Boissay, *Clarence Gagnon*, Montréal, Éditions Marcel Broquet, 1988, p. 33-36). Le fameux « Village sous la neige » du même artiste est mentionné dans *L'Invention de la mort* (p. 86).

79. Port d'Ouchy ou « Vieux port », lieu de promenade à proximité duquel se trouve l'hôtel Château d'Ouchy, construit autour d'un donjon du XIIIᵉ siècle. De l'autre côté de la rue se trouve l'hôtel d'Angleterre.

80. Une plaque le dit (en anglais), apposée sur la façade de l'hôtel, visible de la terrasse. Le sujet du fameux poème publié en 1816 offre des traits communs avec *Prochain épisode*: enfermé dans les caves du château de Chillon (où il est enchaîné à un pilier d'autant plus connu que Byron y a inscrit son nom parmi d'autres graffiti), François de Bonnivard, défenseur de l'indépendance de Genève, se livre à la méditation, en quinze strophes données à la première personne. C'est à cette époque que Madame de Staël voit souvent le lord déchu. Dans la bibliothèque d'Aquin, on trouve, de Byron: *A self-portrait. Letters and Diaries. 1798 to 1824* (1950) et *The Poetical Works of Lord Byron* (1948). De Du Bos: *Byron et le besoin de la fatalité* (1929). D'André Maurois, *Byron* (1930) et *Lord Byron jugé par les témoins de sa vie* (1866). Dans *Papineau inédit* (1er mai 1961), Aquin parle de son personnage du narrateur (soldat inconnu et historien qui aurait connu Papineau), comme d'un héros « imbu de romantisme byronien », tout en évoquant « la naissance d'un romantisme canadien: le goût des lacs et des forêts » (MEL I, p. 290).

81. Dans la bibliothèque de l'auteur, on trouve, de Marcel PROUST: *À la recherche du temps perdu* (1929-1933).

82. Multivox: marque commerciale d'un réseau interne de communication. Il y en avait un à la prison de Montréal (« Bordeaux »), mais non (selon le Dr Camille Laurin) à l'Institut Albert-Prévost.

83. C'est au Suisse Auguste Piccard que l'on doit la conception et l'expérimentation (en 1948) de ce type d'appareil d'exploration des fosses océaniques. Pendant l'année 1964-1965, son fils Jacques Piccard exploita le mésoscaphe (l'*Auguste-Piccard*) qu'il avait inventé, emportant des milliers de touristes dans les profondeurs du Léman. L'*Auguste-Piccard* devait ensuite être utilisé pour des recherches par la firme canadienne Horton Maritime (à Vancouver).

84. Voir note 80.

85. Sur l'« inflation » dont parlera le narrateur à quelques reprises, voir la conférence de Drummondville (note 17) où Aquin relève, en 1970, « l'incroyable floraison » du « style inflationniste » de James Joyce (MEL I, p. 215).

86. Autres allusions byroniennes : la villa **Diodati** fut habitée par le poète en 1816, après qu'il eut quitté sa femme et l'Angleterre, accusé d'inceste, d'antipatriotisme et rejeté par l'aristocratie. Cette année-là, Byron (né en 1788) était à Lausanne (note 80). Étant ensuite allé prêter main-forte aux Grecs assiégés par les Turcs, il mourra à Missolonghi en 1824. Dans *L'Antiphonaire* (1969 ; Bibliothèque québécoise, p. 175), on trouve un libraire nommé Diodati. **Manfred** : nom du personnage-titre d'un poème dramatique (1817) où le héros tente sans succès de se précipiter du sommet de la Jungfrau pour payer son crime (meurtre de son amante). Solitaire et maudit, au cœur des Alpes, il n'obtiendra pas l'oubli des esprits de l'univers et mourra sans pouvoir accepter le pardon de Dieu. Manfred est cité par Balzac, au début de *Ferragus*, après le passage retenu par Aquin (note 27). **La Grèce** est libérée en 1829, quand la Turquie accepte son autonomie.

87. Autre nom du Léman, plus courant en anglais et en allemand.

88. *Journal* (5 décembre 1960, p. 184-185) : « Mon roman sera épopée ou ne sera pas. [...] La conscience vaut bien la Méditerranée d'Ulysse et les obscurations multiples du soleil intérieur sont l'équivalent des tempêtes homériques. » Bernard Beugnot (*Journal*, p. 291, note 163) suggère pour ces propos une origine gidienne. Le mot « obscuration » (Glossaire) revient dans *Neige noire* (CLF, p. 196). Sur les dates qui suivent, voir notes 42 et 4.

89. Voir note 57 et Matthieu (27, 5) pour l'allusion aux trente deniers de Judas.

90. Voir note 86. C'est à l'époque de l'écriture de *Prochain épisode* que remonteraient les premiers symptômes de l'épilepsie d'Aquin (DESA, p. 270).

91. Allusion à la devise du Québec : « Je me souviens ». Dans *L'Invention de la mort* (1959, p. 129-130) : « Je descendrai subitement dans l'eau du fleuve [...] que je me liquéfie comme tous les animaux marins qui enrichissent l'eau de leurs corps dissous depuis des millénaires, et redeviennent ainsi nourriture diffuse pour leurs frères vivants ! »

92. Il s'agit en fait du « quai de Belgique ».

93. Encore récemment, le vapeur Neuchâtel n'apparaissait pas au tableau des croisières du quai d'Ouchy.

94. Dans «La fatigue culturelle du Canada français» (1962 ; BE, p. 94) : «Me dirait-on que Joyce a écrit *Ulysse* à cause de son exil, je répondrais que précisément Joyce n'a trouvé un sens à l'exil que dans un "repaysement" lyrique. Trieste, Paris, Zurich n'ont été pour lui que des tremplins de nostalgie d'où il a effectué, par une opération mentale délirante à la fin, un retour quotidien, d'heure en heure, à son Irlande funèbre.» Dans «Profession écrivain» (1963 ; *Point de fuite*, p. 58) : «Le problème pour l'écrivain, c'est de vivre dans son pays, de mourir et de ressusciter avec lui.»

95. À l'image du Christ : Matthieu 14, 22-25.

96. Ancienne dénomination des Alpes (du nom d'un peuple d'Europe centrale), entre le Saint-Gothard et le col de Bernina.

97. Voir «Écrivain faute d'être banquier» (1967 ; *Point de fuite*, p. 13-20).

98. Siège du gouvernement suisse.

99. Solingen : ville allemande renommée pour ses nombreuses manufactures de coutellerie d'argent. La «Fabrique nationale» pourrait être celle des armes de Herstal (Belgique), citée par SIMENON, par exemple dans *La Danseuse du Gai moulin* (*Tout Simenon*, t. I, Presses de la Cité, 1988, p. 70, 89 et 110), lu par Aquin en 1961 (JO, p. 228).

100. Gaudy rappelle Gaudissart, le commis-voyageur magicien et bouffon de Balzac (voir *La Comédie humaine : Histoire de la grandeur et de la décadence de César Birotteau* ; *L'Illustre Gaudissart* ; *Le Cousin Pons*).

101. Dans le «premier plan» de *Trou de mémoire* (TM, p. 274) : «Michèle entreprend un roman dans lequel les permutations de noms sont nombreuses». Voir aussi *L'Invention de la mort* (p. 16-147).

102. Dans «Un Canadien errant» (1967 ; *Point de fuite*, p. 31-45), il est question de la Police fédérale (suisse) des étrangers.

103. Il s'agirait plutôt de l'article 47,4 de la loi fédérale sur les banques du 8 novembre 1934. L'article 47 est relatif au droit de séjour et au statut de résident. On trouve une mention de cet article

dans le *Journal* (5 octobre 1964, p. 270). Il y revient plus loin (p. 77).

104. RCMP («Royal Canadian Mounted Police») : Gendarmerie royale du Canada (GRC). Fondée pour maintenir l'ordre dans l'Ouest canadien à la fin des années 1860, elle constitue le principal corps policier du Canada. À ses effectifs de vingt mille personnes, il faut joindre une trentaine d'officiers de liaison dans autant de capitales étrangères. Responsable aussi (jusqu'en 1984) du contre-espionnage et de la sécurité de l'État canadien, la GRC était fort active à Montréal, au début des années 1960, dans la lutte contre le terrorisme et dans le renseignement sur les mouvements sécessionnistes du Québec. Sur le procès secret que fait subir la GRC à l'auteur, en 1958, voir ITIN, p.100. Dans *Trou de mémoire* (p. 94) : «...sois comme une vraie **p**etite **m**omie **r**oyale **c**anadienne» (jeu humoristique inspiré de l'acronyme anglais de l'organisme fédéral).

105. S.A. : société anonyme ; équivalent européen de «compagnie limitée» («ltée»).

106. Serait-ce «Les Trois couronnes» (hôtel de luxe) de Vevey ?

107. «Le Rochers-de-Naye» se trouve à Caux (commune de Montreux). L'édition Laffont (voir les Variantes, ci-après) lui substitue, à chaque mention, l'*Hôtel de l'Ermitage*, situé à Clarens.

108. L'Union fribourgeoise de crédit n'existe plus, ni la pharmacie Schwub, qui était bien située à proximité du sentier de gravier qui monte vers le temple.

109. Rivière d'Aigle.

110. Des fragments des trois phrases précédentes se retrouvent sur la couverture de l'édition originale (appendice II), photographiés d'un manuscrit de *Prochain épisode*. Les variantes attestent du travail de réécriture. Lors d'une entrevue donnée à Michèle Favreau (*La Presse*, 30 avril 1966), Aquin confirmait son intervention : «Le passage manuscrit que j'ai choisi d'imprimer sur la couverture de *Prochain épisode* est celui de la course en Volvo.» Aquin était un passionné de vitesse et de voitures comme il l'a dit lui-même à Normand Cloutier : «... ce qui me fascine dans la course, c'est un fantasme de mort que je trouve extraordinaire. Une course

d'autos, c'est pour moi le plus beau spectacle [...]. Le coureur [...] vit intensément [...] au bord de la mort.» («James Bond + Balzac + Stirling Moss + ... = Hubert Aquin», *Magazine Maclean, op. cit.*, p. 41). Divers témoignages (DESA, p. 181-187) confirment ces propos. Voir aussi ITIN (p. 113, 131, 134, 138) et le court métrage dont il fut le producteur: *L'Homme vite* (Office national du film du Canada, 1964).

111. On trouve une poursuite semblable dans *Le Pont VIII* (mai 1964; BE, p. 233-234).

112. Voir, sur cet important motif, *Trou de mémoire* (p. 69 et 252).

113. «La fatigue culturelle du Canada français» (1962; MEL II): «Le Canadien français est, au sens propre et figuré, un agent double. Il s'abolit dans l'"excentricité" et, fatigué, désire atteindre au *nirvana* politique par voie de dissolution. Le Canadien français refuse son centre de gravité, cherche désespérément ailleurs un centre et erre dans tous les labyrinthes qui s'offrent à lui. Ni chassé ni persécuté, il distance pourtant sans cesse son pays dans un exotisme qui ne le comble jamais. Le mal du pays est à la fois besoin et refus d'une culture matrice.»

114. Le pont dit de Cartierville (partie de Ville Saint-Laurent, l'une des municipalités de l'agglomération montréalaise) s'appelle officiellement le pont Lachapelle et relie l'île de Montréal à l'île Jésus (ou Laval).

115. Voir *L'Invention de la mort* (1959, p. 147): «...je vous supplie de me libérer de moi-même et que, dans cette vie seconde, je sois un autre!» On trouve aussi, en date du 29 octobre 1962, dans *Trou de mémoire (premier plan)*: «Cher lecteur, je meurs d'être un autre, plus vrai et plus lamentable que tous ces personnages de mes romans inachevés. Je ne suis nul autre qu'Hubert Aquin. Cet auteur — mis à nu — tente vainement de faire résonner toutes ces correspondances imaginaires, tout au long de cette nuit blanche... Dépothéose finale.» (TM, p. 280) Dans «Le Pont VIII» (*Liberté*, numéro de mai-juin 1964), l'auteur confesse au lecteur qu'il est femme et signe Olga von Tod (littéralement: Olga de la Mort) (BE, p. 233-

234). À propos du fait que sa mère traita l'enfant Hubert comme une fillette, Louis-Georges Carrier dit qu'il leur est arrivé, à Aquin et à lui, de « fabuler sur cette inversion et [sur] ses conséquences relativement à son identité sexuelle », et il ajoute : « Ceci l'a marqué et a joué un rôle dans sa vie. » (DESA, p. 59)

116. Voir le *Journal* (23 août 1961) : « La *possession*, telle que décrite par M. [Michel] Leiris [voir la note 25 de la présentation], est un dédoublement : le *zâr* devient le double suprême qui s'empare du pauvre moi et, pour un temps donné, l'habite, le transfigure. [...] Le carnaval prolonge rituellement les anciennes séances de possession-dédoublement. Ce que je veux, dans mon théâtre, c'est une situation où le dédoublement soit [...] rapide et coupable, car dans notre monde, il est mal de se dédoubler ! » Voir aussi le *Journal* du 22 août 1964.

117. La « Maison du pasteur » (propriété de l'État) est située rue de l'Ours.

118. « Nussbaumer » est un patronyme existant à Château-d'Œx. Le « Sonderbund » était vers 1845 une ligue indépendantiste des cantons catholiques. On trouve chez NABOKOV, dans *La Vraie Vie de Sebastian Knight* (p. 263), un certain « Nussbaum », savant suisse (qui tue sa maîtresse dans une chambre d'hôtel). Dans *La Porte* (roman de SIMENON lu en 1962) se trouve aussi une Florence Nussbaum.

119. « Les Charmilles » : nom de la maison du pasteur (note 117). Même pour un coureur automobile (note 110), la performance décrite ici est peu vraisemblable.

120. Bullinger (Henri) est aussi le nom d'un chroniqueur important pour la compréhension de la Réforme : voir *L'Histoire suisse* (L. SUTER, traduction de l'allemand par Gaston Castello, 2ᵉ édition française, Einsiedeln, Établissements Benziger, 1915, XVI et 480 pages).

121. Dans *Les Thibault* de Roger Martin du Gard (note 6), on trouve un hôtel du Globe habité par des militants révolutionnaires, mais il est situé Place Grenus. Le Café du Globe cité ici ne paraît pas correspondre à celui des *Thibault*, situé au 35, rue du

Stand (où se trouvait encore récemment un «Bar Le Globe»), à dix minutes du Quai du Général-Guisan. Et de là, on ne peut voir le Léman, contrairement à ce qui est dit plus loin.

122. Dans les années soixante, les tenants de l'indépendantisme utilisaient couramment l'appellation anglaise de l'agence (la Presse Canadienne) pour dénoncer son orientation fédéraliste et la piètre qualité de son français. On ne sait si Aquin a pu habiter au 18 de la grande artère genevoise, lors de ses séjours de 1961 et 1962.

123. Théorie exposée en 1960, à la télévision française: «Portrait Souvenir: Georges Simenon évoque M. de Balzac» (réalisation Pierre Viallet). Aquin aurait pu l'entendre de la bouche même de Simenon, en 1962 (note 10), après avoir peut-être pris connaissance de l'entrevue que le romancier belge avait déjà donnée (en compagnie de Denise Ouimet, sa femme d'origine canadienne), à Gérard Pelletier («Premier plan», Société Radio-Canada, 1959). Voir les *Mémoires intimes* de Simenon (p. 439-440). Dans *L'Invention de la mort* (1959, p. 20): «L'expression de soi n'est qu'un simulacre de la puissance... C'est le pouvoir qui m'intéresse, n'importe lequel! J'ai rêvé d'être un homme riche ou un criminel impuni.»

124. Du 24 décembre 1833 au 8 février 1834, Honoré de Balzac séjourne à Genève auprès de Mme Hanska. L'amante polonaise perdra plus tard l'enfant dont Balzac pensait être le père.

125. C'est bien là que séjourna Balzac à Genève. Mais il n'aurait guère pu rêver d'écrire Ferragus à cette époque, comme l'imagine le narrateur plus haut, puisque la première version a paru en 1833 et la définitive en 1834.

126. Dans *L'Histoire des Treize* (note 27), Ferragus dissimule ainsi son identité.

127. Dans *Les Thibault* (notes 6 et 121), il est question du même quartier «qu'avaient adopté beaucoup de révolutionnaires, principalement les réfugiés russes» (t. II, p. 20). Voir la présentation.

128. Rappel du salon de Simenon à Échandens qui avait «trois hautes portes-fenêtres...» (Simenon, *Mémoires intimes,* p. 388). Les détails à venir sur le parc ou l'architecture et l'ameublement du

château de H. de Heutz renvoient généralement à ceux-là mêmes du château d'Échandens (xve siècle). Voir ITIN, p. 133-134 et les *Mémoires intimes* de SIMENON (p. 386-390, 406-407 ; 394 et 469).

129. Mot composé venant du récit de Marcel AYMÉ, *Le Passe-muraille* (1943).

130. Selon Michelle Lasnier, Hubert Aquin lui aurait « répété au moins cent fois qu'il était génial ». (DESA, p. 117)

131. Cet interrogatoire n'est pas sans rappeler celui subi par Aquin après son arrestation (voir note 51 et appendice IV). Les **sornettes** font écho aux difficultés (financières et conjugales) alors vécues par Aquin (ITIN, 1961-1963). Il a déjà quitté son domicile quand il prend le maquis. Le 1er juillet, il a laissé l'appartement de Louis-Georges Carrier (note 42) et emménagé chez Andrée Yanacopoulo. Il a alors deux fils, Philippe (né le 13 septembre 1958) et Stéphane (né le 28 décembre 1959) restés avec leur mère. Il avait déjà lu *Psychologie du suicide* de Gabriel Deshaies (ITIN, p. 153). Comme deux semaines s'écoulent approximativement entre le moment où il entre dans la clandestinité et celui de son interrogatoire par la police, cette mention pourrait démontrer que la chronologie reste ici celle du narrateur (et d'Aquin, interrogé le 5 juillet 1964) plutôt que celle de l'espion. Le mois suivant, pendant son internement, la « privation » de ses enfants le « torture » (*Journal*, 30 août 1964), ce que Louis-Georges Carrier confirme, disant que ce fut « un des drames de sa vie » (DESA, p. 176). C'est en 1966, avant son départ pour la Suisse avec Andrée Yanacopoulo, qu'Aquin quittera définitivement le domicile conjugal (ITIN, p. 170). Le problème de la garde des enfants d'un couple en instance de divorce se trouve évoqué dans *Trou de mémoire* (« premier plan » ; TM, p. 276). À propos des dettes, dans *L'Invention de la mort* (1959, p. 31), le narrateur disait déjà : « J'ai vécu à crédit comme un imposteur, sans jamais rembourser, sans rien donner en retour, mais que pouvais-je donner ? Je suis ruiné. »

132. Sur l'illumination : note 45.

133. Voir note 46. Nous avons ici rétabli la concordance des temps : « reconnais » est devenu « reconnus », et « parcours », « parcourus ». Quant à « moulure », ne devrait-on pas lire « mouture » ?

Dans *Lolita* (roman de Vladimir NABOKOV lu en 1959), il est question d'un «rallye-paper cryptogrammique» dont un frère ennemi poursuit Humbert Humbert (p. 359).

134. «Kaputt» (de l'allemand) : cassé, abîmé, fichu. S'écrit sans la majuscule, sauf s'il s'agit de *Kaputt*, de Curzio MALAPARTE (1944). Quant à *versich*, s'agirait-il d'une transcription phonétique de *fertig* (fini, achevé) ?

135. Depuis la mention du «poème infernal», Aquin condense les propos de Paoli (voir Présentation), qui, à ce sujet, parle d'inscriptions d'Afrique du Nord, de «sinistres borborygmes où s'exprime une haine transfusée en syllabes», de «langage incorrect» provenant de «gens de basse condition» et de «consécration d'un ennemi aux divinités infernales». Il précise en outre que les pratiques antiques d'envoûtement avaient fréquemment lieu après «des déboires judiciaires ou conjugaux» (*Vita romana*, p. 415-418 ; voir appendice III). Le romancier s'amuse sans doute aussi à évoquer l'*Anthologie de l'humour noir* (1940) d'André Breton, ne serait-ce que pour faire diversion.

136. On trouve la Banque Arabe au Square du Mont-Blanc.

137. Le 16 octobre 1961, Aquin avait tenté une première installation à Leysin, avec Thérèse Larouche, sa première femme, et ses deux fils. En 1966, il devait tenter, à nouveau, de vivre en Suisse, cette fois avec Andrée Yanacopoulo. Mais, arrivé le 23 mai, il fut obligé d'en repartir, après avoir reçu, le 19 novembre, un avis d'expulsion de la Police Fédérale des Étrangers. Voir ITIN (p. 124-125, 171-174).

138. Plusieurs passages de ce paragraphe renvoient aux importants échanges épistolaires intervenus en 1962 entre Hubert Aquin (alors directeur de la revue *Liberté*) et Michèle Lalonde (secrétaire de la rédaction, poète et essayiste). Dans une lettre du 8 mai 1962, elle répondait à une lettre d'Aquin en lui disant textuellement : «Écrire est un grand amour». Elle commente ensuite une formule de son correspondant : «Écrire, c'était t'écrire», et propose plus loin de voir dans l'amour «le cycle de la parole». Dans *Trou de mémoire (premier plan)*, l'écrivain avait déjà pensé à donner un tour épistolier à une partie du récit : «Lettre ou équivalent formel

d'une lettre adressée à "mon amour" (Michèle)» (TM, p. 276).
Aquin a connu plusieurs femmes prénommées Michèle. Sur la fonction de la lettre dans le récit, voir ci-haut la note 1 et la présentation.

139. Le thème de la communion (religieuse et amoureuse),
qui traverse l'œuvre d'Aquin, était déterminant dans sa thèse de
philosophie : « L'acquisition de la personnalité. Communauté et personnalité » (Université de Montréal, 1951). L'expression «livre à
thèse» rappelle un propos de 1952 : «J'ai déjà décidé de faire le
roman de la thèse [sur la phénoménologie du personnage]... »

140. Voir note 17.

141. Voir le communiqué du 18 juin 1964 (MEL I, p. 515) :
« la révolution opère implacablement en chacun de nous ».

142. Selon Madeleine GRAVITZ, (*Bakounine*, Paris, Plon,
1990, p. 582-583), le célèbre anarchiste est mort non à la prison,
comme le répétera Aquin, (lors de sa conférence du 4 août 1974),
mais à la clinique de Berne. Parmi les ouvrages sur la pensée révolutionnaire, la bibliothèque d'Aquin contient, à partir de 1971 (ITIN,
p. 21-22) : BAKOUNINE, *La Liberté* (Paris, 1965), *L'Anarchisme* de
Daniel GUÉRIN (1965), *L'Histoire du mouvement anarchiste en
France (1880-1914)* de Jean MAINTRON (1951). Bakounine est mentionné comme un auteur préféré (avec Thomas de Quincey) dans
Trou de mémoire (p. 5).

143. Double allusion aux feux de la Saint-Jean de 1964 (note
42). Lors du défilé du 24, la figure du Précurseur, portée par quarante hommes, fut illuminée par autant de porteurs de **flambeaux**.
La veille, au parc Jeanne-Mance, devait avoir lieu la bénédiction,
par le cardinal Paul-Émile Léger, des feux apportés par un groupe
de coureurs (*Montréal-Matin*, samedi 20, p. 10, et jeudi 25 juin
1964, p. 3). La plaine montréalaise aperçue des hauteurs du mont
Royal pourrait être la **vallée de la conquête**, par allusion à la victoire
anglaise de 1760 (à Montréal) qui, après celle de 1759 sur les plaines d'Abraham (à Québec), scelle le destin des Canadiens français.

144. Il s'agit plutôt de *Journaux intimes*, comme le propose
Alfred Roulin dans les *Œuvres* de Benjamin CONSTANT (Paris,
Gallimard, coll. «Bibliothèque de la Pléiade», 1957, p. 1442-1448).
La bibliothèque d'Aquin comprend *Adolphe* (1965), de Gustave

Prochain épisode

RUDLER: *Adolphe de Benjamin Constant* (1935) et *La Jeunesse de Benjamin Constant* (1909). Amant de Madame de Staël (née Germaine Necker), Constant (Lausanne, 1767-Paris, 1830) avait l'habitude de chiffrer ses écrits intimes. Le château des Necker devint, grâce à Madame de Staël, un salon littéraire renommé, «une cour d'émigrés illustres» (Alfred ROULIN, *op. cit.*, p. 1474, note 184). Le boisé (maintenant bien mince) où le narrateur s'arrête avec son prisonnier se trouve derrière la maison mais n'est pas accessible aux visiteurs.

145. Voiture à moteur arrière construite par Renault dans les années 1950.

146. Appelée aujourd'hui la route 148 (qui va de Saint-Eustache aux abords de la frontière ontarienne), elle longe, à partir de Calumet et Pointe-au-Chêne, la rivière des **Outaouais** (Ottawa River, en Ontario), voie historique de la traite des fourrures et de la percée vers l'Ouest canadien qui porte le nom («cheveux relevés») d'une tribu algonquine. Après Pointe-au-Chêne, on entre dans l'ancienne seigneurie des Papineau, dite de **la Petite-Nation**, du nom même de la rivière qui serpente à travers la vallée du même nom, gardant le souvenir d'autres Algonquins, les Oueskarini («gens de la petite nation»), exterminés par des Iroquois en 1653. Ce pays de forêts et de lacs réunirait aujourd'hui, au bord de l'Outaouais, les municipalités de Fassett, Montebello, Papineauville, Plaisance et, dans la vallée qui s'étend vers le Nord montagneux, celles de Saint-André-Avellin, Sainte-Angélique et de Notre-Dame-de-Bonsecours, tous lieux marqués du souvenir de la famille Papineau. C'est elle qui assura, à partir de 1805, le développement de la seigneurie d'abord concédée, en 1674, à Mgr de Laval. À son retour d'exil (en 1845), Louis-Joseph, l'ex-chef des rebelles de 1837 (note 243) et troisième seigneur, y prit sa retraite, poursuivant la mise en valeur commencée par son père Joseph. L'année suivante, il y fit construire, au bord de l'Outaouais, son célèbre manoir, baptisé **Montebello** (en souvenir d'un ami français, le duc de Montebello). Ce dernier nom (rappelant une victoire napoléonienne en Italie) en vint à désigner aussi de nos jours la municipalité où, en 1930, le Seigniory Club, nouveau propriétaire du manoir, fit construire le Château Montebello (fait de

bois rond), maintenant hôtel et villégiature de prestige. Depuis 1994, le manoir (devenu musée) et une partie de l'ancien domaine (dont la chapelle funéraire des Papineau) sont des lieux publics gérés par l'État canadien (Parcs Canada).

147. Ainsi appelée parfois, il s'agit de la rivière de la Petite nation (note précédente) qui prend sa source au lac Simon (note 20), le plus grand de la région et qui fut un centre de villégiature très fréquenté pendant les années 1950. Le Portage-de-la-Nation (placé plus bas entre Papineauville et Saint-André-Avellin) pourrait correspondre au croisement de la route 321 par la même rivière dont le nom inspire d'évidence le narrateur. Pour éviter toute ambiguïté sur la nature du lieu désigné, nous avons corrigé «La Nation» (proposé originellement par le texte) en «la Nation». Sur la fonction des itinéraires, voir la note 17.

148. Itinéraire simplifié : se rendre ainsi (à la manière des coureurs de bois) dans les Hautes Laurentides et atteindre le village de La Minerve suppose, au sortir du lac Simon, le passage de quelque sept autres lacs (et d'autant de portages).

149. On reconnaît dans ce passage plusieurs formules de «L'Invitation au voyage» (*Les Fleurs du mal*, 1857) de Baudelaire (note 64) dont Aquin avait les œuvres complètes : «...*Aimer et mourir*, Au *pays qui te ressemble*... Tout y parlerait, À l'âme en *secret*, Sa douce langue *natale*...», sans compter les motifs de l'enfant, des «soleils mouillés», des «soleils couchants», des larmes, de la chambre, des meubles anciens, «[des] vaisseaux dont l'humeur est vagabonde» et le thème général du voyage amoureux (Baudelaire, *Œuvres complètes*, Paris, Seuil, «l'Intégrale», 1968, p. 72-73).

150. Voir note 17.

151. C'est devant la Cour des Sessions de la paix (cour criminelle) que devait comparaître Aquin (note 4). La Cour du Banc de la Reine était alors une cour d'appel.

152. Voir note 88.

153. Se sont donné la mort les Québécois qui, après les défaites de 1837-1838, ont cessé de se battre. Dans *Papineau inédit* (1er mai 1961, MEL I, p. 291) : «...le héros peut vivre à Montréal ; être contre les Patriotes pendant les batailles de la Richelieu, vivre

d'amour interdit, etc., puis se rallier pour la bataille de Saint-Eustache — son anglophobie grandira (naîtra) avec les défaites de la Richelieu.» Voir note 17.

154. Des Saugy dont l'histoire suisse garde mémoire, on peut retenir l'exemple de Jules Frossard de Saugy (1795-1869), un temps préfet de Nyon, qui est aussi un personnage cité par Benjamin CONSTANT (*Œuvres*, p. 1579). Plus loin, l'expression «Saudy» est ironique : dans le Québec d'autrefois, on atténuait en «saudit» l'appellation du «Maudit» (le diable), de crainte de le voir apparaître. Plus loin (p. 85), le narrateur dira justement, à propos de son ennemi : «J'ai vraiment affaire au diable.» Aquin confiera, lors de la VIIe Rencontre internationale des écrivains : «Je me crois maudit, objet de certaines malédictions (en toute franchise) [...]», rattachant d'ailleurs cette malédiction à celle du peuple québécois — «lui aussi maudit et bienvenu à la fois, maléfique et bienfaisant...», tout en disant qu'il n'a «rien d'un sauveur de race». («La Mort de l'écrivain maudit», 1969 ; MEL I, p. 203-204)

155. Voir note 104.

156. Voir note 103.

157. Voir note 137. Sur la question du plagiat évoquée plus haut, voir l'édition de *L'Antiphonaire* (Bibliothèque québécoise, t. III, vol. 5) par Gilles Thérien.

158. Voir note 115.

159. Simenon aussi s'était fait «africaniste» : voir «L'heure du nègre», en six livraisons de la revue *Voilà* (n°s 81-86, 8 octobre-12 novembre 1932) ; articles repris dans *À la recherche de l'homme nu* (1976, 10/18, p. 45-106). Aquin traduit le texte d'un film documentaire sur le Kenya pendant son séjour à l'Institut (JO, 30 août 1964, p. 268).

160. Souvenir ? En août 1962, à la suite du tournage non autorisé de l'entrevue avec Simenon (note 10), Aquin perd son poste de producteur-délégué à l'Office National du Film du Canada. Au début de 1963, il deviendra courtier en valeurs mobilières (ITIN, p. 134-135, 142).

161. Hubert Aquin avait vu, en mai 1951, le film de Carol Reed, tourné à partir de la nouvelle de Graham Greene, *Le Troi-*

sième Homme (1950 ; de l'anglais : *The Third Man*) où l'on voit un romancier (Rollo Martins) tuer l'ami (Harry Lime) dont il aime la maîtresse. Autres notes sur Greene : 185, 199, 219.

162. Voir *Le Pont VIII* (*Liberté*, mai-juin 1964 ; BE, p. 233) : « Je ne cesse de courir chaque chapitre comme on brûle les étapes. J'avance mais vers quoi ? Avec quel adversaire lyrique que je cherche en vain à rattraper ?... Bien sûr, cela crève les yeux : c'est Hans qui me devance et m'obsède, c'est lui le *Ciampionissimo* qui semble s'évaporer à chaque virage, c'est lui, Hans, l'ombre fugace que je chasse avec tant d'ardeur [...]. »

163. À l'image de la femme de Loth (Genèse, 19, 26), punie par Dieu pour s'être retournée. Comme dans *L'Invention de la mort* (1959, p. 58). Le motif revient dans *Neige noire* (1974, p. 176).

164. Voir note 69. L'une des chansons d'*Orfeu negro* (note 41) s'intitule « Tristeza ».

165. Allusion possible aux nombreuses cités lacustres du Léman, maintenant ensevelies (*cf.* Frédéric TROYON, *Habitations lacustres des temps anciens et modernes*, Lausanne, 1860, Georges Bridel éditeur, p. 106-132). Dans *Derborence* (Charles-Ferdinand RAMUZ, Paris, Grasset, 1980 [1936], 231 p.), la montagne (Les Diablerets) tombe sur le pâturage de Derborence, ensevelissant un pâtre. En 1966, Aquin a visité l'endroit en compagnie d'Andrée Yanacopoulo (Henri-Dominique PARATTE, « Hubert Aquin et la Suisse romande : rapport de recherche », *Bulletin de l'ÉDAQ*, nº 4, mai 1985, p. 13). Dans le « Texte du roman (CC) 1973 » (« Notes de cours et de lectures », JM, nº 92), sur un feuillet du 21 mars 1971 : « [...] celui qui a découvert sous sept couches de marde [merde] séculaire, la ville splendide des bords de l'Euphrate du nom de Marde tente, dans un dernier spasme, de s'immiscer à jamais dans les mardes mouvantes (qu'on a accoutumé de désigner maintenant sous le nom de sables mouvants) [...] les idées de mars se découvrent enfin sous leur vrai jour, ce sont les idées de marde [...] H A né à Marde, le 15 mars en 44 avant J.C. » (Aquin se suicidera justement en ce jour anniversaire de la mort de César, celui dit des ides de mars, en 1977).

166. Évocation de Marie-Madeleine, la Galiléenne de l'Évan-

gile. Comme dans *L'Invention de la mort* (1959, p. 135) : « réchauffer mes flancs aux flancs brûlants de la Galilée [Madeleine, la maîtresse du narrateur]) ».

167. Dans « La fatigue culturelle du Canada français » (1962 ; BE, p. 97), Aquin disait : « Je suis moi-même cet homme "typique", errant, exorbité, fatigué de mon identité atavique et condamné à elle. »

168. L'Organisation mondiale de la propriété intellectuelle (OMPI) se trouve place des Nations à Genève. La convention y a été adoptée le 6 septembre 1952.

169. *Passé antérieur* est le titre d'un téléthéâtre de 1955 (JM, 489). Dans « Profession : écrivain » (1963 ; *Point de fuite*, p. 52) : « Oui, le dominé vit un roman écrit d'avance [...]. »

170. Le système de classification des connaissances inventé par Melville Dewey, en 1876, reste encore en usage dans certaines bibliothèques. Quant au « livre à venir », il pourrait rappeler le titre de Maurice Blanchot (Paris, Gallimard, 1959), lu en février 1961.

171. C'est plutôt en 1963 que, selon Louis-Georges Carrier (DESA, p. 187), Aquin aurait subi une cure de désintoxication, pendant les trois mois d'hospitalisation nécessités par une tentative de suicide (note 57).

172. C'est d'abord aux artisans des rébellions de 1837-1838 que renvoie habituellement le mot « patriote », repris en ce sens, depuis les années soixante, par beaucoup d'indépendantistes québécois.

173. Voir « La fatigue culturelle du Canada français » (1962) : « Lord Durham disait vrai [...] quand il a écrit que le Canada français était un peuple sans histoire ! » (BE, p. 92, note 22) Ou encore : « Ce pays n'a rien dit, ni rien écrit. » (TM, p. 58) Dans son rapport (note 17), Lord Durham écrivait des Canadiens français : « C'est un peuple sans histoire et sans littérature. La littérature anglaise est d'une langue qui n'est pas la leur ; la seule littérature qui leur est familière est celle d'une nation dont ils ont été séparés [...] » (Michel BRUNET, Guy FRÉGAULT et Marcel TRUDEL, *Histoire du Canada par les textes*, BIB, [1963], p. 163).

174. Voir note 19 et la présentation.

175. Voir le communiqué du 18 juin 1964 (MEL I, p. 516) :
«La révolution viendra parce que nous la ferons comme on fait la guerre.» Au cœur du défilé nocturne du 24 juin 1964 (notes 42 et 143), parmi les «centaines de porteurs de drapeaux [fleurdelisés]» se trouvaient «une centaine de séparatistes, de membres du R.I.N.», dont le terroriste Richard Bizier (photographié) et «une compagnie de cadets de la marine canadienne [de langue française]», commandée en anglais (*Montréal-Matin*, jeudi 25 juin 1964, p. 3).

176. Formulation historique moins connue que la «Sainte-Alliance» ou la fameuse «Entente cordiale», la «Joyeuse entrée» désigne la charte des communes brabançonnes (xIVe siècle). Son annulation, en juin 1789, par Joseph II, provoqua la révolution dans le Brabant.

177. C'est plutôt le 7 avril 1782 que **la révolution de Genève** fut entreprise par les «natifs» et les bourgeois, mais en vain : l'Ancien Régime fut rétabli avec l'aide étrangère. La révolution des **Provinces-Unies des Pays-Bas** eut lieu, pour sa part, en 1785 (non en 1787), quand le stathouder Guillaume V quitta La Haye, renversé par les «patriotes» mécontents de sa politique anglophile. Mais son gouvernement fut restauré en 1787 par les armées de Guillaume de Prusse. Celle de **Liège** commença le 26 août 1789 par le soulèvement des «patriotes» qui finirent par vaincre le prince-évêque de Liège, le 17 avril 1790. Mais la ville devint française en 1795. Quant au **Boston Tea Party**, il n'eut pas lieu en 1776 (année de la déclaration de l'indépendance des États-Unis) mais en 1773, quand un groupe de Bostoniens rejeta à la mer une cargaison de thé provenant d'Angleterre en vue de faire abolir une taxe anglaise sur le commerce. Les Anglais devaient investir la ville en 1775. Enfin, le **Camp de la Misère** rappelle le nom donné, par les prisonniers français de la défaite de Sedan (1870), à la presqu'île d'Iges, au bord de la Meuse, où ils furent cruellement confinés, sans ressources, par les soldats prussiens.

178. En 1969, Hubert Aquin fera du baroque un objet d'études et d'enseignement (voir ITIN, p. 203). Sa bibliothèque comporte de nombreux ouvrages sur le sujet, dont ceux d'Umberto Eco (*L'Œuvre ouverte*, 1965) et de Jean Rousset (*La Littérature de*

l'âge baroque en France, Circé et le paon, 1953), dont Janet Paterson et Marilyn Randall montrent, dans l'édition critique de *Trou de mémoire,* l'influence déterminante.

179. Les territoires actuels de la Belgique et du Luxembourg.

180. Allusion à l'histoire de Coppet et de Madame de Staël (notes 80 et 144).

181. Auberge, sans doute fictive, pouvant rappeler la célèbre «cour d'émigrés» de Mme de Staël (note 144).

182. Eau-de-vie de poire William que l'on retrouve dans *Neige noire* (CLF, p. 192-193). Plus bas: «Trumpler» (journaux, appareils-photo, souvenirs), près des Postes, n'existe plus aujourd'hui. Sur Leysin, voir note 137.

183. Avant *Derborence* (note 166), Ramuz avait publié *La Beauté sur la terre* (1927).

184. Le *Guide bleu de la Suisse* (établi par Jean Modot, aux éditions Hachette) ne figure pas dans la bibliothèque d'Aquin. L'édition consultée (1982) donne au contraire peu de renseignements sur les Necker et il n'y est pas question de la mise en résidence surveillée de Mme de Staël.

185. *Our Man in Havana* (1958), titre original du récit de Graham Greene (note 161).

186. Voir note 144.

187. S'agit-il d'un rappel des *Rêveries du promeneur solitaire* de Jean-Jacques Rousseau? La neuvième promenade relate l'abandon des enfants (aux Enfants-Trouvés), tandis que la cinquième raconte l'époque heureuse de son séjour en Suisse, sur l'île de Saint-Pierre, au milieu du lac de Bienne. Le thème de la promenade urbaine et littéraire (dans Montréal) a fait l'objet du récit autobiographique «Dans le ventre de la ville» (1974, BE, p. 183-184).

188. GM: la multinationale General Motors possède aussi, en Allemagne, la firme Opel.

189. Comme le confirment des proches (dont Andrée Yanacopoulo), Homère fut pour Aquin un auteur de prédilection. Il avait dans sa bibliothèque *L'Odyssée* (1965) et *Homère* (Gabriel Germain, 1964).

190. Marque de whisky écossais. Auparavant sont venues plusieurs mentions montréalaises : l'ex-grand magasin **Morgan**, en face du square Phillips, rue Sainte-Catherine, rebaptisé «La Baie», après son rachat (en 1960), par la Compagnie de la Baie d'Hudson à Henry Morgan and Co. Ltd. Le **Café Martin** était un restaurant-bar, situé au 2175 de la rue de la Montagne. Le **Beaver Club** (rappelant par maints objets le XVIIIᵉ siècle canadien et la traite des fourrures) est le restaurant principal de l'hôtel Reine-Élisabeth (fondé en 1958) situé boulevard René-Lévesque (anciennement Dorchester). Le **Holiday Inn** est peut-être celui du 6500 de la Côte-de-Liesse, près de l'Office national du film du Canada, dans l'Ouest montréalais.

191. Voir *L'Invention de la mort* (p. 131) : «Couché au fond de mon lit sans soleil [...] je voguerai lentement le long des deux rives du fleuve... comme une fois seulement, j'ai suivi un fleuve de sang qui coulait entre les cloisons endolories d'un ventre, pour me jeter, au terme de cette épopée amoureuse, dans l'affreuse lumière. Depuis, mes yeux ne se sont jamais habitués au soleil. Je le fuis depuis ma naissance. Ce que je veux retrouver, c'est cette course ténébreuse dans l'eau du fleuve, et tout ce que j'ai aimé dans l'intervalle entre ma venue au monde et ma mort prochaine.» Et *Trou de mémoire* (p. 132) où Magnant se détache de ces «autres hommes qui s'abolissent dans un flot visqueux, quand ils ne le laissent pas courir jusqu'au delta de muqueuses d'où leurs enfants partiront pour reprendre, à quelques changements près, la même chanson de mort.» Voir aussi «DDD» (lettre à Louis-Georges Carrier : «Trou, 9 avril 1970», *Point de fuite*, p. 138-139) : «...le sombre delta du fleuve Marde [...] ...(encore un delta : celui du Nil ! ach...)».

192. Dispositif antivol qui coupe le contact sur certaines voitures européennes.

193. Les meubles Louis XIII sont chers au narrateur comme ils l'étaient à beaucoup de Québécois qui les redécouvraient dans les années 1960. (*Cf.* Jean PALARDY, *Les Meubles anciens du Canada français*, Paris, Arts et Métiers graphiques, 1963, 401 p.). Mais ceux du salon d'Échandens (note 129) étaient plutôt de l'époque Louis XVI, et le buffet à deux corps, de style Louis XV.

194. Le pont de l'île Rousseau s'appelle officiellement le pont des Bergues.

195. Ce théologien protestant, grand prédicateur et écrivain (Senlis, 1543-Genève, 1628) fut emprisonné pour s'être attaqué à Henri IV.

196. C'est plutôt en 1887 que le colonel baron Eugène-Georges-Henri-Céleste Stoffel publie à Paris, à l'Imprimerie nationale, son *Histoire de Jules César. Guerre civile,* en deux volumes (387 et 460 p.).

197. Le tableau (« The Death of General Wolfe ») rappelle la bataille des Plaines d'Abraham (note 143) où le général anglais fut le vainqueur de Montcalm, mort lui aussi à cette occasion. L'Américain Benjamin West fit, sur commande, trois copies de son huile, (datée de 1770), qui eurent beaucoup de succès. Et l'une d'elles fut effectivement achetée par George III. Quant aux gravures qui en furent tirées en 1776, c'est plutôt à William Woollett qu'on les attribue maintenant. Contrairement à ce qui est dit par le narrateur, ces reproductions gravées eurent une large diffusion. Et c'est le tableau original (don du duc de Westminster à Lord Beaverbrook pour la participation canadienne à la guerre de 1914-1918) qui se trouve maintenant à Ottawa, au Musée des Beaux-Arts du Canada. Le Musée du Québec ne semble pas avoir eu de copie ou de reproduction. Et on ne sait si la collection (cent mille pièces) du prince Nicholas Esterhazy de Galantha (1714-1790), déposée au Musée de Budapest, en contient une. Dans une note de travail de 1967 (Fonds Aquin), Hubert Aquin s'intéressera de nouveau à un portrait de Wolfe, au moment où il préparait l'animation du Pavillon du Québec, après l'Exposition universelle de 1967. Le portrait anonyme du musée du château de Ramezay y est relevé à partir du *Catalogue du Musée du Château de Ramezay* (par Louis Carrier, traduit de l'anglais par Jean-Jacques Lefebvre, Montréal, Musée du Château de Ramezay et Société d'archéologie et de numismatique de Montréal, 1962, p. 123).

198. L'éditon Laffont (voir Variantes) rectifie cet usage fautif du verbe « débuter » (intransitif).

199. Après l'allusion aux activités de la RCMP (note 104),

la référence à Villerège est moins claire : le nom Villerège renvoie-t-il au fameux Blaise de Vigenère, auteur d'un *Traité des manières secrètes d'écrire* (1587) qui mit au point une méthode de substitution à double clef (ou contre-chiffre)? Outre Benjamin Constant (note 144), d'autres amateurs de chiffrage sont connus d'Aquin, en particulier : Balzac (le faux cryptogramme de la *Physiologie du mariage*), Poe (celui qui conduit au trésor dans *Le Scarabée d'or*) et Graham Greene (*Notre agent à la Havane*, note 185). Voir : Fletcher PRATT, *Histoire de la cryptographie. Les écritures secrètes depuis l'antiquité jusqu'à nos jours* (Payot, 1940); John LAFFIN, *Petit code des codes secrets (codes et chiffres)* (Dargaud, 1968); et André MULLER, *Les écritures secrètes : le chiffre*, Paris, PUF, «Que sais-je?», nᵒ 116, 1971. Le 29 octobre 1962, dans *Trou de mémoire (premier plan)*, il est dit que «comme contrepoint aux commentaires délirants de Michèle», le personnage Alain S. «se sert de la grille de Villerège (contre celle du Saint-James Park)» (TM, p. 279). Dans *Trou de mémoire* (p. 157): «...son vasage vagomoteur au sujet des "Ambassadeurs" de Hans Holbein est peut-être un texte codé [...]».

200. Lerida ou Ilerda, sur le Segre, en Espagne : voir les planches 5 («Carte des environs d'Ilerda») et 6 («Carte du pays entre le Segre et l'Ebre») de l'atlas in-folio de l'*Histoire de Jules César. Guerre civile*, de Stoffel (note 196).

201. Le *Journal* de l'Institut enregistre une angoisse similaire dans les entrées des 31 juillet, 19 août et 30 août 1964.

202. Cette réflexion vient du narrateur-auteur et non de son personnage d'espion, puisque, dans l'histoire d'espionnage, on est ici le mercredi 2 août (lendemain de la conférence donnée par H. de Heutz).

203. Voir note 57.

204. Comment me parer?

205. Voir «La fatigue culturelle du Canada français» (*Liberté*, mai 1962): «Le Canada français, culture agonisante et fatiguée, se trouve au degré zéro de la politique.» (MEL II, p. 107)

206. Voir note 88.

207. Voir note 181.

208. Fondé en février 1963, le Front de Libération du Québec (note 12) publie un premier manifeste, le 8 mars suivant, après des attentats contre des casernes militaires. Le 10 octobre de la même année, Aquin écrit à Gaston Miron : « J'ai frémi au rythme même des déflagrations du F.L.Q., et nombreux sont les Canadiens français qui ont éprouvé le même tremblement que moi, la même attente inavouable ! » (ITIN, p. 143)

209. Motif de la poésie québécoise des années soixante. Dans un recueil célébré à l'époque, *Terre Québec*, Paul Chamberland écrit : « femme ou pays double terre conjuguée dont j'étais l'anneau de sève [...] noué par tous mes membres à la substance natale aux ténèbres de la mine et du sein » (Montréal, Déom, février 1964, p. 28).

210. Fusion des noms de Saint-Zotique et de Saint-Stanislas-de-Kostka, municipalités voisines, près de Salaberry de Valleyfield, au sud-ouest de Montréal.

211. Alors que Durham et Saint-Eustache se rattachent à la défaite (note 17), Saint-Denis (-sur-Richelieu) rappelle la seule victoire des Patriotes : sur la troupe du colonel Gore.

212. Allusion peut être faite ici aux patriotes exilés en Australie (voir François-Maurice LEPAILLEUR, *Journal d'exil* [1972], présent dans la bibliothèque d'Aquin).

213. La proclamation fut faite, le 28 février 1838, par Robert Nelson (Fernand OUELLET, *Le Bas-Canada, 1791-1840, changements structuraux et crise*, Ottawa, Éditions de l'Université d'Ottawa, 1976, p. 471).

214. Saint-Charles et Saint-Ours, villages situés le long de la Richelieu, sont d'autres lieux de combat en 1837-1838.

215. Les « bouzoukia » : bars-restaurants grecs du centre-ville de Montréal où (surtout dans les années soixante) l'on dansait sur la musique du « bouzouki » (sorte de longue mandoline). L'orchestre antillais de Pointe-Claire (note 76) aurait pu se trouver à l'Edgewater.

216. Voir note 35.

217. Mentionnée parmi les « titres pour un roman » éventuel (*Journal*, 13 décembre 1960, p. 186), l'expression « présence

réelle» renvoie au dogme de la présence du Christ dans l'hostie utilisée par le prêtre durant la messe.

218. Voir note 197.

219. Dans le tome premier de l'ouvrage de STOFFEL (note 197), la page 218 relate plutôt le mouvement de Marc Antoine sur Arretium et d'autres opérations militaires. À la même page, le tome second raconte cette fois l'assassinat de César, alors que la bataille d'Uxellodunum se trouve commentée dans la *Guerre des Gaules* (édition de Maurice Rat, Paris, Garnier-Flammarion, coll. «Texte intégral», n° 12, 1964, p. 208-213). Louis-Georges Carrier a indiqué (DESA, p. 70, 227, et 303) comment Aquin avait l'habitude des signaux et des jeux de pistes, jouant sur les références, en donnant une pour renvoyer de fait à une autre, ce qui rappelle les techniques du contre-chiffrage (note 199) telles qu'on les trouve dans *Notre agent à la Havane* (Graham GREENE), où il ne suffit pas de savoir que l'ouvrage de référence est de SHAKESPEARE (*Le Conte d'hiver*); la page utilisée nécessite encore la connaissance d'une grille convenue. Dans cette perspective, le message encodé ici par l'ennemi du narrateur renvoie au jour et au mois à venir de la mort de l'auteur (note 165).

220. Voir note 131.

221. Voir les notes 41, 43 et 69.

222. Le «fleuve noir» (nom connu d'une collection parisienne de polars) est d'abord une formule rimbaldienne: voir «Ophélie» et sa «grande chevelure» (*Œuvres*, «Classiques Garnier», 1960, p. 46-47). *L'Invention de la mort* proposait déjà: «Ma sœur, mon grand fleuve obscur» (p. 151). En 1968, on lira dans «Littérature et aliénation» (BE, p. 133): «Les Plaines d'Abraham [...] glissent pernicieusement, insensiblement vers le fleuve noir qui coule sans cesse et sans saison. Oui, elles sont finies les Plaines d'Abraham [...]. Tout est en berne au Québec; et tout sera en berne jusqu'à ce que le patriote fantôme, costumé en écrivain, revienne au foyer, tel un spectre. Il n'y a plus d'intrigue possible hors de cette hantise collective qui ressemble à l'espérance et au bonheur.»

223. L'hôtel Lord Simcoe (maintenant disparu) était situé au 150, rue King Ouest.

224. Où se trouve un aéroport international: Toronto International Airport at Malton.

225. Aquin prétendait avoir été un enfant bégayant à force de timidité (ITIN, p. 25 ; DESA, p. 53-54). L'« amnésie adriatique » demeure obscure.

226. Babylone (en ruines) se trouve à une soixantaine de kilomètres de Bagdad dont l'artère principale est *Rashid Avenue*.

227. Le 16 novembre 1961, Aquin séjourne au grand hôtel N'Gor, à Dakar (voir ITIN, p. 124-125 et JO, p. 234). Habib ibn 'Ali Bourguiba, qui négocia l'indépendance, fut le premier président tunisien (de 1957 à 1987).

228. Voir note 221.

229. Comme dans *Papineau inédit* (3 mai 1961 ; MEL I, p. 291), où le héros, réfugié aux États-Unis, n'a plus de pays.

230. Voir note 51.

231. La municipalité voisine de Dorval offrait, à l'époque, le seul aéroport international de Montréal.

232. Adresse fictive.

233. En octobre 1965, Aquin travaillera à un projet d'émission de télévision ayant pour titre : « M » (ITIN, p. 161). « M » était déjà le nom de code du patron de James Bond, le personnage du M.I. 5 (note 13), inventé par Ian Fleming dont Aquin était amateur (DESA, p. 189). L'auteur cinéaste connaissait sans doute les films *M le maudit* (Fritz Lang, 1931) et *Dial M for Murder* (Alfred Hitchcock, 1954).

234. Maintenant un pavillon de l'hôpital Royal Victoria, situé avenue des Pins, où Aquin est allé habiter au début de son « maquis » (note 42).

235. Escalier ouvert reliant, au pied du mont Royal, l'avenue des Pins et la rue Drummond.

236. Le bar-restaurant Piccadilly était situé au 1639, rue Sainte-Catherine Ouest. Le « King's Ransom » (s'agit-il d'un cocktail ?) reste inconnu.

237. Cette société aérienne, maintenant disparue, avait un comptoir au 1080 de la rue University.

238. Voir note 104.

Édition critique

239. Le gouvernement fédéral canadien. Au moment où Aquin achève son séjour à l'Institut, une trentaine de militants du FLQ (note 12) sont emprisonnés, qui n'ont pas été officiellement associés à la cellule dirigée par le romancier : ceux de la branche militaire (Armée de libération du Québec), décimée depuis le hold-up raté du 5 avril 1964 (5000 $ volés à la Banque Canadienne Nationale de Mont-Rolland, dans les Laurentides) ; et ceux d'une autre cellule, l'Armée révolutionnaire du Québec (fondée par François Schirm et deux autres anciens militaires), dont le raid meurtrier du 30 août dans une armurerie de Montréal fut un échec (voir Louis Fournier, *F.L.Q...*, p. 69-98).

240. Nesbitt Thomson Ltée : maison de courtage, située au 355, rue Saint-Jacques Ouest. Aquin a été, en 1963, courtier en valeurs mobilières chez Lévesque-Beaubien, à la même adresse.

241. La Bourse de Montréal était alors sise au cœur de l'ancien centre-ville (453, rue Saint-François-Xavier), derrière l'église dont la fondation, par la compagnie des prêtres de Saint-Sulpice, sous la gouverne de Jean-Jacques Olier, remonte à l'époque de la Nouvelle-France. Hubert Aquin a été un élève de l'école primaire montréalaise Jean-Jacques-Olier de 1937 à 1944 (ITIN, p. 26). Dans *L'Envers de l'histoire contemporaine* de Balzac (p. 446 de la « Pléiade »), il est question de rendez-vous secrets dans une église.

242. L'antiquaire, en réalité nommé Mendelson, avait sa boutique au 167 de l'actuelle rue Saint-Antoine Ouest, alors appelée Craig, en l'honneur de Sir James Henry Craig (1748-1812), gouverneur anglais du Bas-Canada qui fit régner la terreur au moment des élections de 1809 et 1810, notamment en emprisonnant, sans procès, les leaders du Parti canadien (démocrate et nationaliste), plus tard nommé « Parti des patriotes » et dirigé par Louis-Joseph Papineau (1786-1871), auquel il est fait allusion plus loin.

243. Rappel de la fuite aux États-Unis de Louis-Joseph Papineau, pendant les troubles de 1837-1838 que le général et baron anglais John Colborne (1778-1863) réprima durement après les avoir provoqués. Aquin revient sur cet « art de la défaite » en 1965 (note 59) et, en 1968, dans l'*Histoire de l'insurrection au Canada* de Louis-Joseph Papineau (Montréal, Leméac, 1968, 104 p.), dont il

écrit l'introduction et les commentaires. Il y dit de Papineau : « ce chef intraitable n'a pas choisi l'exil parce qu'il était lâche [comme le laisse croire l'historien Lionel Groulx] mais parce qu'il se trouvait soudain dépassé par le soulèvement armé... De fait Papineau fut abattu en cela que la rébellion de 1837-1838 fut un sombre échec. » (p. 22-23)

244. Formule inspirée de la parole du Christ pressentant la trahison de Judas et la glorification par la mort toute proche (Marc 14, 41 et Jean 12, 23). Dans son *Journal* (Paris, 8 février 1952, p. 41), on trouve : « Mon heure n'a pas encore sonné. » Près de dix ans plus tard (Paris, le 25 octobre 1961, p. 231) : « ...j'ai le sentiment que mon heure est venue [...] ».

245. Place remontant au temps de la fondation de Montréal par Paul Chomedey de Maisonneuve, en 1642.

246. Le « Aldred Building », aujourd'hui appelé « le 507 de la Place d'Armes », se trouve effectivement à cette adresse (et non au 707). Un des avocats d'Aquin, Me Antonio Lamer, y avait son étude en 1964. Y logeait aussi la Gendarmerie royale du Canada (note 104).

247. L'église Notre-Dame, dont l'histoire remonte aux origines de la ville.

248. Image initiale de *La Divine Comédie (L'Enfer)* de Dante Alighieri, dont les *Œuvres complètes* (Paris, 1975) faisaient partie de la bibliothèque d'Aquin. Dans *Saga Segretta ou Livre secret*, (projet de roman, de 1970-1971, MEL I, p. 333), Aquin parle du livre à venir comme de « l'arbre qui va cacher la forêt obscure ».

249. Pendant l'internement d'Aquin eut lieu, le 15 juillet 1964, l'enquête dite préliminaire (pour déterminer s'il y avait matière à procès). Une autre eut lieu, avant sa libération, pour les inculpés du hold-up de l'Armée révolutionnaire du Québec (note 239).

250. Dans le *Journal* du 19 août 1964, Aquin craint la comparution prévue le 15 juillet (note 4).

251. Tottenham Court Road : nom d'une artère de Londres. Une station de métro porte aussi son nom, à proximité du British Museum. Cette grande rue a aussi son homonyme à Toronto. Dans

le « premier plan » de *Trou de mémoire* (TM, p. 307-308), un narrateur prénommé Pierre, ressemblant au futur Magnant et au diariste Aquin, rattache l'artère londonienne à Byron (dont une lettre à sa sœur Augusta se trouverait sous vitrine au British Museum) aussi bien qu'à une liaison torontoise et à une enfant de trois ans morte (« au Children's Memorial sur la Tottenham Court Road à Toronto »).

252. Sur le codage « psychiatrique » du comportement révolutionnaire et la maladie comme masque, voir notes 34 et 62, et la Présentation ou encore *Point de fuite* (note du 15 janvier 1967, p. 95) : « Ce roman — que je suis en train de finir [*Trou de mémoire*] — a une finalité : il a été écrit pour tromper la police et le public au sujet de la disparition de Pierre X. Magnant (hypothèse de son pseudo-suicide...) afin de lui permettre de ressusciter clandestinement et de travailler à la révolution. »

253. Dans le *Journal* (18 février 1953, p. 153) : « Rien ne me plaît tant au fond que la certitude de l'irréversible, que le désespoir rassurant de dire : « Tout est gâché, il aurait fallu etc. » Plus tard, à Leysin (16 octobre 1961, p. 231) : « Tout sera bientôt à recommencer. Je suis né pour tout gâcher. » Ou encore à Paris (25 octobre 1961, p. 232) : « Je suis fait pour gâcher, je suis prédestiné au désastre comme les élus de Calvin au ciel [...]. »

254. Voir note 219.

255. Selon le témoignage d'Andrée Yanacopoulo (*Deux épisodes dans la vie d'Hubert Aquin*), Aquin devait la retrouver en fin de matinée, le jour de son arrestation. Dans une lettre du 24 février 1954 (à Marcel Dubé), Aquin racontait l'histoire d'une « femme idéale » qu'il n'avait pu revoir après l'avoir rencontrée dans un café de Belgrade. Il concluait : « C'est typique, courant, presque normal et surtout c'est l'image de ma vie. »

256. Dans *Papineau inédit* (1er mai 1961, MEL I, p. 291), le héros, soldat inconnu, doit être « défait » (note 59) : « il se croit la fin d'une race... il projette son absence d'avenir sur son peuple tout entier à qui il conteste tout avenir. Son geste individuel et solitaire se veut donc et devient celui de tout un peuple. »

257. Voir note 35.

258. Voir note 86.

259. Voir note 8.

260. Allusion à l'arche d'alliance prescrite à Moïse (*Exode*, 25, 10-12).

261. Dans *Trou de mémoire* (premier plan): «Ce récit se trouve brusquement interrompu. [...] Ce récit reste inachevé.» (TM, p. 274-275)

262. Voir note 4.

263. «Lundi 7 mars [1949] — fête de St Thomas d'Aquin — soir chez Michelle au cocktail, puis au Community Hall de Ville Mont-Royal. Billet sans retour pour la terre promise. Nous y découvrons un château merveilleux, inconnu, où nous entrons main dans la main. À l'intérieur c'est la fête. Dans ce château secret nous avons dévoilé tout un royaume à nous deux [...]» (JO, p. 62).

264. *Journal*, le 12 juin 1961 (p. 199):«Faire l'amour ressemble étrangement à une régression: c'est le retour nécessaire au ventre maternel, la plongée archaïque qui retrempe épisodiquement le malade dans la source vitale, dans la "mare verte" prénatale. Ainsi l'homme vit de retour. C'est en retournant toujours à ce même ventre accueillant qu'il renaît et peut reprendre la lutte. [...] Tout retour est un retour à l'origine. Tout ventre aimé est originel.»

VARIANTES

Entre crochets se trouvent les éléments supprimés et, *en italique*, les modifications de l'édition Laffont. Chaque intervention est précédée d'un mot qui la rattache au texte. N'ont pas été relevées les variantes de ponctuation, ni celles qui portent sur les majuscules ou les indications d'heure ou de distance. Nous n'avons pas signalé les fautes d'orthographe : l'édition Laffont les corrige, la plupart du temps, bien qu'elle maintienne quelques irrégularités pourtant relevées dans les «Corrections d'auteur» venant des éditions du Cercle du livre de France. Ces «corrections» n'ont apparemment pas guidé la seconde édition.

page/ligne

3.5   [(1) Correspondance de G. Sand et d'Alfred de Musset, p. 40, E. Deman, Libraire-éditeur, Bruxelles, 1904] (Lettre à George Sand)]

6.2   le [genre] *roman d'* espionnage.

6.3   sécurité, [aussi bien] *autant* l'avouer,

7.9   est [déjà] lancé.

7.10   que je ne peux [déjà] plus le rattraper.

7.14   c'est [d'ailleurs] *du reste* impossible.

8.6   imaginant, [somme toute] *de fait*, n'importe

12.14   [Pour ma part, je refuse illico d'introduire l'algèbre dans mon invention.]

12.16   ontologique, [j'en prends mon parti] *je finis par lui ressembler.* volées [à l'ennemi], cachées

16.2   parle *de* mélancolie,

17.14   E 7 fois ; U 7 ; R 5 ; [B, A et C 4 fois] C, A *5 fois* ; B 4 fois ; S 3 ; I 3 ; *N 3* ; O 2 ; [G 2 ; P, F, L, V et Z] *D, T, G, P, F, L, V et Z une seule fois.*

18.14   funéraire [et] *comme* dans mon répertoire d'images,

19.14   se résume [à] *en* une reptation asthénique et [à l'] *en une* interminable

19.23   pas vécu [sinon] *si ce n'est* comme l'herbe.

19.30   le nombre de mes amis et *celui* des femmes

20.7   mieux que *de* continuer d'écrire sur cette feuille et *de* plonger

22.4   [Le salaire de ma névrose ethnique, c'est l'impact de la monocoque et des feuilles d'acier lancées contre une tonne inébranlable d'obstacles.]

22.6   Désormais, je suis [dispensé d'agir de façon cohérente et] *exempté,*

22.19   à la limite, [peut] *puisse* ressembler

25.5   [Le bonheur que j'ai éprouvé à cet instant] *J'ai éprouvé à cet instant un bonheur qui* retentit

27.24   dont [la terminaison] *l'interruption* subite

30.26   me [déminéralise] *minéralise* insidieusement.

33.7   sur le quai [des Belges] *d'Ouchy,* nous mêlant

33.18   sur les rives d'Ouchy[, marcher en équilibre instable sur ces rochers érodés] et m'asseoir

34.29   sur notre [gauche le littoral des grands hôtels et à notre] droite

35.15   À Bâle, [il y a quelques mois] *l'hiver dernier* il s'appelait

35.17   Il travaillait *à* une thèse

35.29   allé jusqu'à [donner] *faire* des conférences

36.27   comme [on fait] *nous le faisons* en ce moment...

37.7   tant [que ce] *qu'il* sera impossible

38.31   K m'a [donné] *fixé* toutes les coordonnées

39.6   ivres l'un de l'autre[, amoureux].

41.2   entre le moment où je me suis éloigné de K au château d'Ouchy et *celui* de mon retour

41.10   je me suis rendu [au Rochers-de-Naye] *à l'Hôtel de l'Ermitage* à Montreux,

42.7   les affreux qui [faisaient du] *roulaient à* 60 kilomètres

45.3   Une fois [rendu] *parvenu* au plus haut

45.19   j'ai [«drivé»] drivé comme un déchaîné

45.22   enfin [rendu] *arrivé* à Genève.

46.15   j'avais [stationné] *parqué* mon auto

46.15   avait été [donnée] *faite*, en mon absence,

47.15   le chasseur [du Rochers-de-Naye] *de l'Ermitage* à Montreux

49.4   par sa douceur [, son calme nocturne et par son illumination] qui se reflétait

53.14   mon sommeil comateux [et], non sans prendre

54.3   Mais [j'ai] *je* compris que c'était

54.23   un raisonnement précis [en vue de], *ni à* reprendre en main

55.23   jusqu'à l'Hôtel [des Rochers-de-Naye] *de l'Ermitage*

56.11   juste le goût [de] *à* pleurer

56.14   de K ; [et la seule façon dont] nous [avions] *étions* convenus de nous rejoindre [, c'est] sur la terrasse de l'Hôtel d'Angleterre en fin d'après-midi, *c'est tout.*

56.27   oblique [dans] *vers* le genre allusif.

57.11   peut-être [donné un bon] *réussi mon* numéro.

58.4   quand [il vous prend une pareille envie] une *telle* envie vous prend, pourquoi vous vous mettez à suivre un homme en pleine nuit [et que vous ne le quittez pas] *sans* le quitter d'une semelle...

58.10   faites [ce que vous voulez] de moi ce que vous voulez.

59.9   Et il dépli[a]*e* un morceau de papier bleu, celui-là même que j'[avais] *ai* découvert dans mon courrier l'autre soir à l'Hôtel de la Paix. Il me tend[it] le papier bleu,

59.14   en pensant non pas à le déchiffrer, mais [que c'était là] *à* la pièce à conviction *qu'il constitue.*

60.10   à H. de Heutz [qui]. *Il* esquissa un geste

60.17   certain que si j'avais [eu à] *voulu* attaquer

60.27   son arme [qu'il avait] imprudemment remise

61.18   monter dans [le] *ce* coffre qui, par bonheur

61.24   Je n'eus aucune difficulté à démarrer [le moteur], [à faire] *et je fis* avancer

63.11   Une seule chose me préoccupait alors [, à savoir] *:* la méthode

63.18   Morges, [j'aperçus] je *vis* le large ruban de l'autoroute et [je] pris

64.15   une place pour [stationner] *parquer* l'Opel

64.18   Aussitôt [stationné], je résolus

65.12   loin aussi des matins de Leysin [quand] *où* je marchais

67.17   [Cela] *E* st-il visible qu'ici

71.5   je [prendrai] *monterai dans* le train omnibus

72.11   laissant [l'engin] le *moteur* tourner

72.24   me [cachant] *réfugiant* dans ce bois

75.24   me [déprendre] *sortir* de cette situation

76.27   insensible [devant] *à* ce travail de faussaire

78.7   je ne savais plus [quoi] *que* faire.

78.12   une fois [rendu] à Bâle,

79.2   je me [disais] *répétais* :

79.12   un[e] [foule] *tas* de dettes

80.19   déroger [de] *à* mon projet.

81.19   de [frapper] *m'attaquer* à ces inconnus

81.25   le doigt sur la [gâchette] *détente*

82.16   Si j'en suis [rendu] à analyser les intentions profondes de son comportement avec moi, peut-être, au fond, suis-je sur le point de tomber dans le piège qu'il m'a tendu[,] ? [et] *Peut-être est-ce* que je réagis

84.5   la [gâchette] *détente* du Mauser

85.1   Moins [verbatile] *versatile*, ma tristesse

85.12   rien : [même] pas *même* cette évasion

87.20   Je ne sais pas ; [mais] depuis.

87.25   *Soudain* [Je] je ne sais plus comment agir [soudain].

91.23   jeté [par] *à* terre.

91.29   même ce [qui] qu'*il* adviendra
95.15   [J'ai affiché d'ailleurs une assurance folle.]
98.26   À l'instant où j'ai [stationné] *laissé* l'auto tout près de la Banque Arabe, un inconnu parfaitement inoffensif [stationnait] *parquait* son auto
99.13   qui me [découvraient] *révélaient* le parc
99.22   mon ennemi [numéro un] n° 1
101.13   et le [vrombissement] *ronronnement* imperceptible du moteur.
102.3   Une fois [rendu] *arrivé* devant
102.8   presser la [gâchette] *détente* et
103.9   qu'il y a d'époques [qui se superposent] *superposées*, depuis
103.12   capable [d'un seul regard] de saisir d'un seul regard
104.30   ce vin [blanc fruité] *savoureux*
112.29   et [se surprendraient] *seraient surpris* de
113.8   à moins que ce ne [soit] *fût* la peur
114.19   une eau [venimeuse] *vénéneuse*
115.29   mû [encore] encore mû
116.5   route [qui s'incurve] *s'incurvant*
117.20   à moins toutefois qu'on *ne* réponde à mon attente silencieuse par un effort de silence et qu'on *ne* cherche
118.21   que j'aimerais [habiter] *demeurer*.
118.23   H. de Heutz [demeure] *vit* ici !
119.23   d'ailleurs, [puisqu'au] puisque, au
119.27   et [là-dessus] *là*, je
120.1   j'ai [inventorié] *réinventorié* les deux
120.7   d'abord [encercler] *surveiller* les alentours
122.12   achetée [quelques] *deux* siècles
123.27   que j'ai [aperçue] *vue*
124.4   et, [aussitôt] *sitôt* fait,
124.7   une fois [rendu] *parvenu* à la fourche
124.19   sur lui-même [dans] *en* une série de [boucles] *boules* et de spires [qui forment] *formant* un nœud
124.30   enluminées [qui débutent les] *au début des* sourates
125.7   que H. de Heutz a [donnée] *faite*

126.6	l'escalier à vis [qui conduit] *conduisant*
126.7	Quand je suis sorti [du salon avec H. de Heutz à bout portant] *en pointant mon arme dans le dos de* H. de Heutz
126.12	d'entrée ; [mais l'aurais-je] *même si je l'avais* fait
127.13	même qu'il a pu *peut-être* attirer la suspicion d'un policier en faction [, peut-être,] ou encore
127.17	on risque [bien] de se faire...
127.23	un[e] autre [ville] *lieu*
127.25	leurré [au sujet de] *sur* ses agissements
127.29	rêveusement, à [le faire passer dans] *l'imaginer selon* la grille
128.2	Ses [épiphanies] *apparitions*
129.22	prudent [surtout] *d'autant* que
129.25	[Soudain] *Tout à coup*, j'ai
130.7	que toutes les portes *ne* soient
131.31	pas [aussi] *si* longtemps
132.20	Ah ! je n'en [peux] *veux* plus
133.3	ne pas [me rendre] *tenir* jusqu'au bout.
135.17	l'obliger à [marcher devant moi] *me précéder*
136.11	blonde [qui venait] *venue*
136.19	et me voici [rendu] au milieu
140.12	le velours de Gênes [qui revêt] *revêtant*
141.16	Heutz [est rendu] *se trouve* sous
143.10	qu'il me faut pour [me] *m'*y rendre.
146.7	la [retracer] *retrouver*
146.17	clos [qui surplombent] *surplombant*
150.4	me [dérange] *trouble*.
150.14	K, [qui] *revenue* elle aussi peut-être et par désespoir [, est revenue]
153.10	pour [passer] *aller* d'une ville à l'autre en [super]réacté.
154.1	Bon. [Quoi] *Que* faire ?
155.1	à M, [tel que] *comme* convenu.
155.4	nous n'avons *ni* évoqué [ni] le nom de cet illustre abbé [,] ni proféré
155.17	je savais, [d'] *par* expérience
158.10	mon amour, [autrement que je te vois] *plutôt* que *de* te *voir* disparaître

222

Édition critique

158.14   que je [peux] *puisse* m'évader?

159.12   sur la [gâchette] *détente*.

164.28   ennemie [dont le seul but était] *à seule fin* de précipiter

167.22   pour [savoir] *lire* l'heure

168.5   le mot: [Fin.]

APPENDICES

Appendice I

Extraits du *Journal 1948-1971*

1.

January 6th........

X intercalaire
entelopppes
encorbellement
radioactif
chloroforme
X sièges-tractions
embarcadère
échancrure
vents étésiens 910
l'épimélète 915
thalamège 918
naumachie
hiérophanie
"la barque-coffre qui enferme tout en surnageant" Gm. 46
zone matricielle
asianique
satrape
ethnarque
lupercale
dynaste

contrevallation
circonvallation
septentriforme
naumachie
motilité –
digestion
avalage
descente
blottissement
baptême
enfouissement
succion
salive
taurocéphale
hippomorphe
anastomose
onopatopéique
lupercale
apotropaïque
aryballe
tâme de défixion
cataphractaire
statère

Prochain épisode

Vendredi le 31 juillet 64*

[...]

intercalaire	contre vallation
enveloppe	circonvallation
encorbellement	septentiforme
radioactif	naumachie
chloroforme	motilité
séquestration	digestion
embarcadère	avalage
l'échancrure	descente
vents étésiens 910	blottissement
l'épimélète 915	baptême
thalamège 918	enfouissement
naumachie	succion
hiérophanie	salive
« la barque - coffre qui enferme	
tout en surnageant » Dur. 46	taurocéphale
zone matricielle	hippomorphe
asianique	anastomose
satrape	onopatopéique
ethnarque	lupercale
lupercale	apotropaïque
dynaste	aryballe
	lame de défixion
	cataphractaire
	stratère

---

*   JO, p. 258-270. Se reporter à l'édition de Bernard Beugnot pour son annotation.

2.

31 juillet 1964*

[La solitude ici a quelque chose d'insaisissable : elle revêt les apparences de la promiscuité continuelle. Elle est surpeuplée, soumise à une explosion démographique. Trop de corps dans ce périmètre vitré : trop de chair humaine, de quoi écœurer n'importe qui ! En ce moment même, une demi-folle arpente la salle où je rêvais de m'isoler pendant la sieste. Et depuis tout à l'heure elle a tenté de m'interrompre je ne (sais) plus combien de fois, obtenant de moi tout au plus un signe de tête agacé. La tuer ce serait bien la seule solution propre de mon encombrement. La tuer : lui serrer la gorge avec ma ceinture de cuir que j'ai gardée en contrebande et, une fois la chose faite, me retirer sur la pointe des pieds et faire semblant de faire la sieste. Qui me soupçonnerait de l'avoir tuée : tout le monde ici en ferait autant avec plaisir. Tuer, quel beau geste : quel projet merveilleux et assainissant, quelle superbe preuve de force et de raison. Pourquoi donc — et par quel refoulement aberrant — en sommes-nous arrivés à accepter le «Tu ne tueras point» comme la frontière incontestable entre le bien et le mal. L'acte de tuer n'est pas, selon nul canon humanitaire, la transgression suprême de la loi naturelle. Cela est insensé : pur produit de la culture. Rien de naturel dans cette loi qui fait de l'homi-

---

* JO, p. 260-261, extraits utilisés dans le roman (p. 18, 19). Sont mis entre crochets les parties supprimées par Aquin et, en *italique*, les ajouts. Les modifications de ponctuation et de caractères ne sont pas indiquées. Se reporter aux pages 18-19 du roman.

cide le tabou suprême. La mort infligée aux autres ou à soi ne peut être considérée comme contre-nature.] Tuer, [tuer, tuer], quelle splendide loi ; quelle nécessité [parfois] à laquelle il fait bon *parfois* [de] se conformer. [Peut-on comprendre que depuis] *Pendant* des mois, je [ne] me suis préparé intérieurement [qu'à poser cet acte] *à tuer*, le plus froidement possible et avec le maximum de précision [et d'efficacité]. [L'attentat, crime parfait : prototype du meurtre capable de procurer à son auteur une satisfaction profonde.] Ce dimanche matin [5 juillet] *où il pleuvait*, je me préparais secrètement à frapper. Mon cœur battait régulièrement, mon esprit était clair, agile, précis comme [un couperet] *doit l'être une arme à feu*. Les mois et les mois qui avaient précédé m'avaient vraiment transformé ; et c'est avec un sentiment aigu de [mon choix meurtrier] *la gravité de mon attentat* et avec des réflexes parfaitement dressés que j'inaugurais cette journée de noce noire. [Et ce qui s'est produit ce 5 juillet à 10 heures trente de l'avant-midi, cette rupture sinistre de l'ordonnement horaire de mon programme, comment le définir ? Comment nommer le contre-temps ? Comment le qualifier autrement que comme la néantisation sérielle d'un acte investi d'une plénitude dialectique.] *Soudain vers dix heures trente la rupture s'est produite. Arrestation, menottes, interrogatoire, désarmement.* Contre-temps total, cet accident [temporel] banal qui m'a valu d'être emprisonné est [l'] *un* événement anti-dialectique[,] *et* la contradiction flagrante du projet [inavouable] *inavoué* que j'allais exécuter l'arme au poing *et dans l'euphorie assainissante du fanatisme.* [Et depuis que j'ai senti la froide étreinte de la menotte sur mon poignet, je vis dans un temps an-historique, hors de toute dialectique existentielle, désaxé en quelque sorte, frappé du néant par ce contre-temps. Et de là, le sentiment intolérable d'être coupé de la vie et celui de ne pas être vraiment involvé dans la fuite des heures, ni présent à la vie qui continue hors de moi tandis que toute mon activité n'équivaut qu'à être absent.] Tuer confère [son] *un* style à l'existence. [Sans] *C'est* ce possible continuellement présent [, comment vivre avec style, comment garder une cohérence profonde dans cet éparpillement sinistre du quotidien. Tuer ou se faire tuer, voilà bien ce problème premier] qui, par son insertion [violente] *inavouable* dans la vie courante, [confère] *injecte* à celle-ci le [statut, ce] tonus sans quoi elle se résume à une reptation asthénique et une interminable expérimentation de l'ennui. Après [le 22 septembre] mon procès et ma libération, je ne [peux] puis imaginer ma vie en dehors de [cet] *l'*axe homicide [et] déjà, je brûle d'impatience en pensant [au projet grisant qu'une embuscade policière a si brutalement interrompu.] *à* L'attentat *multiple* : [meurtre éblouissant], geste pur et fracassant qui me [rendra] *redonnera* le goût de vivre et [me transformera en ce] *m'intronisera* terroriste [que je suis devenu secrètement et] dans la plus stricte intimité !

January 15th........
_____

lundi 6 3 août 64

Gabriel Hébert
6685 Beaumont
PO 9114
872 3237

— le choc noir   Viola   q notes
                                    Par

— l'attentat commis

et-il été vraiment *touchés* ?
(l doute - événement bouleverse
le séjour ~~dans~~ a l'Institut:
constitue le centre (attentat-
doute - attentat) d'alogique ol
roman : l'image - matrice
qui retentit dans tout le livre

Lundi le 3 août 64

Gabriel Hébert
6685 Lamont
PO 97119
872 3239

- le choc noir   cf notes
                                                                Rev.

                l'acte

                              équanitrate 10
                              un comprimé
- l'attentat commis   avant les repas et
                              au coucher.

a-t-il été vraiment commis ? Ce doute-événement bouleverse le séjour à l'Institut : constitue le centre (attentat-
doute-attentat) dialectique du roman : l'image-matrice qui
retentit dans tout le livre.

4.

Vendredi le 7 août 64

Épurer le plan du roman dont la divergence que je rêve
d'y insérer ne fait que se substituer à un plan vectoriel et
masquer la nécessité formelle d'un tel plan. Et ne pas
m'illusionner sur la portée de cet informel que je prêche :
il concerne l'immédiateté créatrice, l'écriture, mais non
l'ordre secret qui sera obtenu par une rétroaction formelle
qui conférera au désordre préalable sa beauté profonde
et sa cohérence jusque-là inconnaissable. Me limiter au
roman-espionnage, à l'hydrologie, aux Romains : tout
centrer sur le roman d'espionnage.

24N37   January 27th........

X psychatosie   troumanis (vapeur explosive)
X vitesse initiale   2 fractures
R sa dram   courants à turbidité
R spire   Sables abyssaux
les nuages de la gelton   Cavitation
pin ibises sourie   l'axe de l'écroulement
R amo phile   flexure
depression les pennines   bombure
cis phoriques   creusement
plissements   fosse océanique
polypiers branchus   basalte
fosses à subsidence   affaissement
abrasion marine   conche
zone plissée   Cordillères secrètes
voûtes anticlinales   4 voûti anticlinal
arcs insulaires   fente
algues calcaires   effusif
Serpules   X enracinement
cailloutis pluviatil   Cicatrice
Cageur
ange
dalle calcaire
Karst

234

R+N 357

psychostasie	tsoumanis
	(vagues exceptionnelles)
vitesse radiale	fractures
radian	courants de turbidité
spire	sables abyssaux
les nuages de Magellan	cavitation
périhélies d'orbite	l'axe de l'écoulement
anophèle	flexure
dépression hespérienne	courbure
disphorique	creusement
plissements	fosse océanique
polypiers branchus	basalte
fosses de susidence	affaissement
abrasion marine	couche
zone plissée	cordillères secrètes
voûtes anticlinales	voûte anticlinale
arcs insulaires	fente
algues calcaires	effusif
serpules	ennoiement
cailloutis fluviatile	cicatrice
cassure	
auge	
dalle calcaire	
Karst	
[...]	

5.

February 24th.......

[manuscript facsimile]

au 5 oct 64 =

Projets

le roman (au plus vite)

Finir transcription
avant noël

Livre - roman pour Lespérance

Téléthéâtre — LGC

Le 5 oct[obre] 64

Projets
    le roman (au plus vite)
    Finir transcription
    avant Noël
    Livre-roman pour Lespérance
    Téléthéâtre - LGC
L'article 47 B de
    la constitution suisse
    au sujet du
    secret des comptes
    de banque -

Appendice II

Édition originale

Sur la première page de couverture se trouvent reproduites quelques lignes manuscrites. S'agit-il d'une page du manuscrit de l'Institut? La calligraphie est indéniablement celle de l'auteur. On peut y lire, en s'aidant du texte imprimé (PE, p. 42 et 45; voir aussi note 110):

[en] direction du Se[pey]
    de Saanen en p[assant]
    par le col des Mosses
    Après avoir traversé [?]
   de la crémaillère [?]
mis mes phares
long fuseau
  escarpé A
  courbe en épin [gle à]
 cheveu. J'a[i eu clairement conscience que]
l'auto s'ex[altait en]
dehors de
son axe
  Mes

« PROCHAIN ÉPISODE » n'est pas un roman
à venir, ni l'annonce de son double futur. Il
s'agit bel et bien d'un roman composé d'imaginaire et de réel, succession imprévisible de
poursuites et de feintes, succession aussi d'émotions, de dépaysements brusques et de coups
de feu. Ce livre, fruit de l'immobilité, raconte
une histoire qui se déroule trop vite, vertigineusement et qui, en quelque sorte, file à l'anglaise. Ce roman ne s'arrête pas, il court au
devant, sans répit, comme un personnage qu'on
pourchasse. L'univers de « PROCHAIN ÉPISO-
DE » en est un de mobilité incessante : tout
se déplace continuellement, tout fuit comme
sur une piste de course. Voilà un roman d'action.

Appendice III

Source du cryptogramme

Extrait de *Vita Romana. La vie quotidienne dans la Rome antique*, d'Enrico Paoli, paru à Paris, chez Desclée de Brouwer, en 1960 (p. 416-417)*

dans un milieu de marchands, d'ouvriers, d'humbles gens et de pauvres bonnes femmes. On y trouve les noms de maîtres d'école[571], qui eux aussi provoquaient déjà des haines féroces, de cuisiniers[572], d'acteurs comiques[573], de soldats[574], de pugilistes[575], car les compétitions sportives entraînaient parfois une séquelle d'envoûtements, et souvent l'athlète vaincu se vengeait de son échec en confiant sa sombre rancune à la lame de plomb.

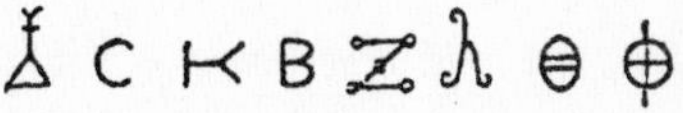

Fig. 39. Signes magiques sur des lames de défixion.

Ces sinistres pratiques passèrent à Rome, spécialement dans l'armée où les haines refoulées contre des chefs trop durs trouvaient cet exutoire[576]; des personnages de la noblesse et de la Cour[577] ne s'en privèrent pas à l'encontre du Prince. Les inimitiés

---

provoquées par les courses du Cirque[578] et par les procès judiciaires [579] les favorisèrent. Et l'on envoûtait aussi dans les provinces, comme le démontrent les lames découvertes en Rhétie, en Bretagne, en Germanie, en Afrique.

La défixion s'opérait de la façon suivante : on inscrivait le nom exécré sur une lamelle de plomb[580], « dédiant » l'envoûté aux divinités infernales, et l'on introduisait la lamelle dans un tombeau, plus rarement dans un temple, dans un puits, dans une source d'eau chaude, en l'y fixant d'ordinaire par un grand clou traversant la lame. La plus grande partie d'entre elles sont en effet percées, souvent en plusieurs points. Certaines contiennent de longues listes de victimes[581] : relevés avec une précision de comptable par la haine de l'envoûteur, les noms maudits défilent en procession. Ces noms sont toujours écrits avec soin, dans la crainte qu'une indication inexacte ne prive l'opération d'efficacité ; le nom de l'envoûté est souvent suivi de celui de sa mère, plus rarement de celui de son père. Des signes magiques de caractère alphabétique précèdent parfois le texte ou s'y mêlent (Fig. 39). Certaines lames comportent un dessin grossier. La Figure 40 montre un démon barbu portant une hydrie et une torche, symboles funèbres ; debout sur une barque, image peut-être de la *cymba* de Charon, il navigue sur les eaux dans la nuit ; dans la nacelle on lit en effet : *noctivagus ; Tiberis ; Oceanus*. Les formules d'imprécation alternent avec des mots magiques, qui ont pour objet de donner sa puissance contraignante à la défixion ; par exemple, en Grèce, ἀρονράς, ou bien φρίξ, φρόξ, ou encore ἀβρασάξ[582] ; dans des inscriptions d'époque tardive de l'Afrique du Nord reviennent habituellement les mystérieuses paroles

Fig. 40. Lame de défixion avec la figure d'un démon.

(A gauche: GLIGEU, CENSEU, CINBEU, PERFLEU, DIARUNCO, DIASTA, BESCU,
BEREBESCU, ARURARA, BAZAGRA; sur la poitrine du démon: ARITMO ARAITTO;
dans la barque: NOCTIVAGUS, TIBERIS, OCEANUS.)

BESCU, BEREBESCU, ARURARA, BAZAGRA, sinistres
borborygmes où s'exprime une haine transfusée en syllabes.
Les formules de malédiction sont tantôt simples: « j'écris »
(καταγράφω), « je consacre » (καταδῶ, proprement καταδέω
« j'attache, je lie »); tantôt solennelles et terribles : « Je consacre,
j'ensevelis, j'élimine de la présence des vivants »[583]; tantôt pas-
sionnées : « Perce-lui la langue !... perce-lui l'âme et la langue[584] ! »
On trouve aussi parfois une perverse complaisance dans l'énoncé

Appendice IV

Extraits des témoignages donnés à la Cour lors de l'enquête préliminaire du 15 juillet 1964*

INSTITUT ALBERT-PRÉVOST
CLINIQUE NEURO-PSYCHIATRIQUE
6555 ouest, boulevard Gouin
Montréal 9, P.Q.
Canada

Le 14 juillet 1964

À qui de droit,

Je certifie par les présentes que M. Hubert Aquin est venu me voir à mon domicile les vendredi 26 juin et lundi 29 juin et que j'ai pu observer à ce moment que son état mental exigeait un traitement immédiat. J'ai insisté auprès de lui pour qu'il accepte de se faire hospitaliser à l'Institut

---

* Reproduits avec l'aimable autorisation de la Succession Hubert Aquin, du Dr Pierre Lefebvre et du Conseil du Trésor du Québec.

Albert-Prévost. J'ai demandé au Dr Mauriello de le prendre sous ses soins. Celui-ci a accepté. J'ai communiqué
avec le D^r [Camille] Laurin, directeur médical de l'hôpital, et avec le Dr Claude St-Laurent, responsable de l'admission, pour qu'on prépare une chambre pour le malade.
M. Aquin avait accepté d'entrer à l'hôpital, mardi matin
le 30 juin, mais il ne se présenta pas et depuis je n'ai reçu
de lui qu'une lettre m'expliquant qu'il avait changé
d'idée. J'ai appris par sa femme que la raison de ce chan-
gement tenait au fait qu'il connaissait des gens dans l'hôpital et ne voulait pas que son traitement soit connu. C'est
à la suite de cet événement que j'ai communiqué avec le
Dr Sawyer-Foner, psychiatre-en-chef au Jewish General
Hospital, pour obtenir qu'il soit admis dans cette institution.

> Votre bien obligé,
> Pierre Lefebvre
> Psychiatre
> Directeur de la Clinique Externe

*
* *

Le 14 juillet 1964.

Monsieur le Shérif,

Conformément à vos instructions du 7 juillet 1964,
j'ai examiné le prévenu ci-haut nommé, quant à son état
mental.

À l'examen, Hubert Aquin est bien orienté, en bon
contact et ne manifeste aucune évidence de psychose.

Depuis son admission au Centre d'observation de la prison de Montréal, son comportement a toujours été considéré comme normal.

Hubert Aquin ne souffre pas d'aliénation mentale actuellement. Je n'ai donc pas les éléments nécessaires pour recommander son internement dans une institution psychiatrique.

Votre tout dévoué,

L.C. Daoust M.D.,
psychiatre,
Centre d'Observation,
Prison de Montréal.

*
* *

**Extraits des témoignages donnés à la Cour,
le 15 juillet 1964, devant feu le juge Wagner***

[…]

[La Couronne] Lorsque vous avez enquêté [sur] cette automobile [rapportée volée] et son occupant, est-ce que vous avez eu l'occasion de fouiller l'occupant?

[L'officier de police] Oui: [...] sur lui, nous avons trouvé un pistolet de marque Remington, automatique, calibre 380, qu'il portait à sa ceinture, dans un étui en cuir brun.

---

* Transcription littérale du procès-verbal (N.d.É.)

[La Couronne] Je vous exhibe un pistolet ; voulez-vous l'examiner ainsi qu'un étui et un chargeur à balles, et nous dire si vous le reconnaissez ?

[L'officier de police] C'est bien ça ; et le numéro de série est le même.

[La Couronne] Est-ce qu'il était chargé ?

[L'officier de police] Le pistolet contenait en tout sept balles dont une dans le canon.

[La Couronne] À quel endroit ?

[L'officier de police] Après sa ceinture, vers l'arrière, vers le dos.

[La Défense] Quand vous dites « après sa ceinture », voulez-vous dire qu'il la portait dans le creux du dos ?

[L'officier de police] C'était derrière, ici (indiquant).

[La Couronne] À l'extérieur ?

[L'officier de police] Perpendiculairement à sa ceinture.

[La Couronne] Mais ce n'était pas dans le creux du dos ?

[L'officier de police] Ni à la colonne ni à la hanche : entre les deux.

ET LE TÉMOIN NE DIT RIEN DE PLUS.

ET LE TÉMOIN :

N...

Sergent-détective à l'emploi de la Ville de Montréal, assermenté, dit comme suit :

[La Couronne] Est-ce que c'est vous qui avez eu l'occasion d'écrouer Hubert Aquin aux cellules municipales ?

[Le sergent-détective] Oui, Votre Seigneurie.

[La Couronne] Quelle occupation vous a été donnée par l'accusé ?

[Le sergent-détective] Il m'a donné le nom de « révolutionnaire ». J'ai demandé s'il était sérieux, il a dit oui.

[La Couronne] Est-ce qu'il a dit en quoi consistait cette occupation-là ?

[Le sergent-détective] J'ai demandé et il a dit : « Vous n'avez pas grand'ouvrage en ville ».

CONTRE-INTERROGATOIRE
PAR LA DÉFENSE :

[La Défense] Est-ce qu'il vous a déclaré son statut marital ?

[Le sergent-détective] Oui : il a raconté qu'il était séparé de sa femme et avait deux enfants.

ET LE TÉMOIN NE DIT RIEN DE PLUS.

[...]

ET LE TÉMOIN :

Dr. PIERRE LEFEBVRE
médecin-psychiatre, dit :

PAR LA COUR :

[La Cour] Docteur Lefebvre, vous avez entendu les représentations qui ont été faites à la Cour : avez-vous quelque chose à ajouter pour nous éclairer dans notre décision ?

[Le Dr Lefebvre] Je me demande ce que vous accepteriez peut-être, ce que seraient les conditions dans lesquelles on pourrait assumer la responsabilité de garder Hubert Aquin à l'hôpital —

[La Cour] Exactement, Docteur, afin qu'il obtienne aussi les traitements je dirais appropriés à son cas ?

[Le Dr Lefebvre] Nous avons à Provost 12 médecins psychiatres sur place ; huit consultants : on a d'ailleurs 22 médecins résidents qui ont fait leur stage de psychiatrie à plein temps, pour un total de 160 malades ; cela veut dire qu'il recevrait certainement là-bas des traitements adéquats. Pour ce qui est de l'assurance il serait hospitalisé et bien gardé : il a été accepté à l'hôpital et y serait admis et gardé dans une aile fermée où l'on dit qu'il y a une sécurité maximum ; parce que, d'abord, au point de vue installation, les fenêtres de cette aile-là sont protégées ; on ne peut pas les ouvrir à l'intérieur sauf en disposant d'une clé ; elles sont grillagées à part de cela. Par ailleurs, il y a deux portes, et ces portes, il n'est pas possible de les ouvrir, à moins d'avoir les clés dont disposent seulement les membres du personnel. Les membres du personnel sont toujours au nombre d'au moins 5, de nuit, dont deux infirmiers par salle dont le nombre ne dépasse jamais 16 malades. Il y a 16 lits. La présence constante du personnel, infirmières, infirmiers et médecins résidents est de 6 ou 7 : c'est dire que les malades sont étroitement surveillés, et il n'y a jamais eu de fuite depuis qu'on a pris ces dispositions-là.

[La Cour] Est-ce que vous réalisez, Docteur, que si nous créons un précédent dans ce sens-là aujourd'hui, vous pouvez vous trouver submergés d'ici quelques jours, quelques mois, de demandes semblables ?

[Le Dr Lefebvre] C'est un point de vue que je n'avais pas envisagé, je vous avoue ; mais comme j'avais vu l'accusé auparavant, j'avais pu constater moi-même qu'il souffre très ouvertement de dépression nerveuse et je suis certain qu'un examen, par exemple avec un psychologue, avec tests adéquats, pourrait le démontrer. J'avais des peurs à ce moment-là pour la vie de l'accusé ; j'avais vu des signes très nets qu'il y avait dans son esprit, — qu'il a besoin de traitements immédiats et que c'était une chose qui était urgente : c'est pour cela que j'ai pressé son admission et j'ai demandé au Dr Sawyer-Foner, chef-psychiatre au Jewish General Hospital de le voir aussi : son entrée avait été faite, et tout cela était préalable au délit dont on accuse M. Aquin. Alors, comme son état exige des soins, et que dans mon esprit le genre de malades, si vous voulez, qui sont traités au Centre Pénitentiaire de Bordeaux constituerait un entourage qui n'aiderait pas l'accusé dans son évolution, même si on l'hospitalise là-bas — il a même été prouvé qu'il n'a pas de casier judiciaire : ce n'est pas un crime ordinaire et ce serait difficile de l'isoler, peut-être même dangereux : il entendrait parler — je parle au point de vue d'évolution psychiatrique — de crimes là-bas, tandis qu'à Provost son traitement serait beaucoup plus efficace, à cause de l'entourage : et que je ne veux pas faire de réserves sur la bonne volonté des gens du Centre de Bordeaux : mais peut-être à cause de l'importance des moyens médicaux dont on dispose à Provost, je crois que M. Aquin serait dans une meilleure ambiance...

ET LE TÉMOIN NE DIT RIEN DE PLUS.

Appendice V

Documents épistolaires*

OFFICE NATIONAL DU FILM

CANADA

Lausanne le 4 juillet 62

Cher Monsieur Simenon,

Voici une pipe qui vous rappellera peut-être l'équipe de film que vous [avez] si chaleureusement reçue dans votre château pendant quelques jours. Mais ce cadeau, trop simple, ne saurait exprimer adéquatement l'admiration, le respect et, si vous le permettez, l'amitié que vous avez fait naître en chacun de nous.

Je me fais l'interprète de mes collègues et je vous dis en leur nom, que ces rencontres, fructueuses en termes de cinéma-tv, sont riches surtout en humanité et en découverte.

---

* Reproduits tels quels avec l'aimable autorisation de la succession Hubert Aquin, Le Cercle du livre de France, les Éditions du Seuil, Messieurs Georges Belmont, Jean Cayrol, Michel Salzedo et Madame Andrée Yanacopoulo.

Pour ma part, je tiens à vous dire que je suis profondément satisfait de ce que nous avons fait ensemble. Je suis très heureux de vous avoir rencontré et ne puis désormais que souhaiter que mon film exprime ce que je ressens maintenant.

Je vous prie d'agréer l'expression de mes sentiments chaleureux et admiratifs.

Hubert Aquin*

ONF
Casier postal 6100,
Montréal 3

*
* *

Le 19 janvier 65

Cher Monsieur Tisseyre,

Voici le manuscrit du roman que je viens tout juste de faire dactylographier. C'est parce que j'ai confiance en vous et que je porte une haute estime à votre travail, que je vous le propose sans autre préambule.

Toutefois, vous comprendrez, en parcourant ce livre, que toute « révélation » prématurée de son contenu peut comporter certains inconvénients pour moi ; du moins, tant que mes démêlés avec la justice ne seront pas termi-

---

* D'après la photocopie gracieusement fournie par Mme Christine Swings, directrice du Centre d'Études Georges Simenon de l'Université de Liège.

nés, ce qui veut dire au plus tard le 15 février 65. Mais, je n'ai pas d'inquiétude : vous êtes capable de discrétion.

Vous êtes surtout — pardonnez-moi ce jeu de mot facile — un excellent juge ! — en matière de littérature, cela s'entend. Et je ne doute pas que que vous me communiquerez, après lecture, vos impressions franches et votre « verdict » ! Je vous prie d'agréer, cher Monsieur Tisseyre, l'expression de mes meilleurs sentiments, au plaisir de vous voir,

Hubert Aquin

P.S. entre 9 et 4 PM ‹illisible› ‹933-8419›

*
* *

Montréal, 25 janvier 1965

Monsieur Hubert Aquin
582 Davaar
Montréal.

Mon cher ami,

J'ai lu avec beaucoup d'intérêt votre roman.

Bien que je ne sois pas certain que vous ayez voulu le composer comme il est, et que je suis au contraire persuadé qu'il s'est imposé à vous tel qu'il est, il y a des pages si remarquables dans ce texte, que je suis d'accord pour le publier, même si vous n'y retouchez pas.

Il est évident toutefois que sous sa forme actuelle il ne touchera qu'un public très limité, et j'aimerais par conséquent solliciter une subvention du Conseil des Arts.

Ce texte toutefois me confirme dans l'impression que j'ai eue lorsque j'ai lu votre premier manuscrit que vous pouvez prendre la tête des écrivains canadiens actuels et nous donner des œuvres aussi puissantes qu'originales.

Croyez, mon cher ami, en mes meilleurs sentiments.

Pierre Tisseyre
Président

*
*   *

Montréal le 8 février 1965.

Monsieur Pierre Tisseyre,
Président,
Le Cercle du Livre de France,
3300, boulevard Rosemont,
Montréal 36.

Cher ami,

Avant de passer à des considérations légales, je tiens à vous dire que je me réjouis de m'engager dans ma première expérience d'édition avec vous. Je crois que nous pouvons aisément nous entendre et travailler ensemble dans un climat de collaboration franche et dynamique.

J'ai lu et relu le formulaire de contrat que vous m'avez fait parvenir, et voici les seuls points que je tiens à vous signaler en ce qui concerne ce contrat :

1) Je crois qu'il faut ajouter une clause stipulant clairement que l'Éditeur n'est autorisé à mettre le roman «Prochain épisode» en vente qu'au lendemain du jour où un jugement final aura été rendu au sujet des deux chefs d'accusation qui ont été retenus contre moi lors de l'enquête préliminaire du 15 juillet 1964. Donc, tant que le jugement final n'a pas été rendu, l'Éditeur ne publiera ni partiellement ni intégralement le roman en question. Cette clause peut mentionner clairement que l'Éditeur peut procéder à la mise en vente de «Prochain épisode» aussitôt après le jugement final et quelle que soit la sentence prononcée contre l'Auteur. À cette condition — et sans savoir le sort qui m'attend au procès — je suis prêt dès maintenant à m'engager par contrat avec vous. (Pratiquement, je puis vous dire que mon procès aura lieu le 16 mars prochain ; et je puis vous assurer que mes procureurs et moi-même ne demanderons pas de remise à une date ultérieure. Me Carisse et Me Lamer ont d'ailleurs vainement tenté de faire avancer la date du procès et vous comprendrez que, pour une foule de raisons, il y va de mon intérêt que cette affaire soit réglée au plus tôt.)

2) CF : ARTICLE PREMIER. En ce qui concerne les autres éditions, les traductions et les adaptations, il me paraît nécessaire d'établir à l'avance un mode de partage ou des critères de répartition entre l'Éditeur et l'Auteur des sommes que l'Éditeur peut éventuellement percevoir en vertu du droit de traiter qui lui est conféré par cet article.

3) Je me suis engagé, sur parole et de bonne foi, à céder un livre d'essai aux éditions Parti Pris. Il s'agit là d'un accord moral, dont l'exécution a été retardée unique-

ment à cause de mon statut judiciaire. Il va de soi que si vous et moi nous signons le contrat de publication de « Prochain épisode » (ce que je souhaite !), je ne publierais aux éditions Parti Pris que ce livre d'essais (dont un seul inédit) et cela après une période de trois ou six mois, dont nous pourrions convenir maintenant, après la mise en vente de « Prochain épisode ».

Aussitôt que nous en serons venus à nous mettre entièrement d'accord, j'aimerais bien vous rencontrer pour discuter certains détails et certains projets strictement littéraires. D'ailleurs, j'ai bien hâte de vous revoir et de reprendre une conversation amicale que nous avons, à quelques reprises trop brèves, si bien amorcée.

Bien cordialement vôtre,

Hubert Aquin,
582, Davaar,
Montréal 8.

Montréal, le 2 mars 65

Cher ami,

Vous trouverez, ci-joint, le contrat en bonne et due forme. Je suis en train de faire quelques corrections au roman ; toutefois, je vous ferai parvenir le manuscrit définitif d'ici huit jours.

Je serai heureux de notre accord ; et je me sens déjà de plus en plus « écrivain » !

Veuillez agréer l'expression de mes meilleurs sentiments.

Hubert Aquin

Édition critique

*

* *

«Liste pour [envois] complimentaires H. Aquin»

Camille Bourniquel, Éditions du Seuil 19 rue Jacob, Paris 6ᵉ

Mᵐᵉ Dominique Rollin,   "   "   "

Paul-André Lesort,   "   "   "   "

Roland Barthes,   "   "   "   "

Jean Paris,   "   "   "   "

M. Flamand,   "   "   "   "

Jean Cayrol,   "   "   "   "

Jean-Marie Domenach, Revue Esprit   "   "

Fidel Castro, Hôtel du gouvernement La Havane Cuba

Gian Vittorio Baldi, [...] Roma La Celsa   Italie (Prima Posta)

Frank Jotterand, Gazette de Lausanne Lauzane Canton de Vaud Suisse

Charles-Henri Favrod,   "   "   "   "

Stuart Schelley, [...] Washington D.C. U.S.A.

Georges Simenon, Château d'Échandens, Canton de Vaud, Suisse

Gabriel Veraldi, [...] Paris 4 France

Michel Butor, Éditions Gallimard 5, Sébastien-Bottin Paris 7 France

Aimé Césaire, mairie de Fort de France, Fort de France, Martinique, Antilles Françaises

Jacques Dercourt, Gaumond-télévision 3 Caulaincourt Paris 17ᵉ France

Samuel S. de Sacy, Mercure de France, rue de la Sorbonne
    Paris 6 France
Edgar Morin, […] Paris 5 France
Albert Memmi, […] Paris 4 France
Claude Tresmontant, École pratique des Hautes Études 6^e
    section Sorbonne Paris
Léopold Sedar Senghor, Palais Présidentiel Dakar Sénégal
Jacques Berque, Collège de France Paris France
Charles Moore, French Department University of Alberta
    Edmonton Alberta
Prof. Paul Ricœur, Faculté de Philosophie Université de
    Montréal C.P. 6128 Montréal
Pierre De Bellefeuille, Expo 67, Place Ville Marie, Mont-
    réal

*
* *

le 15 décembre 1965

Mon cher Hubert,

    Un mot pour te dire que j'ai terminé la lecture de
Prochain épisode et que j'en demeure ébloui. J'y constate
des moyens et une maîtrise dont peu d'écrivains d'ici
disposent, crois-moi!
    Je n'ai pas eu la partie facile car comment pouvais-
je renoncer à l'approche haletante du mystère de H. de
Heutz dans ce décor bouleversant d'appropriation lyrique
et souveraine de la Suisse et du monde? J'attends vraiment le prochain épisode. (Car je n'ai pu suivre toutes les
pistes avec une égale lucidité et celle qui mène au chiffre

de H. de Heutz continue de m'appeler). Et puis, comment le dire, quelque chose en moi me murmurait que le château d'Échandens m'était étrangement familier, quoique de façon très lointaine et j'ai attendu H. de Heutz, moi aussi...

Meilleures amitiés,

André Belleau

P.S. À la p. 127, la mention du livre du colonel Stoffel publié chez Casimir Delavigne, Paris 1876, m'a beaucoup intéressé ! Je me suis demandé si cet éditeur était le fils ou le parent du poète Casimir Delavigne (1793-1843), auteur des « Messéniennes ». Quant à l'auteur, s'agit-il du baron Eugène Stoffel (1823-1908), militaire français en mission en Allemagne, qui sut tenir le gouvernement français de l'époque au courant des préparatifs militaires de la Prusse avant 1870 et Sedan ?

J'ai essayé sans succès de déchiffrer le cryptogramme d'Hamidou Diop.

A.

*
* *

Éditions du Seuil, 27 rue Jacob, Paris VI

Paris, le 5 janvier 1966

Merci, cher Hubert Aquin, pour le beau roman que vous avez bien voulu m'envoyer. J'en aime les variations multiples et son côté allégorique. C'est très plaisant en même temps. Votre thème est très original. Je viens de passer un très beau moment à vous lire. Bravo. Je n'oublierai pas le mystérieux Carl et la manière si personnelle que vous avez eue de nous en parler.

Très bonne année, cher Hubert Aquin, qu'elle soit heureuse, libre, fertile.

Jean CAYROL*

Monsieur Hubert AQUIN
le Cercle du livre de France
Montréal.

*
* *

Montréal, 13 janvier 1966
Monsieur Hubert Aquin
582 Davaar
Montréal

Cher Monsieur,

Jean Éthier-Blais m'avait demandé de lui laisser vous apprendre lui-même la bonne nouvelle qu'il ramenait de Paris. C'est pourquoi, je n'ai cherché à vous joindre qu'aujourd'hui ayant de mon côté reçu une lettre de Laffont me confirmant son désir de vous éditer et la confiance qu'il a en votre talent ; mais précisant que pour mettre toutes les chances du côté du livre, il fallait y faire quelques petites corrections.

---

* © Jean Cayrol, 1995, «DROITS RÉSERVÉS»

N'ayant pu vous joindre au téléphone, (chez vous personne ne répond et le no 933 8469 que vous m'avez donné, semble avoir été discontinué) je vous écris ce mot pour vous demander de m'appeler afin que nous en discutions et que je puisse en discuter également avec Laffont.

Autre bonne nouvelle, Jacques Hébert m'a demandé PROCHAIN ÉPISODE pour son club (environ 1000 personnes) et cette demande me permet de faire une réimpression, puisque avec les 1000 pour New York, nous allions épuiser la première édition.

Croyez, cher Monsieur, à mes sentiments les meilleurs.

Pierre Tisseyre
Président

*
* *

Montréal le 18 janvier 66

Mon amour [Andrée Yanacopoulo],

Tu ne peux pas savoir à quel point j'ai envie de voyager avec outrance, d'être sans cesse sur la route, de partir à l'aube du Lutétia (avec toi, suprême passagère) vers Amsterdam, vers Bâle, Lausanne, Bologne et vers Taormina, Agrigento et Tunis — mon port d'attache! J'attends en ce moment les gens de l'Expo pour un meeting. Je te dis, comme ça, que la première édition du livre est épuisée : Tisseyre réimprime. D'autre part, Laffont-Paris — édite le livre — non pas dans son affreux ghetto «canadiens-colonisés», mais «straight»! Cela se fera en

263

septembre ou octobre, à la rentrée, comme disent les Français! Bref, tout va rondement de ce côté; même de Pierre Tis. (qui) me supplie de «rachever» Joan pour la publier en septembre ici! Ton esclave d'amour ne se déchaîne pas, comme tu vois. Je remplis mes devoirs de citoyen en instance de réhabilitation: bref, mon courage dans la platitude me vaudra, sait-on jamais? quelque médaille honorifique!

À part ça, je couche dans nos draps, j'emplis notre frigidaire de bacon et de jus d'orange; la seule pensée de descendre en ville me rend malade tellement je suis bien là où nous avons vécu ensemble.

Je t'embrasse.

H.

*
* *

Paris, le 22 février 1966

Cher Monsieur,

J'ai mis quelque temps à vous écrire, à cause d'une bousculade de travail au journal ARTS dont je m'occupe actuellement. Finalement, j'ai pensé que le mieux était de vous renvoyer le jeu d'épreuves que nous possédons, avec des indications en marge.

Vous verrez qu'il y a des passages que, sincèrement, je crois trop longs; d'autres parfois, trop embarrassés de pronoms relatifs. Il y a aussi certaines expressions trop marquées pour que leur répétition fréquente passe inaperçue (par ex.: «par surcroît», «me déprendre»). Il y a enfin en général, une surabondance d'adjectifs qui, si elle est excellente parfois, gêne à d'autres moments où l'accumulation finit par être une faiblesse et déprécie les épithètes les plus fortes. C'est là, si vous adoptez ce point de vue, un travail que je ne peux que laisser à votre appréciation et à votre sensibilité.

Permettez-moi de vous dire en tout cas que j'aime énormément l'espèce de luxe sombre et étouffant dont votre roman enveloppe le lecteur. De même que j'aime beaucoup les perspectives en quelque sorte cubistes et les glissements du temps et de l'espace, qui lui confèrent une quatrième et profonde dimension.

J'espère que vous serez d'accord sur les corrections que je vous propose et que vous pourrez les faire rapidement, afin que nous puissions publier, rapidement aussi, votre livre dans la collection que je dirige ici: «Préférences».

J'espère également avoir la joie de vous connaître un jour. Très amicalement, si vous le voulez bien.

Georges BELMONT

*
*   *

Montréal, le 17 mars 66

Monsieur Pierre Tisseyre
3,300 boulevard Rosemont
Montréal 36

Cher ami,

Je passe aux nouvelles — comme on dit —, car il me presse de savoir quels arrangements je dois faire en vue de mon séjour à Paris, à l'occasion du lancement en France de « Prochain épisode ». Et aussi, j'aimerais bien savoir quelles modifications je dois apporter au texte ; Jean Éthier-Blais n'a pas communiqué avec moi à ce sujet.

Peut-être pourrions-nous [nous] rencontrer un de ces prochains jours : je vous propose, à tout hasard, mercredi midi le 23 ou, dans la semaine du 28, le jour qui vous conviendrait.

Je suis heureux de vous annoncer que, dès le 28 mars, je me remets à la rédaction et à la correction de « Trou de mémoire ». Plein temps ! Dès maintenant, je puis vous garantir la livraison du manuscrit final pour le 1er juillet.

Bien cordialement vôtre,

Hubert Aquin

*
*   *

Montréal, le 5 avril 1966.

Monsieur Laffont,
Éditions Robert Laffont,
6, Place Saint-Sulpice,
Paris (VIe).

Cher ami,

Bien que je vous imagine encore vous promenant
sur les plages d'Acapulco, je me permets d'adresser un
mot au Robert Laffont qui reprendra le travail à Paris.

Je viens tout juste de recevoir le texte de «Prochain
Épisode», annoté et commenté par votre collaborateur
Monsieur Georges Belmont. De plus, Monsieur Belmont
a pris soin de m'exprimer son opinion et de m'indiquer
les principales modifications que je dois apporter à mon
roman. Je crois en avoir fini avec ce travail d'ici trois
semaines environ.

D'autre part, le mois de septembre me paraît le plus
indiqué pour le lancement à Paris ; Jean Éthier-Blais (un
ami, d'ailleurs) abonde dans ce sens. Pour ma part, il me
presse de convenir au plus tôt de la date de ce lancement
pour la bonne raison que je pourrais difficilement me
rendre à Paris avant le 10 septembre et après le 5 octobre.
Et comme il ne me semble pas superflu d'être présent au
lancement et surtout disponible pour interviews et rencontres, j'espère bien que cette période dont je dispose (entre
le 10 septembre et le 5 octobre) vous convient.

Aussitôt que la rédaction finale de «Trou de Mémoire» sera complétée, je vous ferai parvenir une copie ;
vraisemblablement, ce ne sera pas avant le début de juin.

Prochain épisode

À Paris, quand j'y serai, j'espère bien que nous pourrons reprendre la conversation agréable de l'autre jour, à bâtons rompus de préférence et — sait-on jamais ? — au-dessus d'une table. Je garde le meilleur souvenir de notre rencontre et vous prie d'agréer l'expression de mes meilleurs sentiments.

Très cordialement,

Hubert Aquin, 582 Davaar, Montréal 8

*
* *

Montréal, le 3 mai 66

Cher ami [P. Tisseyre],

J'ai retourné à Georges Belmont les épreuves corrigées (modérément...) de <u>Prochain épisode</u>. Je lui ai réitéré ce que j'ai dit à Monsieur Laffont, car votre présence, soit fin septembre, me convient parfaitement pour le lancement.

J'attendrai donc de ces nouvelles à ce sujet. Toutefois, il me presse de savoir si <u>le Cercle du livre de France</u> s'est engagé par contrat avec les Éditions Laffont pour l'édition parisienne de <u>P. épisode</u> ? Somme toute, dois-je considérer que le roman sera publié de façon certaine et diffusé par la maison Laffont ?

Si oui, je tiens à ce que le suivant — <u>Trou de mémoire</u> — soit publié à Montréal, par votre maison, avant ou juste au moment du lancement de Paris. En conséquence d'ailleurs, je vous informe que, dès aujourd'hui, je me consacre à la révision finale de TROU DE MÉMOIRE,

en sorte que vous pourrez le lire « in extenso » vers la fin
de juin.

J'ai concentré toutes autres activités dans les semaines précédentes afin de disposer d'une période continue et
assez longue pour mettre la dernière main à ce roman qui,
presque fini, compte déjà plus de deux cents pages dacty-
lographiées.

Bien cordialement,
Hubert Aquin.

*
*   *

VIᵉ, le 22 septembre 1966

Mon cher Aquin,
je suis bien désolé de ne pas être à Paris quand vous
y êtes. J'avais été si content d'avoir votre livre, regardé
trop hâtivement comme toujours (avec la pensée de le
reprendre), mais assez pour y sentir un grand brio et une
réussite. J'ai eu une année assez terrible de travail, et je
n'avais pas pu vous faire signe. Je rentre à Paris vers le
5 octobre ; y serez-vous encore ? Ne manquez pas alors de
me faire signe pour qu'on se voie, même hâtivement (je
vais aux USA, du 15 au 30 oct.).

Je vous dis mes fidèles amitiés,

R. Barthes*
Danton 95-85

GLOSSAIRE

Entre parenthèses, la page de la première occurrence.

Abrahame (160): (néologisme) fait allusion au papier inventé par le physicien français Henri Abraham (1868-1943) dont le patronyme évoque, en sus du patriarche biblique et de la Terre promise, les plaines d'Abraham où, en 1759, se joua le sort de la Nouvelle-France.

Beta-Chlor (21): hydrate de chloral; sédatif et hypnotique, plus connu sous le nom commercial de «Noctec».

Engin (72): (anglicisme) parfois utilisé au Québec pour désigner le moteur, par contamination de l'anglais *engine*.

Ennoiement (64): terme océanologique qui désigne le recouvrement d'une région continentale par la mer.

Équaniles, équanitrate (21): du nom de la marque (Equanil) d'un méprobamate, médicament favorisant le sommeil par le soulagement de l'anxiété et de la tension.

Fauteuil à l'officier (119): (ou bergère d'officier) dont la forme des accoudoirs, rejetés vers l'arrière, permet commodément le port de l'épée.

273

Gestuaire (18) : synonyme de « gestuelle », se définit comme étant l'ensemble codifié des gestes (*Robert*, tome 9).

Holster (42) : (angl.) étui servant à transporter une arme à feu que l'on dissimule sous un vêtement. Porté généralement sous l'aisselle.

Hypogique (33) : (néologisme) formé sur hypogée.

Involvée (55) : (latinisme et anglicisme) qui rappelle la marque de voiture Volvo. Du latin « volvere » : rouler. En anglais, «involve» veut dire : envelopper, replier en spirale, mais aussi au sens dérivé : (s') engager, (s') impliquer.

Motile (86) : (néologisme) dérivé de « motilité » ? ou de «mot» (comme le suggère Gilles Beaudet, *Prochain épisode*, Éditions du Renouveau pédagogique, p. 74)?

Noématique (66) : (néologisme) formé sur noème : pensée, conception.

Obscuration (30) : (astronomie) l'obscurcissement résultant d'une éclipse.

Parahélique (54) : (néologisme) qui fait office de pare-soleil (en fait : un écran), sur le modèle de parapluie (du latin *parare* : protéger et du grec *helios* : soleil).

Prendre les minutes (166) : (anglicisme) dresser le procès-verbal.

Sarcophale (140) : (néologisme) devrait se lire «sarcophagiale», puisque le mot semble dérivé de « sarcophage ».

Sedan (61): (anglicisme) berline.

Stellazin (7): (s'écrit habituellement « Stelazine ») nom commercial de la trifluopérazine servant à induire le calme, à contrôler l'agitation et l'anxiété relatives à un état psychotique.

Subpœna (164): (du latin signifiant « sous-peine ») assignation (au Canada) de témoin (ou citation à comparaître) habituellement délivrée par huissier.

Verbatile (85): (dérivé de « verbe », sur le modèle de « fluviatile »): verbeuse, verbo-motrice.

Index des noms de personnes
(excluant les noms fictifs)

J

K

L

S

T

Édition critique

Table des matières

Publications de Jacques ALLARD

Gérard Bessette, Le Libraire, édition présentée et annotée, Montréal, Éditions du Renouveau pédagogique, 1971, 102 p.

Zola. Le chiffre du texte, Montréal et Grenoble, PUQ et Presses universitaires de Grenoble, sous l'égide du Centre de recherches de l'Université de Paris VIII, 1978, 164 p.

Travaux sémiotiques, J. Allard éditeur, Montréal, UQAM, «Cahiers d'études littéraires» nᵒ 3, 1984, 205 p.

Québec-Acadie: Modernité/Postmodernité du roman contemporain, en collaboration avec Madeleine Frédéric (Actes du colloque international du Centre d'Études canadiennes de l'Université Libre de Bruxelles, Montréal, UQAM, «Cahiers d'Études littéraires» nᵒ 11, 1987, 200 p.

Traverses/de la critique littéraire au Québec, Montréal, Boréal, «Papiers collés», 1991, 212 p.

Cultural Representation and Quebec Society/Représentation culturelle et société québécoise, Jacques ALLARD et Patricia SMART (éd.), «Hommage à Ben Shek», Toronto, *University of Toronto Quarterly*, vol. 63, nᵒ 4, été 1994, 656 p.

À paraître

Plaisances. Lectures du roman contemporain, Montréal, XYZ.

En préparation

Le Ciel, la Cité, la Chambre. Le roman québécois du XXᵉ siècle.

ÉDITION CRITIQUE
DE L'ŒUVRE D'HUBERT AQUIN

BIBLIOTHÈQUE QUÉBÉCOISE